宏碁「合夥創業」的五個成員，左至右，後排：邰中和、黃少華；前排：林家和、施振榮、葉紫華。這是早期難得一次盛裝的合影。

創業初期，靠著「微處理器研習中心」，在市場一片荒漠的情形下，從消費者教育著手，先後三千多位工程師接受了這項課程，開啓台灣微處理器應用的風氣。

天龍中文電腦參展時的留影，現場還舉辦了倉頡輸入法競賽，穿著旗袍的服務人員，都是宏碁的同仁。

1982年，在歐洲被專業雜誌評選為「十大個人電腦代表作」的「小教授二號」。

這就是宏碁塑造形象的「窮人行銷手法」，不斷以翻新的話題在媒體呈現一致的形象；而吸引媒體報導最重要的前提，就是創新的能力。

獨步全球的「矽奧技術」，在第三世界引起廣泛迴響，就是其中一例。

1983年，邀請殷之浩先生投資宏碁，以期引進外界資金、分散股權。前排五人，左起，童虎（曾任宏碁執行副總）、陳正堂（現任宏碁科技董事長）、施振榮、史蒂芬（前美國宏碁總經理）、邰中和。這是「龍騰國際」時期，宏碁決策團隊的主要成員。

1988年，宏碁更進一步引進外資，保德信集團、花旗銀行、日本住友、大通銀行等，陸續加入投資行列。開台灣科技業引進國際資金之風。

1989年，在總統府演講，提出「科技島與世界公民」的定位。1992年，宏碁開始推動「全球品牌，結合地緣」策略，朝世界公民的目標邁進。

宏碁與墨西哥經銷商的合資簽約儀式，從那一刻起，宏碁「當地股權過半」的「利益共同體」更形緊密。

為了提升國際化管理能力，於1989年邀請劉英武先生加盟宏碁，但在產業革命的浪潮下，宏碁海外事業嚴重虧損，劉先生也因而去職。

經過「改造工程」的淬鍊，宏碁的效率呈現倍數地提升，1994年晉升為全球第七大個人電腦品牌，並快步邁向前五大。

宏碁多年投入研發，辛苦但收穫豐盈。1992年榮獲台灣第一屆國家發明獎的第一名。

1994年由英代爾與《天下》雜誌合辦的台灣PC十年回顧活動中，宏碁包辦了八位元、十六位元、三十二位元與六十四位元四項「個人電腦里程碑獎」（最中間二人，左為英代爾資深副總裁虞有澄先生，右為《天下》雜誌發行人殷允芃女士）。

和我合作最久的一羣夥伴：前排是第一代創辦人，後排是結合地緣的合資夥伴與第二代經營者（左起：拉丁美洲宏碁副董事長羅哈斯、歐洲宏碁總經理呂理達、宏碁科技總經理王振堂、宏碁電腦資訊產品事業羣總經理林憲銘、明碁電腦總經理李焜耀、宏碁國際總經理盧宏鎰、美國宏碁總經理莊人川）。

我的家庭：和我一起渡過人生甘苦的母親與妻子，兩個個子比我高出許多的兒子，和學化學、但有藝術巧思的女兒。

財經企管 139

封面設計／陳俊良

再造宏碁

施振榮 著

林文玲 採訪整理

作者簡介

施振榮

台灣省彰化縣人。國立交通大學電子工程研究所碩士。現爲宏碁集團董事長。

宏碁集團在其帶領之下，成爲台灣最大的自創品牌廠商，以及全球第七大個人電腦公司；並因此而廣受世界媒體稱譽。美國的《商業週刊》（*Business Week*）稱宏碁集團爲「能夠持續企業開創精神的亞洲新巨人」；而《世界經理人文摘》（*World Executive's Digest*）則指施振榮本人爲「全球十五位最能創造時勢的企業家。」

施振榮的優異表現獲各方肯定：一九七六年，獲選全國十大傑出青年。一九八一年，當選全國青年創業楷模。一九八七年，獲美洲中國工程師學會頒發「中國工程師傑出成就獎」。一九九三年，獲頒國立交通大學名譽博士。

並曾受邀於總統府月會演講，爲其「科技島與世界公民」定位；是民間企業中，推動台灣產業升級及國際化不遺餘力的經理人士。

林文玲

台灣省彰化縣人。國立政治大學經濟系畢業。現任《遠見》雜誌資深編輯。一九八六年擔任財經記者迄今。曾獲一九九三年與一九九五年金鼎獎「雜誌類採訪報導獎」、一九九五年金鼎獎「公共服務獎」，以及一九九三年「吳舜文新聞獎」等之雜誌報導獎。

著作另有與高希均教授等人合著之《台商經驗——投資大陸的現場報導》（天下文化公司出版）。

自序

只因台灣需要

施振榮

宏碁多年來全心投入研發與行銷，原因只有四個字：台灣需要。而從事這兩項投資，最怕的並不是遭遇挫折，而是重複繳學費卻不得要領。要避免這個狀況，就必須真實地記錄過程並傳承經驗；經驗分享於己無損（我從不相信，「留一手」會讓自己在競爭當中贏過別人），而分享的層面愈廣，社會資源的損耗愈低。

就是這樣的心情，當一九九五年四月，天下文化社長高希均教授打電話給我，詢問我願不願意將經營宏碁的心得撰寫成書，供有志創業與自創品牌的朋友參考時，我毫不考慮就答應了。

放下電話之後，這本書所能提供的其他附加價值，開始一一出現在腦海裡。

我向來認爲，科技的價值所在，是讓更多人享用，否則再尖端的技術，對人類的貢獻終究有限。純從科技來看，宏碁的創新，雖然比之先進國家仍有差距，但換個角度來看，能夠不斷挑戰

成本的極限，以享受低利潤來擴大電腦的使用層面，這可能是比技術創新更加不容易的工作。我認爲，這正是台灣的利基所在，也是宏碁努力多年，並累積許多經驗的領域。

第三次創業

如果說，宏碁的心得能夠提供若干參考價值，使更多企業以降低成本、服務更多的客戶來支持創新，而不是以高價位、高利潤來供養研發，相信將是人類更大的福祉。

在這本書出版的同時，正逢宏碁創立二十週年，也是我們第三次創業的起點。延續「再造宏碁」時期「結合地緣」與「成爲世界公民」的理念，這個階段的任務，是使宏碁成爲家喻戶曉的品牌，以期世界各個角落都能享受到物美價廉的新鮮科技，爲了讓全球的同仁腳步齊一地朝此目標邁進，宏碁精神必須更加深植，組織運作必須更有效率。而要促成這個目的，不論就廣度或是深度而言，文字仍是最佳的傳播媒介。

因此，這本書將會陸續以其他語言的版本，呈現給宏碁品牌所到之處的讀者。因爲，宏碁已經不只是全體同仁與投資人的企業，它同時也是所有宏碁的夥伴，包括銀行、供應商、消費者與社會大眾的企業。我們所努力的方向，和大眾休戚相關，也期待能爭取夥伴與外界更大的支持力量。

透過本書，我們期許著更多有理想的人，能夠認同這樣的精神，並一起來完成這個理想——

不管達成的方式是否相同。宏碁的經營理念並不在於賺多少錢，雖然，實際上我們是在創造利潤，但更重要的，是對人類未來做出更大貢獻的承諾，希望這本書的問世，能讓大家一起來樂觀其成。

但我無意把目標置於「天下爲公」或是「世界大同」那般崇高而遙遠的定位，我們當然盼望這一天早日到來，但希望能務實地一步一步去落實，由宏碁的全球「利益共同體」開始，藉由我們鍥而不捨地努力，滾動這個理想，從而結合更多有心人，一起來改造這個世界。

創新科技管理

我也希望這本書能給學術界一些研究的題材。事實上，宏碁的創新與管理理念仍未定型，還有許多的未來式，而管理原本就是活的、永遠在改變的，這本書當然不可能將宏碁的發展完全交代清楚，但也留給有志研究科技管理者很大的發揮空間。

也因此，我將以這本書的版稅，全數用來支持「秀蓮講座」。這個講座成立的目的，是支持國內各系所致力於科技管理與國際化的教育與研究，希望對有志於研究台灣企業國際化與科技管理的學者，提供獎助。當然，我也非常樂於提供這方面的經驗，但一個人的時間與能力畢竟有限，必須藉助學術界的專業，使這兩門學問儘速在台灣普遍扎根。

過去，宏碁有個「羣龍計畫」，目的在於培養更多人才，來執行企業的共同目標；未來，我

也希望能將這個作法，擴散到企業之外，原因同樣是四個字：台灣需要。

但是，這本書並不是我的自傳。雖然，過去也有其他關於我的傳記問世，眼前也有不少企業界的朋友出版自傳，但我生性不喜歡趕時髦，也從來不想寫自傳，更何況宏碁才剛開始，而我也期許自己在未來所作的貢獻，可以超過過去二十年。

因此，在這本書裡並沒有高潮迭起的故事情節，與雕琢的文筆，但我希望以簡單、清楚、深入淺出的方式，將我這些年來的經驗與理念呈現出來。而執筆寫成這本書的林文玲，稱職地將我的想法轉化成文字，相信讀者也和我一樣，能夠感受到她為這本書所花費的精神與時間。

也正因為這本書並不是自傳，所以書中並未提及我個人的成長背景，但我必須感謝在我一生中給予最大支持力量的母親與內人，宏碁和我能有今天，當然得自許多人協助，但她們和我一起渡過每一個困境，給我一個全然無後顧之憂的環境，才能讓我以付出和辛勞為樂，並有這般了無遺憾的人生。沒有她們，我也無法在此和大家分享再造宏碁的心得。

（施振榮、葉紫華夫婦）

關於作者

我的夥伴施振榮

葉紫華

有關施振榮的「內幕訊息」，我的管道並不會比其他夥伴多。除了大學談戀愛的時候，他一天寄給我一封「生活報告」（實在稱不上情書），以及他撰寫碩士論文期間，詳述製造半導體的照相原理；自此之後，他的耐心大半都貢獻給了工作。

這幾年，因爲宏碁的據點分散在全球近四十幾國，我們必須經常出國。施振榮喜歡看書，閱讀速度也很快，當然捨不得虛度搭飛機的時間。回到台灣，才走出中正機場大門，司機照例遞過一大公事包的公文，一坐

上車，他又迫不及待地看起公文來。這時和他說話，完全是自討沒趣。看完公文，他便仰頭呼呼大睡。

大概因爲我多年擔任總稽核，負責公司合理化工作的緣故，對於生活周遭或社會發生不合理的事非常敏感，在我發出不平之鳴：「這是什麼世界！」時，他不疾不徐地回答：「這世界本來就有很多問題，不然怎麼叫做『花花世界』？所以人生的價值就是去解決困難啊！」

我的另一半，真是無趣得有趣。

幸好，他質樸的個性始終一如當年我所認識的施振榮；而宏碁二十年的共事關係，則讓我親身參與了他事業生涯的順境與逆境。他雖不喜多言，但他的悲喜憂樂就在我的眼底。

從小事想大道理

當年，我完全沒有想到他會創業（否則，以我擇偶的「負面表列」——不嫁生意人，也不可能成爲施太太），更別提經營一個跨國企業，因爲左看右看，他都不具備生意人的特質。他害羞、木訥、不善交際，既不耀眼、也沒有什麼雄心壯志。若說能從什麼蛛絲馬跡看出他經營的潛力，應該說是他特殊的思考與學習能力。

施振榮非常喜歡動腦筋，往往一件看似稀鬆平常的事，都會讓他想出一番道理，而且他不但能從正面的榜樣中學習，也可以從負面的教訓中學習。

舉例來說，他經常參加政府或工商界召開的會議，看到部分大老闆爲自己公司利益說話時，疾言厲色、姿態極高，但另一方面，卻又極盡能事主動攀附黨政高官，他心裡覺得不舒服，想必別人也不會喜歡這樣的行爲，便引以爲誡，而且，「要讓大家相信，不擺派頭、不靠政商關係也可以做出所以然來。」

外界經常嘲諷這種會議爲「大拜拜」，因爲言不及義的場面話就占去大半時間，很多人不是半途退席，就是心不在焉。但不管他人發言內容如何，施振榮一貫的態度都是認真聽講，也儘可能提出建設性意見。就是因爲專心，他總是可以從聽來無奇的意見當中得到收穫。他曾說：「就算別人的意見都不可取，起碼也學到如何避免犯相同的毛病，否則呆坐著也是浪費時間。」

事實上，參加會議是他非常重要的學習方式。這些年，他常受邀到國外的研討會上發表演講，但他講完之後必定留下來聽其他專家的演說。對他來說，這並不僅可以增加宏碁的曝光度，而且是寶貴的進修機會。在台灣，他對外演講的機會也很多，但很少背講稿；他喜歡以問答方式進行，一方面是爲了針對發問者特殊的問題提供意見，更重要的是，這是他腦筋「練功」的時候。

這些當然不是他「上了年紀」以後才養成的習慣，追本溯源，幼年的成長環境，對他有非常深遠的影響。

施振榮三歲喪父，孤兒寡母在大家族當中處境原就艱難，婆婆年輕時候相貌娟秀，街坊鄰居

更是閒話不斷。他沒有與環境對抗的條件，於是學會傾聽與觀察。他看到母親長年吃素，辛苦獨力經營小雜貨鋪，讓他衣食無虞，便下決心和母親一樣有毅力；雖然他也看到長輩插隊、貪小便宜，卻沒有有樣學樣，還從中思考到別人也一樣難免會貪圖方便，便懂得包容他人犯錯。

爺爺非常疼愛施振榮，常常帶著他到鹿港龍山寺去和老朋友聊天，小傢伙總是興致盎然地在一旁，聽著老人家談論誰吃了倒帳，誰又有獨到經營手法，腦海裡聯想到母親堅持不二價與不賒帳的原則，又發現母親從不串門子、道人是非的習慣，讓她在親族與鄰里間維持相當好的人際關係，客人也就樂意上門。在這樣的環境裡耳濡目染，對生意也開始有些概念。

上小學的時候，施振榮偷抽過菸，但第一口就嗆著了；初中偷賭過錢，但在一次看同學賭錢的時候，被老師逮到了（還好當時只是旁觀）。他覺得抽菸、賭博的滋味並不好，往後就連碰也沒碰過了。

漸露管理長才

我想，幼年時期片片段段的瑣事，對施振榮並不見得都立即產生影響，但卻在成長過程中慢慢反芻，形成他的人格特質。

施振榮有些性格和婆婆非常相像，例如，婆婆不認同「年輕寡婦一定會改嫁」，而施振榮不相信「念醫科才有前途」，母子倆對偏執的世俗觀念都有相同的叛逆，對於自己認定的價值觀都

非常執著。但是他們的叛逆與執著，卻不是時下流行「舉白布條」式的抗爭，而是想出方法、作出成果以茲證明。施振榮的「反向思考」哲學大約也是由此開始。

施振榮日後的生涯，可以說就是這些特質的綜合產物。

在我的觀察中，施振榮原本內向的個性，在大學時代已經有了明顯的改善，在交大辦社團活動的經驗，讓他交了很多朋友，也開始建立自信，這當然對於日後的創業很有幫助。但是，就他的經營能力而言，更大的成長，是來自於就業期間的學習。

他前後在環宇和榮泰兩家公司服務過。在環宇的時間不過一年多，但卻是他事業的第一個轉捩點——從研發工程師變成生產部門主任。當時與他共事、後來和我們一起創辦宏碁的林家和形容施振榮：「他穿上西裝、打起領帶，整個人架式就不一樣了。」

他的改變當然不只於衣著。因爲我大學念的是企業管理，於是，他就向我借了一本有關企業管理的教科書，讀完之後走馬上任，配合著他待人謙和的個性，將幾百人的工廠管理得有板有眼。因此，他才有機會被老闆的兒子挖角，參加榮泰電子的創立。

我常想，施振榮雖然沈默寡言，但卻總有一套讓別人注意到他長處的方法。

施振榮在榮泰的成長，比環宇時期更大。當時，除了外銷和財務之外，其他部門都由他負責，因此得到多方面的經營歷練。而且，榮泰的老闆林森剛從美國留學回來，作風開明，兩人年紀相當，對管理有許多地方看法一致，施振榮從林森那裡學到不少觀念，公司也經營得很順利。

當時，老闆曾給他若干技術股（但我們始終不清楚數量多少），另外也邀請施振榮出錢入股，但是我們都不願意，一方面是沒錢，一方面是公司並沒有提供透明化的財務結構，實在沒有信心投資。這原本是件小事，但卻對日後宏碁的管理產生非常重大的影響。

在困境中成長

宏碁在創立的第三年推動員工入股制度。由於過去的親身經驗，我們體會到要讓員工有信心入股，財務透明化是第一要務。我們設計了一套制度，包括每季公布財務報表，以淨值作爲買回離職員工股票的價格等等，因此，在宏碁電腦股票上市之前，內部就已經有公平的交易市場。

其實，宏碁從創立第一天開始，財務就是公開的。因爲公司當時只有十一個人，會計帳本放在桌上，誰都看得見，但重要的是，我們一直認爲員工理所當然有權了解公司財務狀況。

財務公開的作法，剛開始的確爲我們帶來一些困擾。例如，有一位業務人員發現我們代理發展系統的毛利較高，就把業務推展困難的責任，歸咎於價格太高。事實上，這產品毛利高是因爲售後服務成本較高。然而，我們並沒有從此把會計帳本藏起來，而是去和員工溝通清楚。

除了財務透明化之外，我們也想到，同仁也會和我們當年一樣沒錢入股，怎麼辦？那就由我們私人來貼錢吧！

早期，因爲有股東撤股，我們就買下這部分股權，推動員工入股的時候，打八折賣給公司，

公司再打對折賣給員工，差價由我們吸收。就這樣，宏碁的員工入股制跨出了第一步。後來，員工入股的範圍愈來愈廣，除了按月從薪水中扣除之外，有些同仁缺錢，我們私下借給他們；同仁質押股票向銀行貸款，當額度不足必須補足質押額度時，我們也借股票給同仁。

那時候，我們的出發點很單純，要讓同仁願意一起打拚，當然要先滿足他們的需求，何況我們又曾經歷沒錢的日子，可以體會也願意幫忙解決同仁的難處。怎麼也想不到，這套制度竟然就這麼一路擴大，變成宏碁日後「當地股權過半」的國際化模式。

今天回想起來，施振榮對於事業，他也並不是一開始就有什麼偉大的企圖心，而是在碰到問題的時候想辦法解決，從解決問題中成長，然後繼續發展、繼續突破，自然他的經營能力也愈來愈提升。

尊重人性，激發潛能

施振榮任職榮泰的時後，雖然沒有出錢投資，但是始終非常盡心，即使在後來榮泰的財務被關係企業拖垮的階段，他的態度都沒有變。畢竟他參與這家公司從無到有的歷程，對公司感情非常深厚。他在本書中提到，在榮泰發生財務危機時，他曾經去請陳茂榜幫忙，但很少人知道，在請求被拒絕之後，施振榮不禁傷心落淚。

就這樣，施振榮不得不出來創業。之所以說「不得不」，是我猜想（因爲他從來沒告訴我）

他已經當到副總，又剛當選「全國十大傑出青年」，大概覺得出去找工作面子掛不住，況且，那年頭台灣也不興「獵人頭公司」。另一方面，他非常看好微處理器的發展潛力，但是那時台灣幾乎沒有公司從事這個行業，於是，只好自己下海創業了。

宏碁創立之後，我也開始身兼家庭主婦與公司主管雙重角色。

在施振榮的理念裡，人性本善是最重要的核心價值，部分原因是個性使然，部分則源自於以前曾經被老闆懷疑過，所以就將心比心，從自己信任同仁做起；他相信，當同仁被尊重、被授權的時候，就會將潛力發揮出來。

這一點，他還真不是光說不練。施振榮對同仁一向客氣，有時候我對同仁提出比較直率的問題時，他會非常不高興地怪我：「沒當過員工，不懂得員工的心情。」

很快地，我也發現授權真是有很大的成效。

開會時，施振榮通常不會先發言，而是先讓同仁充分表達意見之後，才提出他的看法，有時，他和同仁的想法並不相同，但如果同仁堅持按照自己的方案，他會尊重同仁，讓他們去試。同仁會非常珍惜這樣的機會，分外努力去印證自己的看法，同仁獨立自主的責任感也因此從中培養出來。特別是新進同仁，總會有些顧忌，放不開，但當主管願意主動授權給他們之後，膽子一大，能力就施展出來了。

當然，也並不是每個人，每一回都喜歡施振榮的授權風格，有些人就是喜歡主管幫他出主

意。有時候，同仁之間意見相左，而施振榮向來不願在自己還未全盤了解之前遽下決定，便會讓同仁先自行協調，因此有些人抱怨他不夠決斷。但他的想法是，事事幫同仁做決策，同仁會養成依賴的習慣，做錯了就把責任往上推，做對了也不知所以，經驗無法累積，成長也相對有限。

人人平等，不享特權

就因爲每個人的個性都不一樣，宏碁也有少數主管不能完全做到尊重同仁的原則，施振榮也不能強迫他們，但是他非常積極地帶頭示範。

有一次，有一個財務人員跑來告訴我，施振榮簽報的差旅費有部分不合乎制度規定，但是又不敢退回給他。我將這件事告訴施振榮，他理所當然地說：「應該退啊，爲什麼不敢？」

後來，有一位關係企業的副總也發生同樣的情形，但是當財務人員退件給他的時候，他相當不悅：「難道副總經理連這點權力都沒有？」當財務人員告訴他，施先生都二話不說接受退件時，這位主管也只好接受。

施振榮非常在意同仁的感受，也很悉心去照顧。舉例來說，由於他兼任多家關係企業的董事長，於是就制定一個原則，兼職的董事長薪水與員工入股額度不能高於總經理，他一向認爲總經理才是對公司貢獻最大的人（專職董事長又另當別論）。有一段時間，揚智科技由我兼任董事長，當施振榮發現揚智給我的分紅額度多過總經理時，便責怪我：「怎麼可以這樣！」

因爲工作忙，我真的沒有注意到這件事情，後來我把額度還給公司，總經理還一再向我道謝。

近兩年，有家關係企業在計算分紅獎金時，經營團隊發生歧見，總經理馬上主動把自己的部分拿出來分給大家，平息這場爭執，這位總經理私下告訴我：「我自己拿少一點沒關係，大家滿意就好。」聽到這樣的話，我們如何能不心存感激？

包容不同的聲音

因爲宏碁的授權管理，同仁對公司的決策介入很深，所以難免會出現不同的意見。施振榮很能包容同仁提出不同的意見，當少數有異議的同仁，被其他人「圍剿」時，他還會勸大家：「公司能有不同的聲音是件好事。」有人就戲稱他是「刻意容忍異己」。

也因爲這個風氣的養成，施振榮在面對同仁的挑戰時，就必須以溝通、說服來代替命令，他只好又開始「腦力運動」，想出好的表達方式來回應同仁。這產生了兩個結果：第一，他的表達能力與日俱增，可以將自己的想法推廣成同仁的共識；第二，想出讓公司更進步的策略。

最典型的例子，就是一九八九年宏碁將組織改成分散式多利潤中心。

在此之前，總部對轉投資事業的股權比例都相當高，因此關係企業的收益也都是統籌分配，但是，因爲關係企業的表現互有高低，於是，獲利狀況較好的明碁就堅持要分家，不吃大鍋飯。

這個主張出現之後，有些事業的負責人很不以爲然，因爲每一家公司都是有起有落，爲什麼錢賺得少的時候不提分家，賺多了就要分家？

站在公司領導人的角色，施振榮是可以採取強勢拒絕的作法，但是他覺得夥伴會這樣想，其實也是人之常情，而且，讓表現好的公司和表現不好的公司齊頭分享利潤，也不公平，所以就發展出各事業單位獨立核算利潤的架構。這個作法，最初是爲了解決利潤分配的爭執，後來卻因此促進各事業的經營績效，並且奠立了宏碁主從架構的基礎。

根據宏碁人事部門的調查，宏碁同仁的民主意識非常高，不喜歡干涉別人，也不喜歡被管。開會時，就有主管嚷著：「我們要跳脫施振榮的框框。」我對他說：「好極了，提出來大家討論！」其實施振榮自己也不希望公司有框框存在，因爲同仁的自主性這麼高，強迫大家變成一個樣子，真的一點也不好玩。

在公司，施振榮常常故意和我唱反調，他說：「如果不這樣，就沒有同仁敢向妳直言。」雖然如此，他對我負責的工作，同樣也很授權。

例如，我們幾位創辦人合資成立一家控股公司，由我擔任負責人，有一回，夥伴們開會卻單找施振榮而不找我，事後，我問參加會議的同仁：「施振榮有沒有把我賣了？」同仁說：「沒有。他說：『你們找我沒用啊，公司負責人又不是我。』」

九〇年初期，我在公司內部大力推動合理化、降低成本，難免盯上他直屬部門的同仁，讓他

產生許多困擾，他曾抱怨：「被妳盯上的人，不死也只剩半條命。」雖然如此，他還是很支持我。原因有兩個：第一，在整頓其他部門之前，我已經先整頓我自己的部門，並有具體的成績；第二，當時公司狀況陷入困境，非整頓不可。

這段時間，大概也是施振榮最苦惱的歲月。

堅信人性本善的代價

從我的角度來看，施振榮並不是沒有缺點，例如，他有時候太相信人性本善。對於多年共事、有共同企業文化的同仁來說，相信人性本善是對的；但購併而來的公司並未經如此企業文化的薰陶，授權太快的結果，就產生失控。

其實，早在一九八四年宏大創業投資成立時，就已經有這個問題。

當時，施振榮的想法很單純，他覺得很多有才華卻不善表達的年輕人任職大公司，每天看老闆的臉色，一不小心還會被冷凍起來，實在很可惜。我們很幸運地把事業做起來，應該幫助這些年輕人創業。結果宏大的兩個投資案都失敗了，因爲彼此沒有經過長期共事，對方不見得可以體會和接受我們幫忙的方式。

後來，宏碁電腦股票上市之後，公司資金比較充裕，便在歐美又購併了幾家公司，還是授權給當地的負責人經營。但是有些公司內部管理出現問題，負責人不但不接受台灣派駐當地幹部的

改善意見，還將多位資深同仁排擠出去；財務結構不健全，負責人還一再爲不稱職的財務主管辯護，這些都和宏碁文化完全背道而馳。

由於我一直負責財務、稽核等跨部門的工作，和各單位的同仁都很熟，因此很多訊息很快就傳到我這裡。最初，當我轉告施振榮時，他還說我太神經質。後來狀況一再出現，公司也不得不派人去整頓。

但是，在公司出狀況的時候，大家對於整頓的方式，意見特別分歧。有很多方案，負責的同仁和施振榮意見並不相同，但他還是放手讓同仁去試。經過一段時間還是沒起色，施振榮也沒有責怪同仁，只是默默地收拾殘局。

那時，我負責降低成本、改善體質的工作，原本就吃力不討好，加上我的個性也比較急，有些夥伴就開始有意見，認爲應該讓時任總經理的劉英武有充分授權的環境。加上有一回施振榮因爲勞累過度，昏倒在電梯裡，於是夥伴們就要我退出經營團隊，「回家照顧老公」。

結婚這麼多年，我非常了解施振榮不是重享受的人，並不需要人家照顧，更何況他大多數的時間是在公司，並不是家裡。當他覺得工作不順的時候，才會不對勁；一旦工作順利推展，就什麼問題也沒有了。對我自己而言，我一直希望能當家庭主婦，只因爲公司規模快速擴大，需要有人跟著成長的腳步把制度建立起來，我才不得不留在宏碁。

施振榮以「公司還在轉型，需要我再幫忙三年」的理由，說服了夥伴。但是，這件事讓我非

常沮喪。剛開始幾天，我在公司什麼事也不做，開會時什麼話也不說，就是一個勁兒打瞌睡。施振榮終於看不過去了，他對我說：「難道妳還不知道自己要什麼？」

這句話將我整個人都喚醒了，我又開始到處「抓蟲」（找出問題，予以改善），還跑到美國協助建立信用管理制度，公司有了明顯的改善，夥伴前來向我道謝，我擺出「餘恨未消」態勢告訴他：「我只不過是幫我老公，不是幫你！」

耐心建立共識

照理說，宏碁的轉型是不應該延宕這麼久的。在公司發生虧損的那一年，施振榮就準備要推動「速食店模式」，宏碁電腦改爲純粹生產主機板，在市場當地組裝電腦，但是多數的夥伴卻都反對。有時候我會催他：「爲什麼不趕快做主機板？」他說：「說過好幾次了，他們都不贊成。」看得出來，他爲這件事非常憂慮。

大家不支持，也只好慢慢熬了。因爲施振榮曾經允諾，如果公司成長遲緩便要辭職以示負責，一九九二年，他就真的向董事會提出辭呈，但是，董事立刻發表聯名信來慰留他。

開股東大會的前一天，施振榮顯得格外沈默與沈重，爲了讓他開心一點，我告訴他：「這樣吧，如果明天有股東要你下台，我馬上就去買機票，我們去環遊世界。」看我興致勃勃的樣子，他不禁笑了出來。

後來，我們一起到美國去著手整頓，下飛機之後，他沒有像往常一般直奔公司，而是先在飯店裡和微軟及英代爾的總裁通電話，告知他們，公司經營團隊因爲劉英武辭職而改組。然後，便決定開始推行速食店模式。接下來好幾天，他不斷說服美國的同仁接受這個方案，最後，他們才勉強同意試試看，這個模式至此正式展開。

我想，願意花一年多的時間說服同仁接受自己方案的經營者，大概很少見。但是，之後，我們又花了一年的時間來讓這項工作上軌道。

在改成市場當地組裝之後，我們的海外事業單位遭遇到很大的經營難題，因爲他們原來只負責行銷，對組裝與採購方面都不在行，因此，我們派出一個小組協助各地事業單位。依我的觀察，這些同仁都很努力，但是缺乏建立全方位管理體系的經驗，所以成本不免偏高，但施振榮還是很有耐心地讓他們去試。

能說這麼做不對嗎？我想，既然要授權，該付的學費總是要付的。

視富貴名利如浮雲

施振榮始終就是這樣單純、信任他人，不會稱兄道弟、說動聽話，只是執著地一直做下去。這樣的個性，在宏碁前任董事長殷之浩先生身上也看得到。

殷先生和施振榮都具有工程背景，又同爲創業者，大概是因爲惺惺相惜，殷先生很疼愛這個

小學弟。一九八四年殷先生投資宏碁之後，對我們也是完全授權與信任。當公司陷入困境時，殷先生身體狀況並不是很好，有時開會開到一半就睡著了，並不是很清楚我們在討論什麼，但到要做決策的時候，他除了支持之外，完全沒有別的意見。當時，他的一個幕僚對宏碁有諸多負面的批評，他聽了很生氣，不許幕僚說宏碁不好。

經過再造工程之後，宏碁已經重新步入軌道，施振榮也重新找回自信。有時候，他看我在進行改革工作，還會開玩笑地說：「這哪裡是改造，我那個才能叫改造。」

多年來，施振榮一直把培養人才當作最重要的事，如今也有了成績。

像盧宏鎰剛畢業進公司的時候，還很年輕、生澀，現在已可以獨立推動宏碁國際股票在新加坡上市，主持上千人的全球經銷商會議。林憲銘和李焜耀負責宏碁電腦和明碁，也都領先同業。他們早期參與公司投資，如今也累積一些財力，但是他們都還是像以前一樣樸實。

像歐洲宏碁的呂理達，到現在一張股票都沒賣過，他的部屬告訴我：「有時候吵歸吵，看他對公司向心力這麼高，也只好努力幫他。」以前常常挑戰施振榮看法的宏碁科技總經理王振堂，有一次有感而發地說：「現在真正體會到，做一個領導人需要很大的包容力。」

看著他們各個都已經具有獨當一面的大將之風，施振榮常說，他很以宏碁的第二代接班人為榮，我認為他很有理由這麼說。

宏碁剛創業的時候，孩子還小，我帶他們去公司幫忙發薪水，告訴他們：「宏碁是靠這些叔

叔努力工作才能夠發展，他們很辛苦，應該把公司交給他們。」現在看起來，這樣的決定對夥伴與孩子都是對的。

其實，不管是接班、授權、員工入股，或是建立人性本善的文化，都反映了施振榮的個性——看重人性的價值，而看淡錢財與權力，他曾經說過：「只要看這個世界上那麼多財大勢大的人，行爲亂七八糟，道德還不如普通百姓，就會覺得追求財勢真的沒什麼價值。」

還好施振榮是這樣的人。我們的生活非常簡單，他向來對吃穿都不挑剔，有什麼就吃什麼，衣服都是在打折的時候買的。有一次，朋友找他去唱卡拉ＯＫ，他破例超過十一點才回家，看到婆婆還在等他，此後就再也不曾晚歸。他很不喜歡商場上五光十色的交際應酬，因爲「實在不覺得有什麼意思。」

這些年，我也培養幾位接班人，並打算在三五年之後回歸家庭，也希望施振榮能夠儘快和我一起享受退休生活，我告訴他：「我希望有一天能一起看棒球，邊走邊吃冰淇淋。」

但不管如何，眼前宏碁才剛開始另一個階段的創業，還有很大的改善空間，不管三年五年，只要在工作崗位上，就沒有鬆懈的本錢。

現在，當公司有傑出表現的時候，施振榮偶而會笑著問我：「妳看我做得怎麼樣？」「不錯！」我毫不猶豫地回答。這是以夥伴身分所說的真心話。

（本文由林文玲採訪整理）

目錄

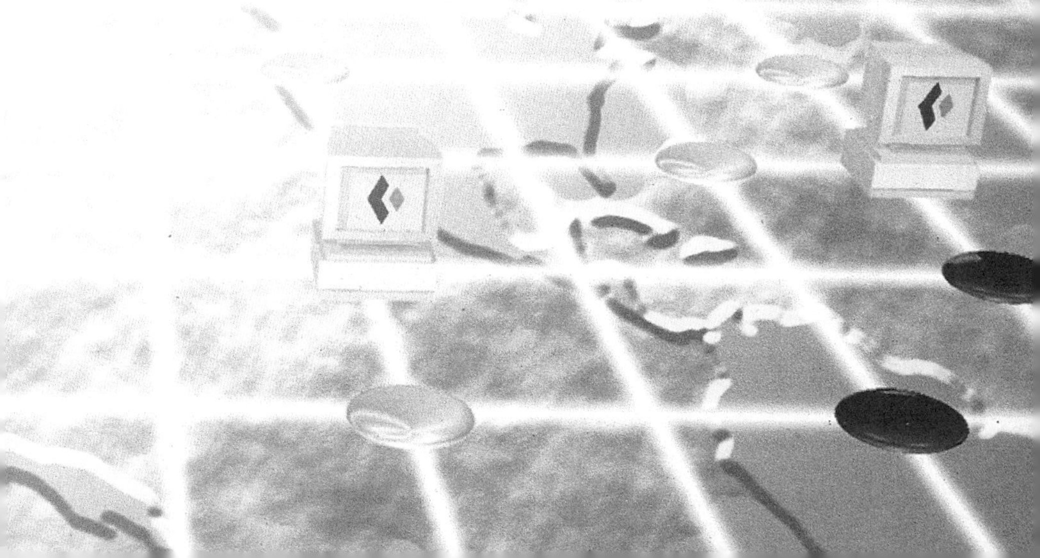

ACER 再造宏碁

緣起

挑戰的哲學

常有人問起，我的座右銘是什麼？大約五、六年前，我思索這個問題，寫下「挑戰困難、突破瓶頸、創造價值」這幾句話。

我想，無論是人生、社會，乃至於企業的生產線，瓶頸有所突破，就可達到最高效益，因爲許多資源往往都在瓶頸處被浪費與耗損。但是，所有的瓶頸也都是困難所在，否則，早就達到最高價值的境界。因此，要突破瓶頸，必先挑戰困難，這是我的一個基本邏輯。

然而，在挑戰困難、突破瓶頸時，不免遭遇失敗；所以一個人願不願意面對現實、屢敗屢戰，便成爲挑戰困難時必須具備的重要條件。

人生的歷程，是一個漸進的、每個階段環環相銜的長期挑戰過程，因此，除了從失敗中學習、不斷充實之外，也不得不講求策略，在遭遇困難時，或者暫緩，或者繞道前行，因爲最終目

的是突破，所謂「留得青山在，不怕沒柴燒」。如果暫時不能突破，就得耐心等待或先迂迴試探。這又是挑戰困難必須具備的另一個條件。

宏碁的發展歷程，就是不斷印證這樣的挑戰哲學。

雖然，這些想法都是事後歸納，並非創業之初就有如此嚴密的思考邏輯；但在此之前，有若干的「因」，造就日後宏碁與我的種種發展。

人生因緣

第一個「因」，是我不喜歡跟附他人的個性。

小時候，我是個內向、不喜歡出風頭的人。但是，我的想法總是和別人不太一樣，也不喜歡人云亦云，中學的時候，大家都想考醫科，我很不以為然；大學的時候，大家都想出國，我也很不認同，為什麼非得當醫生或出國？

儘管個性有些叛逆，但因為我一直是好學生，所以不能表現出來，不敢做壞事，於是就要找些正規的管道發洩，試著走出一些不同的路子。

例如，我從學生時代就不認為「中國人是一盤散沙」，創業之後，就努力把宏碁建立成一個同仁共同擁有的企業，用實際行動打破這個刻板印象。而宏碁自創品牌、強調人性本善及擺脫家族企業經營模式，都是因對時下一般企業的作法不苟同，而另闢發展之道。我也相信，這些作法

有助於企業突破成長的瓶頸。

第二個「因」，是求學過程中發覺了自己的潛能，使信心不斷增強。念中學的時候，原本我的成績並不算突出，在同學當中僅僅名列中上。但高二那年，有一回，學校公布數理化考試成績，我竟然拿下全校第一名。其實我對理科並未特別用功，特別下工夫的文科反而讀不好，但由於這個因緣，讓我產生很大的信心，奠定日後往理工科系發展的基礎。

考上交通大學之後，因爲人文課程並不是理工科系的重點，老師分數打得很鬆，大家都能拿高分。最後平均下來，我以第一名畢業，並考進交大的電子工程研究所。

而學生生涯對我日後影響更爲深遠的，是大學時代社團活動的歷練。

我是交大在台復校的第一屆學生，當時全校只有七十幾個同學，因此就有機會擔當「無中生有」的角色，催生許多新社團。我喜歡攝影和桌球，就成立攝影社與桌球隊，後來還創辦棋橋社和排球隊。在那個階段，無論是在人際關係、領導統御，以及服務團隊的技巧，都有初步的磨練，也使我具備嘗試創新的膽識。

例如，我舉辦學校首次的攝影展，以及全校研究生桌球循環賽，都是當年交大校園裡的盛事。

創立宏碁之後，不論是進入微處理器市場或是推出台灣第一部個人電腦，同樣是從無中生

有，爲了推廣新科技產品，不斷翻新活動方式，擴大活動層面。由於學生時代辦活動的歷練，宏碁日後一再挑戰創新的作法，也從未怯場。

挫折中尋找成長契機

第三個「因」，是就業時期掌握學習與發展的機會，逐漸累積實力。

就業之後，我擔任的職務是研發工程師，所從事的工作，成果都較爲具體可見。從計算機、電子筆錶，到四位元的微處理器（也稱微處理機）發展系統，都是全國首創，甚至於世界第一。而且，技術愈來愈深、規模愈來愈大、整合性愈來愈高。

在就業初期，我的薪水從未增加，但也因爲不計較薪水，所以很容易「被用」，職位從工程師一路升遷到擔當決策的主管，比同儕有較多歷練的機會，也累積較多的經驗。更重要的是，因爲從事新產品開發，難免遭遇失敗，所以對挫折也就能夠處之泰然。

宏碁創立後，雖然面對的事情、人物、策略大不相同，但從本質來看，只是這些「因」在不斷重複循環而已。

人生的歷程，可能會在「挑戰困難、突破瓶頸、創造價值」的良性循環裡，往上發展；但也可能在遭遇挫敗時，導入惡性循環當中——在挫折後失去信心，致使往後更常受挫。事實上，這兩個循環是同時並存的，只是較強的循環呈現顯性，較弱的循環則是隱性。正面的循環，是透過

不斷的行動與實踐培養出來的，愈練愈靈光、愈有信心。負面的循環，則是源自猶豫觀望，不敢出手，愈往悲觀面看，就愈發覺得每條路都不可行，便老是在死胡同裡打轉。

因此，在面臨陷入負面循環的危機時，最重要的就是要找出問題的根源，讓自己重新導入正面循環。

二十年來，宏碁遭遇不少挫折，也付出不少學費，我想，我大約是台灣付出學費最多的企業負責人。寫這本書的想法，就是希望提供自己在面臨負循環的剎那，如何反覆檢討後找出解決之道，再次進入正循環的若干經驗與心得。

台灣大有可為

除了分享個人的經驗之外，我也希望提出對台灣發展前景的觀察。

一個國家的競爭力，不是天生具備的。過去，一個國家可以靠天然資源致富；但現在，一個國家必須長期累積高品質的科技、管理與制度，才能創造財富。而所謂「長期」，從歷史的角度看，將會愈來愈短，過去一個盛衰周期以百年計算，現在則是一、二十年就會產生盛衰興替。

因此，未來腦力的開發程度將決定國家的興衰。過去在人類的生活當中，動腦筋的只是少數幾個官員，現在則是全民都在動腦筋，不但「量」超過以往千萬倍，在技術的快速演進之下，更帶動「質」的突飛猛進。很多人感慨「一代不如一代」，但我始終堅信「一代必定強過一代」，

因爲每一代接觸到的教育與工具，都不斷在翻新進步。

處在這樣的環境下，台灣未來要創造歷史，提升競爭力，要靠許多有心人互相影響，共同朝一個方向促成技術、能力與環境的升級。

近年來，由於電腦與半導體事業的蓬勃發展，使得台灣大有可爲。比起過去許多產業，科技業掌握了更強的發展主權，包括技術、市場、管理、資金等，而且都可以在國際間拼搏，而非仰賴國內市場維生。從經營者的背景來看，第一代企業家靠政府產業保護政策奠基，主要的舞台在國內市場；新一代企業家則受惠於教育與獎勵投資政策，觸角延伸到海外，相較之下，新一代經營者更具國際化與技術導向的開創性。

幸運的是，台灣傳統「寧爲雞頭，不爲牛後」的創業精神，恰恰和目前世界分工整合（disintegration）趨勢結合。在細密的國際分工下，企業只要找到自己的核心能力（core competence），在單一產業中具備國際競爭力，就能生存。而台灣以中小企業結合而成的產業網路結構，正是台灣的競爭力。

在這樣的趨勢下，組織的力量變得非常重要。而這當中的關鍵，是領導人如何把自己的想法，轉化爲羣眾力量的整合。

尋找組織競爭力

我認爲，身爲一個領導人，要帶動一個企業，必須要借重別人的力量，順勢而爲。既然如此，就必定要先了解別人的想法，並認同別人的期待。

宏碁的核心理念之一，正是我長期觀察社會，了解年輕人的期待之後，綜合得出我們的願景（vision，願望及遠景）——「龍夢成真」，中國人要在國際上揚眉吐氣。

因爲有這樣的期待心情，我們都共同經歷了一段「少棒熱」：家家戶戶半夜守在電視機旁，觀看少棒的實況轉播，在中華隊獲勝之後歡欣流淚，舉國歡騰。我相信，正因爲多數中國人都有在世界嶄露頭角的共同理想，宏碁才能吸引更多的人才，一起打拚。

但光有理想仍不能使組織有效運作，還必須創造凝聚團隊精神的環境。「團結力量大」的道理，人人都懂，但具備堅強向心力的企業，卻並不多見。當中的關鍵，在於組織成員之間有沒有共同的利益。

因此，我們的核心理念之二，就是建立「利益共同體」，讓大家對公司的成敗有切身感，願意全力以赴。

另一方面，雖然目標相同可以產生較大的力量，但多數人又都希望有自己的獨特想法，擁有自己的風格（例如，大多數的人都討厭天天穿制服），因此，企業必須滿足成員獨立自主的成就

感。在這個原則之下，宏碁一方面不斷將一貫的企業文化本質灌輸給同仁；一方面，對企業文化的闡釋與執行，則是鼓勵各單位主管按照自己的想法去創造其特質與差異化，這形成宏碁第三個核心理念。

但是，組織規模愈大、成就感愈大，隨之而來的風險也愈大，如何在擴大規模的同時，還能分散風險？宏碁的第四個核心理念，是採用高度分散式的授權管理與員工入股制度，來達到兼顧高度成長與風險分攤的目的。

發揮團體力量來成就共同目標，我所希望掌握的要領是：既能大——就是大到足以追求共同的方向與理想，又能小——就是小到只在執行上鼓勵大家各自發揮，來得到成就感。這是在非常難以取得平衡，甚至是互相衝突的情形中，找出一個可行的模式。

在往後的章節當中，我將詳述宏碁二十年來爲了實現共同願景，發展出全球特有「宏碁模式」的歷程，包括化解從屬之間對立關係、強調「人性本善」的企業文化；改寫一貫作業歷史的「速食店模式」；打破集權式階級組織、採行分散式「主從架構」；以及擺脫跨國企業威權管理模式、實施全球性合夥的「全球品牌、結合地緣」。

這些經營哲學，都與傳統的控制／管理模式背道而馳，但卻是宏碁得以走出電腦產業革命時期的困境，並創造另一個成長高峯的主要原因。

於是，有些國際學術機構開始對宏碁管理感到興趣：爲什麼宏碁可以這麼分散、授權，卻不

怕失控？

反向思考．突破窠臼

循著正向的思考邏輯，分散的確容易導致失控；但反過來想，我們所要追求的理想，必須結合很多人的力量才能辦到，因此，我們就不得不分享、不得不授權，況且，大多數人也都認同分享與授權是正確的，既然如此，關鍵應該是努力改進授權的管理能力，而不是光想到失控就停擺了。再換個角度看，爲了怕失控，就強把大家控制在一起，公司運作缺乏效率，在市場無法與對手競爭，到頭來公司還不是難以爲繼？

在我的經驗當中，許多事情往往在正向思考中陷入困局時，運用「反向思考」反而可以出現很多活路，而且它也相當有助於突破人生與事業經營的盲點。

舉例而言，目前社會中充斥著汲汲營私的風氣，因爲按照正向思考，個人的利益必然置於眾人利益之前，但如果運用反向思考，個人利益大可以放在眾人利益之後。

眾所周知，「人不爲己，天誅地滅」，這是真實人性的寫照。一個人再怎麼無私，都還是先替自己設想，因此，如果一個人沒有積極地，甚至是強迫自己先爲他人著想的話，他人的利益將被擺在哪裡？仔細想想，即使先爲別人打算，別人的重要性真會高過自己嗎？恐怕還是自己的利益會重要些，但如果不優先考慮別人，他人的利益卻會被完全抹煞。

如果企業主按照正向思考，企業資源配置自然優先照顧自己的利益，然後是股東，最後才考慮顧客與員工的權益。但是，宏碁運用反向思考，發展出「宏碁一二三」理論，我們照顧利益的優先順序，第一是顧客，第二是員工，第三是股東。

企業價值的高低，取決於它對社會貢獻的多寡，而企業對社會最大的貢獻，是提供高品質產品與服務來滿足消費者的需求；爲了提供高品質產品與服務，必然要有高素質的員工，因此企業必須訓練人才、照顧員工。如此，公司經營成功，利潤自然回饋給股東。而我的利益，就擺在顧客、員工和股東後面。

這並不是我故作清高、唱高調，我和所有人一樣也先爲自己設想。誠然，這麼一來我的利益可能會被分割，但是反過來想，如果我不照顧其他人的利益，當大家的利益遭到剝奪，自然不會再相信我，就不再產生貢獻公司的動力，或者對公司採取惡意報復手段，我未來便不會再有利益。因此，我將個人利益放在眾人之後，反而是更有保障、更細水長流的。

在下面的章節裡，我願以自己運用「反向思考」突破經營瓶頸的實例，與讀者共同研究。當然，在宏碁可行的模式，並不表示其他企業也能完全適用。我常說：「"Me too" is not my style」（意即不人云亦云），我一直相信，企業應該根據自己的資源與專長，在時空環境的轉換中，不斷發展出最適合的策略。

宏碁二十年，就是這麼走過來的。

第一部

打造根基

從一九八一年成立第一家轉投資事業，

到今天成為擁有五個關係企業的國際化集團，

宏碁集團之所以能夠快速發展，

在它強調理念經營，

以「人性本善」為主要企業文化；

充分授權；

更積極推動員工入股制度，

與利潤分享……。

這些與其他傳統企業不同的經營思考方向，

正是宏碁能維持企業活力及成長動力的關鍵因素。

第 一 章

走上創業之路

宏碁創業的使命，是讓
微處理器的技術在台灣
扎根。雖然沒有雄厚資
金為後盾，但以較經濟
實惠的出版品出擊，仍
能達到教育推廣與售後
服務的功能。

創業並非我原來的志願。一九七六年，就在創辦宏碁的不久之前，我獲選「全國十大傑出青年」，在致詞當中，還期許自己能一直擔當資本家與工程師之間的橋樑。因爲當時我是公司負責技術的最高主管，扮演著爲技術找資本的角色，對於給投資者信心，並將研發成果商品化的工作，不但有興趣，也累積了一些心得。若非原來任職的榮泰電子，因財務管理失策而面臨結束營業的窘境，我也不會走上創業之路，並轉換角色成爲搭起技術與市場的橋樑——企業經營者。

這一切因緣際會，得從就業歷程說起。

就業時期的他山之石

正向思考：員工權益過於高張，會損害老闆的利益。
反向思考：教育員工學會自我保障權益，老闆才會有利益。
思考邏輯：員工為了確保自身權益，必然盡力維繫公司生存；為了創造更大的權益，更會積極貢獻。

大學時代，我的志願是擔任交通大學校長，因此，我打算念完電子工程研究所之後，繼續攻讀博士，然後留校任教。

在那個年代，做生意並不是博士、碩士的工作，博、碩士的出路通常是當教授（沒想到，今天面對國際競爭、技術翻新，做生意所需要的學問愈來愈高深）。或者，在國外取得博碩士學位的人，可以選擇留在海外工作。因爲我不願意出國，也就理所當然以當學者爲目標。

但是，當我大二的時候（一九六六年），飛利浦、通用等外商電子公司正開始計畫登陸台灣，於是便到學校招募研究生，月薪兩百美金（折合爲台幣八千元，在當時是相當高的待遇）。那幾年，台灣電子工業才剛起步，仍以外商裝配廠及中日合資的家電廠爲主，但卻也是碩士可以不出國，而能在國內產業界就業的開始。於是，一九七一年，我從研究所畢業後，便打消攻讀博士的念頭，準備就業。

當時，我有兩個工作機會，一個是設於高雄的飛利浦建元電子；另一個是竹北的環宇電子。這兩處都有研究所的學長在其中任職，最後我選擇了環宇。一方面是，當時我自認英文不好，不打算在外商工作，而環宇是彰化望族林榮春所投資，與我有鄉親之緣。這個家族原以紗廠起家，在交大教授施敏與校友錢維翔鼓勵下設立半導體裝配業，由交大學長邱再興主持。最重要的是，環宇是台灣第一家設置研究發展部門的公司，我可以將所學應用於研發工作之上。

也因此，我開發了台灣第一部電子計算器。

在環宇，我並不是第一個開發電算器的人，但卻首先將它商品化的人。不同於其他同事的是，我除了設計電路，讓機器會動之外，還具備了包裝和成本概念。

我先請工業設計師設計外殼，並且找製作招牌的師傅以壓克力做出模型，將機器包裝起來，再將所有材料的成本做成分析報表，這事如今看來平常，但二十多年前卻屬罕見。

當我把這兩項非技術工作成果往上呈報，上級就決定將此開發案商品化，投資開模量產。但遺憾的是，這個產品並未成功，因爲日本進口的鍵盤品質不穩，按一次鍵會跳出很多數字，而且國產的印刷電路板經常短路。我原本希望能改進這項產品，但因爲職務調升爲半導體裝配線的主任，就失去繼續改良的機會。

從研發部門調到生產線，我從一個自己管自己的研發工程師，變成領導八百多人的主管，任務更加複雜，此時公司也開始出現派系問題。雖然工作環境不如以往單純，但我仍儘可能扮演好上下溝通的橋樑，有問題經常請教現場領班、課長，所以工作尚能勝任，人際關係也算和諧，而我又不計較薪水（直到離職仍是起薪的七千元），所以比學長們更早晉升爲副理，負責整個製造部門，藉此也累積更多的管理經驗。

雖然當時我畢業不到一年，但已經深刻體會到，要在一個組織裡成長，有兩個重要條件：第一，人際關係要好、不搞派系，因爲鬥爭只會讓自己處於不利的地位。

其次，必須要有責任感。我想，沒有一個老闆會在交代部屬辦事時，會期待部屬萬事迎刃而解，老闆期待的是授權授得安心，也就是部屬會負責任，盡力而爲，有問題主動反映。因爲能力不一定可靠，但責任感是可靠的。

榮泰成與敗

在環宇工作一年三個月之後，林榮春的三子林森另外投資榮泰電子，邀我一起創業。榮泰的定位是專業電算機廠商，既自創品牌（品牌名稱爲Qualitron），也代工生產。不但具備自有技術、品牌，而且獲利穩定，是當時最紅的公司之一，我們把它塑造成「年輕人的天地」，讓同仁享有自由揮灑創造的空間。

這樣的環境，也是我工作之後努力追尋的目標：在工作上結合一羣志同道合的夥伴，將科技成果貢獻社會，也讓每位參與成員獲得成就感，從而豐富人生。

從事電子事業，我算在行；但從另一角度來看，林森確是我在行銷理念方面的老師。至今我仍非常欣賞他的見解，他認爲台灣廠商拚命打通中、上游，但對下游的行銷，卻始終不去投資，如同河流下游淤積，努力生產的產品到處氾濫，最後只能便宜賤賣（這也是未能突破瓶頸的結果）。由於受到林森的影響，宏碁創立時，我就提出「倒向整合（backward-integration）」的觀念，也就是台灣一定要設法掌握市場主權，若能建立下游的品牌及行銷體系，就有能力往中游的裝配及上游的關鍵零組件發展。

在榮泰工作四年的時間，我終於一償在環宇未完成的夙願，成功地開發出國內第一部桌上型與掌上型電算器，也推出全球第一支電子錶筆（詳見第三章）。

但這段就業生涯帶給我最深遠的影響，卻是它結束營業。

當時榮泰的分工情形是，總經理林森主管行銷與工業設計，我則擔任協理（後來職稱更改爲副總經理），兼管研究發展、生產、業務、採購。本業的獲利狀況始終良好，但擔任財務管理的董事長，也就是林森的兄長，將榮泰借來的錢挪用支援家族經營的紡織廠，當時正值石油危機，紡織業經營困難，導致經營虧損，終於危及榮泰。

當公司運作開始產生偏差時，我和主管會計的同事一起去和老闆溝通，希望即時阻止公司財務繼續惡化，但所得到的回答是公司是老闆家族所有，他們可以作主。我們當然只好作罷。

後來，公司終於陷入危機，我便請求其他企業出面協助，其中包括聲寶企業創辦人陳茂榜。但當陳先生了解公司財務狀況之後，便搖頭拒絕：「公司背書保證的問題這麼嚴重，就像無底洞一樣。」雖然當時榮泰的業務已蒸蒸日上，最後卻不得不以關門收場（所謂「黑字倒閉」）。

由於榮泰結束營業，使我矢志擔當資本與技術橋樑的理想生變，卻也因而獲得許多寶貴教訓，轉換爲日後宏碁重要的經營理念，其一，是穩健的財務管理；其次，是照顧員工的利益。

穩健財務管理

和許多台灣的企業主一樣，榮泰老闆雖然財力雄厚，仍習於用短期資金做長期投資，也就是說，資本額並不足夠，由家族借錢給公司（即所謂「股東往來」）。正因爲是短期資金，不管是

向誰借，它仍舊是負債，對長期發展非常不利。

另一方面，因爲榮泰業務成長迅速，銀行的信用額度愈來愈多，錢也愈借愈多，信用擴張沒有節制，加上資金運用公私不分，導致最後無法收拾。

因此，我深深體會到，企業要穩健的財務管理，不但要有充足的自有資金，而且要釐清資金的歸屬，企業才能在健全資本結構中穩定成長。

其次，要進一步確保公司財務的安全度，必須建立客戶信用管理體系。

在榮泰工作的初期，我只負責研發、製造與採購，後來老闆要我兼管內銷業務，才剛接手，台灣的總經銷就要求展延支票，一延再延的結果，就賴帳不付錢，沒多久就倒閉了。

這是國內經銷商常用的手法，先要求供應廠商放帳，同時他卻可以向客戶收現金，轉運用在其他事業的投資（另一個把短期資金用於長期發展的錯誤模式），一旦其他事業進行不順利，資金周轉失靈，不但原來的事業保不住，還連帶拖累上游供應商。

這個例子也說明，經營內銷生意與外銷是不同的兩種學問。國內許多經營外銷業務非常成功的企業，往往在轉戰國內市場時失利，就是因爲沒有建立良好的信用管理制度。

因此，後來宏碁推出「小教授一號」電腦學習機，開始在國內鋪貨時，就要求每個經銷商先抵押才能批貨，將倒帳的機率儘量降至最低。

經營企業有個很大的陷阱，就是老闆常常搞不清楚手上的資金，究竟是自己的、銀行的，還

是供應商的錢，只要看到錢就以爲是自己的錢，逕自拿去投資，忘了它們其實是應付帳款或是短期負債。就我的觀察，國內多半的老闆也沒經驗，甚至有經驗的人都常會在金錢流轉中迷失。造成許多人很辛苦地創業，事業也非常成功，最後卻莫名其妙地倒閉。

這些切身的體會，讓我學會財務管理的基本原則，創業之後，雖然公司財力不豐，但始終未曾忽略財務的健全度；雖然成長過程中不免遭受挫折，卻能安然渡過難關（詳見第五章）。

善待員工，共存共榮

就業時期的另一個啓示，是企業必須善待員工，並且建立讓他們發表意見的管道。

當時，榮泰的同仁對工作都非常投入，對「年輕人的天地」也有相當的期待，但卻因公司決策失當，而同仁的意見未獲重視，導致員工期望落空、生涯規畫變調，必須另謀生路，對這些同仁而言，是相當不公平的。因爲一家企業的成敗，不只關係到老闆的資金，更關係到員工的心血投入和未來前途。

因此，宏碁創辦的第三年，在台灣企業員工入股風氣未開的情形下，便推動了這項制度，目的就是要建立一個共存共榮的環境，同時也讓大家都能發表意見，因爲股東拿出一毛錢投資，就有權說一毛錢的話，公司也就不致產生偏執的決策。

另一方面，企業要善待員工，不但不應將不合理的企業風險加諸員工身上，更要積極地建立

保障員工權益的制度。

當年，榮泰曾給我若干技術股，並給我一個董事席次，但有時也要求我要蓋章作保。在那個年代，員工自主意識並不像今天這般高，我既年輕又沒有出資，老闆對我這麼給面子，我也只有照做。幸好當公司財務發生問題時，老闆扛下債務，否則，我真不知拿什麼還債。

由於這段經驗，我從來沒要求宏碁各事業的總經理蓋章保證，憑良心說，他們並沒領公司多少薪水，實在沒理由要他們擔負這麼大的風險。此外，宏碁也從不給員工技術股，但邀請員工出資入股，而我也事先明白告訴同仁，入股的資金是要和公司共存亡，也唯有如此才能享受真正的權益。技術股（或叫「乾股」）的發放主權操在老闆手中，不但沒保障，往往還只是空畫大餅。

就業歷程中的種種教訓，我不但銘記在心，並且把它們轉換成保護員工與公司的制度，而不是學會招數之後，拿來對付別人，圖利自己。

不僅如此，我們更從根本著手，不斷灌輸同仁自我保障權益的意識（參見第十三章）。因爲我深切地希望，宏碁的同仁是最懂得保障自身權益的一羣員工。

在許多企業主的想法當中，員工的權益過高，將不利於自己的利益，但我認爲，如果員工能夠了解保障自身權益的重要性，也就會盡力維護公司生存，因爲如果公司發生問題，員工的權益也會喪失；另一方面，同仁爲了創造更大的權益，也必然會盡力爲公司貢獻。

這段就業生涯給我極深的感觸。台灣經濟結構中，家族企業比重極高，因此，企業常因家族

而興，也往往也因家族而敗。當企業面臨困難，也正是內部意見紛雜，力量分散的時候，如果能有家族的支持，的確比較能夠渡過難關。榮泰最初也是在家族支持之下，才轉虧爲盈。但是，以家族成員爲決策核心，難免因集權而無法產生平衡的意見，一旦步入歧途，便很難及時懸崖勒馬。

因此，如何保留家族企業的優點，避免家族企業的缺點，是我創業之後，最重要的課題。

集體創業

正向思考：經營者應以老闆自居，同仁聽命行事，則效率高。

反向思考：經營者應以夥伴自居，分工互信效率更高。

思考邏輯：產業變動快速，如果大家不能對自己負責，成天看老闆臉色才有所行動，將會誤導決策，應變也會遲緩。

榮泰在處於順境的時候，老闆非常信任我，我也全力以赴爲公司打拚。但在公司開始陷入困境時，有一次，老闆卻當面質疑採購物料的價格偏高。我努力工作，並不求褒獎，但絕不希望被老闆懷疑，於是當下便第一度萌生去意。

一九七六年下半年，榮泰狀況已經無可挽救，原來任職研發部門的黃少華、林家和與我不得

不離開公司。於是，我們在非常倉促的情形下創業，初期的目標，是設定在新興的微處理器市場。

當時，我們都非常看好這項產品。若說引擎是機器的心臟，那麼，微處理器就是機器的大腦。引擎的發明帶動了工業革命，可以預見的，微處理器的問世，也將是工業發展史中另一個轉捩點。我們有感於中國因爲沒有趕上第一次工業革命而積弱不振，這一次，無論如何不能再錯失機會，因此希望能在國內推廣微處理器的技術。

由於榮泰的工作經驗，我已可算是國內第一個深入了解微處理器的管理者。一九七四年，我曾邀請工業技術學院謝清俊、蔡新民等教授到榮泰上課，讓從未學過電腦的工程師對電腦數位式架構有所了解。爲了磨練大家，還特別請老師用英文上課。當時，林家和以及黃少華都曾接受這個教育訓練。

另一個創業夥伴邰中和，也是對微處理器情有獨鍾的人。他原本任職神通電腦時，就負責代理英代爾（Intel）的微處理器業務，由於到榮泰洽談生意與我們相識，後來便加入創業行列。

現在，外界常說的宏碁創辦人有五位：林家和、黃少華、邰中和、我太太（葉紫華）和我，實際上則還有另外兩個人，一位是原來在榮泰負責工業設計的涂金泉，一位是主修管理、英文程度極佳的沈立均（經由邰中和介紹認識，「宏碁」便是由他所命名）。我們湊足一百萬新台幣的資本額（我和我太太占一半，其他五位各占一〇%），以十一位成員和租來的三十四坪公寓，開

始「集體創業」的歷程。

但在創業一年之後，涂先生和沈先生便離開宏碁。他們的離開，對宏碁產生不小的衝擊，卻也促成宏碁集中全力發展電腦的契機。

約法三章

宏碁創立初期有三項基礎業務，除了微處理器相關業務之外，還有涂金泉負責的工業設計，以及沈立均負責的國外貿易和代理業務，這兩項業務投資小、回收快，而微處理器市場還不成熟，資金不斷投入卻進展緩慢，光是購買一部電腦系統就耗去資本額七五%，因此收支一直無法平衡，整個公司幾乎是仰賴前兩項業務維生。涂、沈兩位可能是覺得划不來，便離開公司。

這兩位的離去，同時也帶走了工業設計業務，與淨利極高的電話機接頭插座訂單（後來變成台灣重要的外銷產品），而其餘五人則繼續經營微處理器。雖然並不十分確知市場在哪裡，但我們都相信微處理器是有前途的。

在創業之初，我們進行過多次溝通，達成「約法三章」的共識。

第一，萬一公司撐不下去，就先由少數人留守，其他人到外面找工作，讓公司可以繼續經營。在這個階段，其餘夥伴的薪水打八折，我的薪水（月薪三萬元）打對折，我太太有兩年未支薪，以便降低費用，讓公司撐得久些；其次，創業初期由我作主，但必要的時候，如果我的領導

能力或財力不足，就要找其他人才來領導公司。

第三，雖然我和我太太擁有公司一半的股權，但若是我的決策遭到半數夥伴反對，就可將其推翻。

也就是說，在合作之前，我們就建立起將公司利益置於個人利益之前的組織氣候，並宣示宏碁不走家族企業路線，與尊重小股東的決心。

這些默契為宏碁往後的組織調整奠定互信基礎。後來，我們從IBM邀請劉英武擔任總經理，劉先生辭職之後，由第二代經營者主導各事業羣，創業者退居第二線，接棒過程都很平順，可說是從創業第一天就播下的種子。

另外，我們很早就建立一個重要的基本信念，就是：台灣產業要升級，非得走研究發展、自創品牌及國際行銷路線不可，否則長期的競爭力與穩定度，就會發生問題，所以這幾類人才的投資，絕不能省。

現在回想起來，宏碁投入許多心血培育人才，除了奠定宏碁健全發展的根基之外，外流的人才在業界都有水準以上的傑出表現，也算是宏碁對整體產業的貢獻。

自創品牌幾番波折

在宏碁創業初期，台灣微處理器市場仍是一片荒地，開發市場格外困難。受限於財力，我們

從貿易與顧問切入市場領域。

要靠顧問業務賺大錢並不容易；但藉此維持開銷，累積經驗，並不成問題。前五年，我們就替國內外客戶設計四十件微處理器的應用產品。值得一提的一筆生意是一九八〇年由誠洲電子委託設計的終端機（由現任明碁總經理李焜耀執行），這也是台灣第一項大量外銷的微處理器應用產品。

當時，大同、東元等公司也都在開發終端機，但卻無法商品化，而誠洲董事長廖繼誠與其他公司不同之處，在於他敢先投資數百萬元開發模具，具備立即大量生產的能力；其他不敢投資模具的公司，只能先以手工製作樣品，如果客戶下訂單，必須三至六個月後才能量產，基於時效與商品化能力的考量，客戶自然選擇了誠洲。

另一方面，當時宏碁規模雖小，但卻具備即時掌握新技術與材料資訊的能力，所以設計出來的產品，材料的品質與成本都優於其他公司。雙方優勢的結合，讓誠洲打響台灣資訊產品大量外銷先鋒的名聲。

在這筆交易中，我們改變計價方式，從過去成本加上些許利潤，變成先收成本費，後加權利金（依銷售數量計費），初期收入較少，也要承擔市場開發失敗的風險，結果誠洲終於成功，我們的收入也比預期多很多，對日後發展助益不小。

那一回，我曾計畫爲誠洲打品牌，並且已經簽訂獨家外銷總代理合約，但是他們希望從事數

量較大的代工（OEM）業務，只好將計畫擱置。其實，創業的前五年，宏碁就有意幫大同、東元等公司打品牌，但迫於現實，這些公司都極需大量生產的訂單，而且自創品牌需要較大開銷及長期耕耘，當時他們意願都不高，我們也只得放棄。

直到一九八一年宏碁推出「小教授一號」電腦學習機，才以自己開發的產品，圓了自創品牌的夢，成功地打開國際行銷網路。

微處理器的園丁

除了從設計顧問發展到自有產品之外，貿易也是宏碁早期的重點業務。我們代理德州儀器的電子零件，供應給台灣電動玩具廠商，由於正好趕上當時的電動玩具熱，在政府大力取締電動玩具之前，一度爲公司帶來可觀的業務。

除此之外，我們也引進美國的微處理器零件和發展系統（用來開發電腦的電腦），但在推廣時卻相當困難，因爲那時台灣一般人對微處理器非常陌生，市場幾乎等於零，以致鬧了許多笑話。那時我們自許爲「微處理器的園丁」，因此拜訪客戶時，很多人以爲我們賣的是種花的工具，還有推銷員前來向眾「園丁」促銷園藝書籍。

爲了克服這個問題，我們開始開辦微處理器研習中心，並且出版《園丁的話》月刊，從教育消費者開始著手。

一九七八年，我們在台北、台中、高雄三地同時開辦研習中心。四年中，共約有三千位產業界的工程師，接受了五十小時的訓練課程。授課內容主要是如何利用組合語言控制以微處理器爲主的電子線路，應用到交通號誌、機器控制等方面。

研習中心的開辦，對產業界與宏碁都有深遠的影響。透過這項課程，這三千位過去未曾學過電腦的工程師，立即能夠學以致用，對微處理器在台灣的普及，起了相當大的擴散作用。

另一方面，許多當年教授課程的講師，如今都成爲宏碁重要的決策主管，如宏碁電腦資訊產品事業羣總經理林憲銘、明碁副總經理邱英雄、宏碁新竹廠總廠長林銘瑤、美國宏碁副總經理吳廣義等。他們晚上當老師，白天推廣業務，許多客戶就是自己的學生，雙方有共同的語言，業務進行也較爲順利。

由於研習中心的課程頗獲好評，一些大型公民營企業主動邀請我們開辦內部研習班。講師就帶著機器到處爲企業授課，微處理器市場也因此慢慢打開。

到了一九七九年，由於客戶已累積到一定程度的數量，必須建立售後服務的體系，於是我們創辦《園丁的話》月刊。因爲以出版品來和舊客戶保持聯繫，是比較經濟實惠的作法；另一方面，也由於微處理器仍未普及，在開發新業務時，無法掌握明確的客戶羣，只得透過大量出版品，以期開發潛在客戶。

《園丁的話》最初發行兩千份，最後達到兩萬份，每到出刊日，同仁都全體動員裝書、郵寄。

因爲是免費贈閱，當然是虧本經營。但是，這對宏碁早期的知名度與影響力，有正面的效果。

長期耕耘

類似研習中心和《園丁的話》這種長期耕耘，又不至損耗過多金錢的作法，是我經常採用的策略。往後，我們不斷推廣資訊教育，並翻新活動方式。例如，一九八二年，我們在全省二十一縣市舉辦「小教授二號」巡迴展，所到之處，都造成居民趕看最新科技的熱潮；一九八六年在高雄首創「千台電腦教室」活動，吸引十萬人次前往親自操作；此外，還有「國際電腦圍棋賽」、「龍騰科技論文獎」、「學生電腦夏令營」，都是台灣企業第一次嘗試的作法。

但我也發現，雖然多數人都了解其重要性，但很少有人（甚至也包括我的同仁）能抓到其中訣竅。這類型投資之所以難以掌握要領，是由於過程中往往看不出直接而具體的回收，因此決策者不免反覆質疑投資效益，而終致放棄。當然，企業不能永遠只有付出，沒有回收，但我認爲，只要大方向正確，若因資源有限，企業可以在既定方向調整投資進度。就好比原來是跑步，可以放慢腳步走路，但千萬不能停住不動或改變方向。許多企業常是在對的方向走到一半，覺得收成遙遙無期，就停止或另謀他方，反而造成資源浪費。

正因爲過程漫長、間接又不具體，因此，決策者應該認清這種作法和有形設備的投資回收過程不同，不能套用硬體的投資報酬公式計算，它是以有形的資產去換無形的機會，而且必須經過

一段時間，無形的機會才會在別處轉換成有形的回收。也就是說，決策者應該把眼光放遠，耐心耕耘，它不會帶來暴發式的厚利，但會有細水長流的效益。

窮小子文化

談宏碁創業初期，不能遺漏我們的同業——神通。

長久以來，外界喜歡拿神通與宏碁來相比。神通創立在宏碁之前，論財力背景，神通有苗家石化業爲後盾；論產品，當時神通代理英代爾的微處理器與迪吉多（Digital）的迷你電腦，產品線之強，台灣無人能出其右。在這種客觀環境下，宏碁當然不能以卵擊石，必須發展出不一樣的策略。

在產品策略上，因爲神通大量投資在資料處理的設計業務，宏碁就改切入微處理器應用產品的設計業務；宏碁初期不介入中文電腦，也是因爲神通已經投資其中（直到一九八〇年，宏碁才和朱邦復合作開發天龍中文電腦）。

在宏碁的企業文化當中，有一項「窮小子文化」，其實就有與神通區隔的用意。因爲同仁難免存著和神通比較的心情，爲了讓同仁了解宏碁有別於神通，我便不斷給同仁精神教育，強調「有錢的壞處」——有錢難免浪費、自我膨脹，趁機灌輸大家危機意識，以及把錢用在刀口上的觀念（結果，後來我們不幸被自己言中，在股票上市之後嘗到有錢的壞處）。甚至，在宏碁剛起

步的時候，我還曾經考慮要和神通策略聯盟。因爲宏碁當時真的是沒錢，而這個產業又需要相當大的資本，當時要在台灣找到有錢又願意投資微處理器的人，除了神通的苗豐強之外，幾乎沒有第二個人。透過邰中和，我和苗先生吃過一次飯，但因爲初次見面，並沒有談到合作的話題，再加上合作時間也非十分迫切，因此和神通聯手的想法也就未曾付諸行動。

宏碁的草創階段可以說跟著神通的腳步。後來，宏碁開始經營「小教授一號」，神通也推出「小神通」；宏碁以大量外銷業務爲主，神通主攻內銷，形式開始有些轉變。之後，宏碁成爲台灣第一家個人電腦廠商，正式奠定日後在台灣電腦業中領先的基礎。

攤著牌打牌

從宏碁草創階段的經驗來看，有兩個關鍵因素攸關創業的成敗。一個是「勢」，也就是發展的大方向，另一個是策略與速度。

對創業者而言，如果所經營的行業是大勢所趨，就必須有信心地往前走，順勢而爲。然而，如果方向正確，但是速度調配不適當，走得太快，消耗體力太多，便不易達到目的；太慢，又錯過時機。所以必須衡量企業能力，有策略地持續前行。

更重要的是，企業若要長期健全發展，夥伴之間必須建立分工與互信的合作關係。

台灣的創業型態，常是一羣朋友或同學因志同道合而結合，在這樣的結構中，夥伴們必須各

有專長，各司其職而且意見一致，否則經常導致功能重疊，缺乏決策重心而失敗。因此，我認爲，創業還是需要有個「龍頭」擔當決策重心，企業如果成功，他當然居功較多；但如果失敗，他也必須負最大責任。這樣便可以取家族企業尊重輩分之長；但爲了避免走上類似家族企業的獨斷歧途，龍頭必須時時尊重其他夥伴的聲音。

我的經營哲學之一是「攤著牌打牌」，事先釐清遊戲規則，大家比較好做事，宏碁在創辦之前的約法三章，意義也就在於此。我相信，這對日後宏碁養成自動自發的企業精神，有很大的關聯。

但平心而論，夥伴之間要分工並不困難，但是，要建立讓分工組織有效運作所必備的互信基礎，絕非易事。

宏碁從集體創業開始到推動員工入股，有一個非常重要的用意是，我要讓同仁知道，雖然我是「龍頭」，但不是老闆，我和大家一樣都是夥計，而事實上我從來不把自己定位爲老闆。這是宏碁建立互信基礎的關鍵所在。

舉例而言，因爲大家合夥經營公司，同仁疏忽造成損失，我不會責怪他「輸掉我的錢」，因爲輸錢大家都有份，只是我損失多一點而已。也就是說，當決策者是存有「你花我的錢」或是「我的錢，當然有權決定怎麼花」的想法時，組織的信任感就完全被破壞。

這是非常微妙的職場關係。相信我們都有這樣的經驗：當員工在前線努力老半天，但是和老闆的期待有差距，他無心的一句話：「怎麼才這樣？」你會有什麼感想？不做了！是不是？但因爲我和大家一起打拼，我所期待的數字，必須事先要和同仁溝通、取得共識才算數。

因此，當同仁所提的目標和我的想法有差距時，我還是會同意同仁所訂的數字。事實上，同仁之間是會互相比較的，如果目標訂低了，結算成績時難免遜色，爲了自己的面子，大家都還是會提出合理的目標，並努力達成。

另一方面，如果企業組織是老闆與夥計的關係，利潤分享就不可能做到大家都滿意的程度。老闆永遠會覺得已經給部屬太多，而部屬也會認爲付出與所得不成比例，好處都讓老闆中飽私囊，結果組織離心離德，失去進步的動力。其實這種事情是沒有標準可言的，但如果大家都是夥計，得失與共，即使分得少一些，同仁也不會有怨言。

事實上，我之所以不願意以老闆自居，也是爲了自己的利益。如果決策者自認爲是老闆，就會希望部屬看他的臉色辦事，但資訊業是個快速變動的行業，如果大家不能對自己負責，成天看老闆的臉色才有所行動，發展方向很容易被誤導，工作效率也會減低。我從來不喜歡同仁看我的臉色辦事，如果真有人拿我當老闆看，我一定不會欣賞他。

但歸根究柢，要讓同仁能夠自我負責，決策者必須先信任同仁，否則部屬永遠還是看臉色辦事。這也就是宏碁將「人性本善」列爲首要企業文化的意義所在。

第 二 章

營造組織氣候

《天下》雜誌
陳之俊攝

宏碁的企業文化，是要積極地讓員工表達實現理想的企圖心。我們共同的理想，就是「龍夢成真」的願景——中國人要在世界上揚眉吐氣。

宏碁在度過「創業維艱」的起步階段之後，八〇年代正式步入成長期。一九八一年，我們成立了第一家轉投資事業——宏碁電腦，在新竹科學園區設立第一個廠房，正式跨足製造的領域。到了第十年，已經成爲擁有五家關係企業的集團，其中包括最早成立的宏碁公司（後來更名爲宏碁科技，負責內銷及代理業務）、生產個人電腦的宏碁電腦（也是日後的總部所在）、專接代工訂單的明碁電腦、從事軟體與出版業務的第三波文化事業（前身爲《園丁的話》月刊），以及宏大創業投資公司。集團的總營業額也突破新台幣八十億大關（包含關係企業之間的營業額）。

在快速成長之下，公司的知名度慢慢打開，外界開始對宏碁的管理制度產生興趣，例如，上下班不打卡、員工入股、採購人員的高度自主權，以及產品創新等等，都是經常見諸媒體的題材。許多記者朋友都會好奇地問，宏碁如何讓同仁不遲到早退全心投入工作？如何落實授權？如何防止舞弊？如何……？我的回答總是：「從第一天開始做起。」有人聽了不禁失笑：「一天之內哪裡能做這麼多事？」

其實歸納起來，它們都是同一件事，就是營造組織氣候。其中，最重要的就是建立企業文化，以及培養授權的組織氣候。

培養企業文化

正向思考：建立可大可久的企業文化，必須採取統一與強勢的灌輸方式。
反向思考：可大可久的企業文化，是建立在分散與授權的管理基礎上。
思考邏輯：充分授權之下，各階層主管能夠用自己的方法，隨時隨地詮釋企業文化，企業文化才具有生命力，而不會淪為口號與教條。

在宏碁的發展歷程中，「三一八事件」別具代表性意義。

一九八四年三月十八日，爲了購置辦公總部，宏碁全體高階主管趁著週日假期，齊赴新店勘查一處土地時，突然傳來新竹廠失竊四千萬元ＩＣ（積體電路）的消息（當時宏碁電腦的資本額僅爲九千萬元），我們當下直奔新竹處理。

企業失竊ＩＣ，在台灣並不是頭一遭，但遭竊廠商都不敢讓消息走漏，因爲擔心如此一來，銀行將馬上抽銀根，供應商會上門追討貨款，最麻煩的是海關會馬上要求補稅（因爲是外銷保稅貨物）。然而，次日我們一反企業遭遇竊案時不願張揚的作風，立刻召開記者會坦誠說明，並籲請各界提供線索。

當時，外界紛紛謠傳宏碁自導自演，謊稱失竊，實則想套領保險金；更有人認爲是宏碁管理

不周，出了內賊，警方也針對若干有前科的同仁展開調查。然而，我認為事實並非如此，在記者會中更堅定強調：「我相信不是內賊，而且，宏碁『人性本善』的基本理念，絕不因此而有所改變。」

由於我們採取完全公開的態度，這個案子引起嚴前總統家淦與李資政國鼎的關注，也有立法委員提出緊急質詢，警方不但封鎖了漁港，還在機場海關特別加強查緝。

在各界的協助下，一個月後，案情水落石出，宏碁不但追回八五％的ＩＣ，也證實的確不是宏碁員工所為。公司對員工的信任終於得到回饋，同仁的士氣比從前更加高昂，而那幾位曾有前科的同仁，往後都有極佳的表現。

讓我非常感動的是，在案情未明、耳語四處散播之際，我收到許多員工家人寫來的信，信中全是支持打氣字眼。

即使處在外界懷疑的目光焦點中，宏碁內部也未曾發生信心危機，因為，從創立的第一天起，「人性本善」就一直是宏碁最重要的企業文化。

事實上，選兩句響亮的口號作為企業文化，並不困難；但往往當公司發生狀況時，才是老闆在宣示平日的承諾能否兌現，而所謂的企業文化究竟算不算數的關鍵時刻。

從小規模扎根

我常想，宏碁能夠快速成長，從有形資產來看，是靠員工投資籌集大多數資金（前七年百分之百由同仁投資，一九八八年股票上市時尚高達七成）；從無形資產來看，是同仁的高度向心力。而緊密結合公司與同仁的力量，就是企業文化。

企業文化是一羣人共同的價值觀。它的產生，除了要有相同的目的、願景之外，對做事的原則與方式也必須認同。它絕不是口號，而是日常的實際行動，但它需要口號作爲溝通工具，因爲有效的溝通有助於共識的達成。因此一般而言，人數愈少，愈容易凝聚共識，反之，人數愈多，就愈不容易達成。

宏碁今日鮮明的企業文化，就是從草創期十一個員工的小規模開始營造。

有些情景，至今仍歷歷在目。早期的員工到公司應徵時，我總對他們誠實相告：「宏碁薪水不高，但微處理器一定有前途；宏碁能不能活下去，我也沒有把握，但我相信只要你努力，即使宏碁倒閉，到處都會要你。」

當時，大學畢業的同仁進宏碁工作，起薪才不過五千元新台幣，在同業間是相當偏低的水準，但這些年輕人並沒有因此退卻，每當提起微處理器時，他們總是興致勃勃、眼睛發亮，那時，宏碁是極少數從事這個先進行業的公司。

於是，研發部門的同仁如林家和、李焜耀，在很有限的資源下，不眠不休，節儉而克難地進行樣本製作與測試，螺絲起子不夠，用硬幣代替；尖嘴鉗子壞了，就用牙齒。而業務部門的同仁在部中和的帶領下，視加班爲家常便飯；兼任研習中心講師的同仁，白天上班，晚上還要教課，盧宏鎰甚至就住在公司。

因此，打卡、簽到制度對宏碁而言，並不具有太大意義，因爲在主管以身作則之下，同仁貢獻給公司的遠遠超過上班時間。

這是宏碁「姜太公釣魚」的用人哲學。我們相信，過多的承諾，往往造成員工錯誤的期待，而只要宏碁訓練的員工，符合未來社會發展所需，一定能吸引有抱負的人才到宏碁來「自討苦吃」。

這個精神的建立，對宏碁日後的發展有著非常深遠的影響。創業第三年，宏碁開台灣企業風氣之先，推動員工入股、分紅制度。事前，我開誠布公和同仁溝通：「如果大家對公司發展有長期的承諾與信心，願意分攤風險，希望大家來投資，至於投資能否賺到預期的獲利，大家姑且做個參考，但我絕不能給與太多承諾。」

宏碁企業文化所以能夠落實，就是因爲在發展過程中，交卷的成果往往比最初的承諾更多，員工才能一直維持高度的士氣與向心力。

共擁願景

大多數人的心裡都有許多的夢想，但往往在發現實現願望非常困難時，就輕易地放棄了，而宏碁的企業文化，就是要積極地讓員工充分表達實現願望的企圖心。宏碁的同仁之所以願意和公司同甘共苦，最重要的原因，是因爲「龍夢成真」的願景，我們希望讓年輕人在這裡找到志同道合的夥伴，重拾心中的希望。

許多同仁放棄原本在外商公司的高薪，爲的就是尋求理想的實現。宏碁拉丁美洲公司的副總裁洪銘賜，當年離開ＩＢＭ進入宏碁，薪水打了六折，而且，他所接掌的拉丁美洲業務，當時可謂「邊疆地帶」，不僅挑戰性高，也特別辛苦。經過幾年的努力，終於在中南美洲數國擊敗ＩＢＭ與康栢（Compaq），使宏碁成爲占有率最高的第一品牌。

從另一個角度看，這種理想性正是台灣企業獨特的優勢。原因之一是國人被壓制太久，所以除了賺錢之外，都還想追求一些理想；其次，在台灣的社會結構當中，有家庭作爲發展後盾，多數人即使暫時失業也不愁沒飯吃，不像在美國，失業等於失去依靠；第三，國人還有西方社會少見的儲蓄美德，手邊多少有些餘錢可供投資。因此，當員工願意擔負一點風險去實現理想時，企業也能提供一個實現夢想的舞台，彼此就結合成「雙贏」的夥伴。

宏碁的企業文化，幾乎都和台灣與中國的傳統文化息息相關。例如，因爲對「寧爲雞首，不

爲牛後」創業精神的認同，我們喊出「小老闆的成就」，以員工入股制度讓同仁分享當老闆的成就感；由於深感到過去師傅傳授技藝「留一手」的心態不足爲訓，我們深植「不留一手的師傅」觀念，希望主管都能盡心培養部屬，傳承知識。再如「接力式馬拉松」，則爲了矯正過去台灣企業短視近利的積習。

但是，隨著企業成長、員工人數增加，溝通也愈來愈困難。因此，適時加強維繫與更新企業文化，就變得非常重要。

早期，宏碁的企業文化緣自創辦人的共同信念，雖已在員工間形成共識，但比較沒有體系。在宏碁成立的第十年，我們邀請關係企業董監事和副總經理級以上的主管，舉行「新舊文化研討會」，將十年來宏碁所揭舉的八大精神，做了一番檢討，再經由企業八職等以上同仁對會議結論進行票選，歸納出宏碁新的企業文化──人性本善、平實務本、貢獻智慧與顧客爲尊，以及四大文化的衍生精髓（見圖一）。

化口號為行動

我可以自豪地說，宏碁有今天的企業文化，絕非偶然，而是下功夫經營而來的，我們不但用心，而且有耐心，隨時抓住機會不斷加強。以宏碁的經驗而言，建立企業文化有三個重要關鍵。

首先，企業文化的形成，絕不能單靠一個人，或幾次精神講話就可以做到，而是要靠各個階

圖一　重新調整後的宏碁企業文化

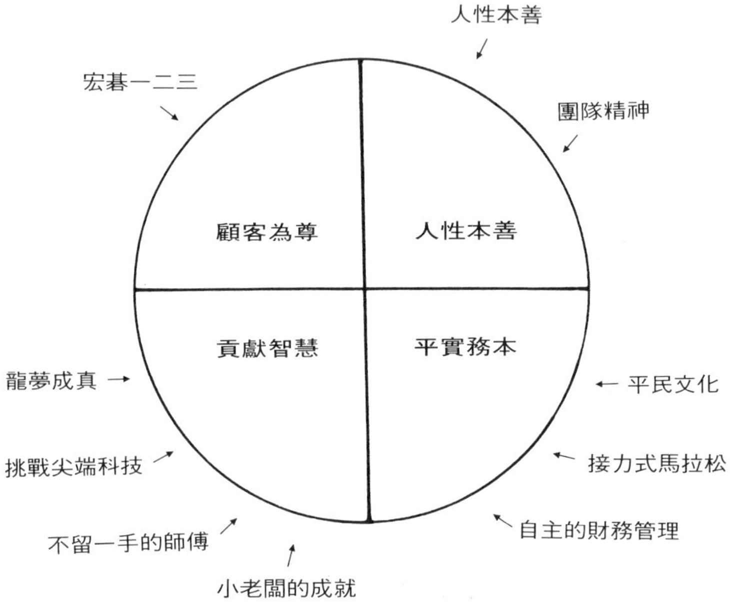

層緊密相繫，薪火相傳。

我相信，即使再強勢的老闆，頂多也只能影響一百個人，如果公司規模上千人，就需要很多人不斷向下影響。因此，部門主管對文化認同的深度就相當重要，認同愈深，共識愈強，才愈能在日常溝通、工作、面對挑戰，甚至是下班時間，自然而然帶動同仁融入企業文化當中。

其次，企業文化絕不是嘴巴說說而已，必須親身力行。

例如談「不留一手的師傅」，光說不做，大家不免還是藏私。早期，宏碁的同仁都稱呼他們的主管爲「師傅」，主管聽到部屬如此尊敬與親切的稱呼，很難不傾囊相授。後來當規模逐漸擴大，我們便將此文化納入升遷制度，任何主管的升遷得看他培養多少部屬，看他升遷之後有沒有足以勝任的接班人來決定，這個企業文化才能生根、茁壯。

不只落實到制度，更進一步地，企業文化必須貫徹到決策當中。

宏碁有個「平民文化」（早期稱爲「窮小子文化」，因同仁不喜歡而修改），因爲任何社會當中，平民畢竟比貴族多太多。而宏碁要競爭的對象，是美國與日本的電腦業貴族，因此，我們要與全世界的平民共同攜手，一起打這場戰爭。我們要訴求的客戶是平民，員工是平民，也希望投資人是一般大眾。否則，不管是比背景還是資金，宏碁永遠只能跟在貴族後面。因此，宏碁的任何決策就必須與平民文化相吻合。

一九九五年，當宏碁計畫發展一個結合電腦與視聽家電的新產品時，一位同仁告訴我，他認

識一羣製作高級音響的專家，可以做出價值數十萬甚至上百萬元的產品，必定可以吸引「發燒友（音響玩家）」的光顧，宏碁也可從中得到厚利。但我告訴他，這不是宏碁精神，宏碁不走貴族路線，但如果這個技術可以將高品質的音響量產，降低售價，嘉惠一般大眾，就值得宏碁去發展，否則完全不予考慮。後來，這個部門開發出平價路線的「影音光碟機」，就符合了「平民文化」的定位。

假若企業文化不能貫徹到決策過程，公司的發展必然與企業文化精神漸行漸遠，這樣的企業最終會蒙上「僞善」的陰影。

第三，企業文化的口號，要隨執行情況的發展做必要的調整。

早期，宏碁有個「馬拉松精神」，但是同仁認爲，這個辭句頗讓人有達成目標遙遙無期，無法稍作休息充電的壓力，不合乎現代化生活的品質，於是我便將它修改爲「接力式馬拉松」，期許同仁，「在崗位上全力衝刺，交棒時圓滿完成任務，使公司永續經營」。

也就是說，經營者要主導一個文化的形成，不能只是把口號宣傳出去，不去追蹤考核，也不去了解文化和組織的互動與大環境變遷。要落實企業文化，必須要能敏銳地察覺變動，並隨時修正或加強，因爲有太多狀況讓經營者失去控制。

宏碁就曾面臨企業文化幾乎失控的危機，雖然我們一直如此細心培養企業文化。

重拾企業文化

在一九八九年前後，宏碁進入快速發展階段，企業文化也因而發生鬆動。原因之一是公司股票上市後，又逢台灣股市狂飆，部分同仁的價值觀開始有些改變；另一方面，在快速擴張的需求下，宏碁不得不引進較多的空降部隊，但他們接受宏碁文化的薰陶畢竟不深，然而包括我在內的許多主管，因爲急需人才，又做了過多的承諾，使他們不是因想「自討苦吃」而上門，而是接受利誘而來。

不僅空降的主管如此，一般新進同仁也多半抱著很高的期待進入宏碁。然而，我們無法同時滿足這麼多人過高的期待，加上當時公司績效不佳，決策緩慢，內部抱怨增多，拼勁也不如往昔。

例如，當時一些同仁在經手採購事宜時，不再像過去那般嚴守品質與成本兼顧的原則，只是告訴供應商：「要最好的。」有些同仁因爲介入股票或其他事業的投資而分心，無形之中，「平民文化」已經變質。

當我警覺到員工士氣與向心力開始轉變，就立刻採取行動找回流失的核心價值。

當時，我們提出「羣龍計畫」，展開培養一百個總經理的長期人才策略，加強高階決策者融入企業文化的向心力，並展開企業改造行動（詳見第六章），宣示分權管理的長期目標，藉此重

新凝聚團隊精神。

但當公司遭遇困境時，運作起來非常辛苦，進度也不快，因此造成人事流動。但是，卻也因爲流失一些對公司沒有長期承諾的人，內部意見更容易整合，公司不再呈現僧多粥少的狀況，士氣逐漸回升，反而對企業文化產生正面影響。

經過這次的陣痛，一有機會，我總是不斷向同仁與外界重申宏碁「自討苦吃」的精神。因爲企業本來就不該讓不能吃苦的人進入公司，反過來說，如果進來的人都不怕吃苦，我們也就成功一半了。

在重建企業文化的過程中，我們曾想請麥肯錫顧問公司擔任顧問，他們告訴我，如果企業發展受挫，內部意見就紛雜，即使作出正確的決策，執行時也變得沒有信心。照理說，企業發生問題時是應該進行內部檢討，但往往檢討過度，瘡疤愈挖愈深，反而沒有心力對外拓展，結果，問題愈積愈多也愈棘手。

值得慶幸的是，宏碁仍保有一大羣對公司有信心、有長期承諾的同仁，他們理解公司需要時間改善體質，也願意耐心等待成果來臨。

實際上，公司遭遇困難無法解決，往往是在改革過程中因缺乏耐心而放棄的緣故。試想，以宏碁這樣的規模都要花三年時間改善，像ＩＢＭ這樣的大企業當然非五年、十年無法竟其功，任何改革都不可能短期見效的，特別是建立企業文化這種需要長期累積才能產生效果的工作。

和多數台灣企業不同的是，宏碁在逐漸國際化之後，企業文化又面臨跨國管理的挑戰。要將企業文化貫徹到海外，先天上就有語言溝通的障礙，外國員工對公司沒有同文同種的內聚力，更辛苦的是，由於一九八〇年代末期宏碁在海外擴張太快，要在短期間融合爲數眾多、不同國籍的同仁，真不是一件容易的事。

經過一番整頓之後，自一九九三年起，海外事業獲利狀況已有大幅度的進展，現在企業文化傳播到海外的力量也比以前強了許多。我們正把握這個契機，讓海外聯屬企業也能儘快形成一個大致類似、而且具有宏碁特色的企業文化。

宏碁這段歷程也正說明了一件事，企業唯有經營績效好，企業文化才有說服力；企業不成功，再好的企業文化都不值錢。

賦與企業文化生命力

在多數企業主的想法中，企業要形成強勢的文化，非採取統一而強勢的灌輸方式不可，然而，宏碁的作法卻恰好相反，我們對企業文化的執行採取高度授權。只要在四個核心理念之下，任何事業部門都可因主管個性、文化、語言的不同，而有不同的詮釋。

因此，我經常鼓勵各事業部自己去掌握以及推動宏碁文化。近兩三年來，甚至還要求同仁，不要用總部，或是創業時期的觀念，來傳達宏碁的價值觀，而要能因時因地的不同，賦與宏碁精

神新意。

曾有人問我，組織架構分散而授權，豈不是和建立一致的企業文化互相衝突？我的答案是，唯有充分授權，才能讓企業文化從死的教條口號，變成活的企業精神。

我認爲，企業文化不是公司宣傳部門的事，如果企業文化變成宣傳口號，大家朗朗上口，倒背如流，這種企業文化就有問題了（想想看，我們從小熟背多少「守則」，奉行不渝的又有多少？）。雖然企業文化的精神歷久不變，但它適用的意義是會隨著時間與客觀環境而演變，必須有人給它最適時、正確的闡釋。

爲什麼在畢德士（Thomas Peters）寫《追求卓越》這本書之後十年，書中許多卓越企業都不再卓越？因爲再成功的企業文化，如果沒有領導者盡力維繫、主導，就會慢慢消散。到最後，行動和口號不能相合，企業文化當然也就不復見昔日的凝聚力了。

從這個角度來看，授權的管理和企業文化不但不衝突，反而有賦與企業文化生命力的作用。因爲，再強勢的領導人總有照顧不到的角落，也會有離開公司的一天，但是在一個授權的企業當中，各個主管已經充分了解公司企業文化，也能夠隨時隨地用自己的方法來詮釋企業文化，這樣企業文化才會有生命。不授權的企業，只是把老闆的想法像傳聲筒一樣照章傳達，絕稱不上「文化」二字。

所以，企業文化要代代相傳，必定要建立在授權的基礎上，而企業要做到授權，領導人當然

不能集權。因此，企業要如何避免落入「一人公司」（one-man company）的窠臼，又成爲企業的另一個挑戰。

走出一人公司

正向思考：授權管理將導致決策者失去權力，風險太大。
反向思考：授權有風險，但不授權風險更大。
思考邏輯：授權可能讓公司失敗，但不授權，事情忙不過來，把自己累垮，更是死路一條，授權還可能有活路。

近幾年，不少原本創業有成的公司發生困難，尋求政府紓困，其中部分業者希望宏碁能承接經營，事實上，我也相當願意幫忙。但是在深入了解狀況之後，發現這些企業普遍存在公私不分、資金往來關係複雜難理的問題，導致不管是政府或是民間企業都無從著力，只能眼見這些風光一時的企業黯然退出產業舞台。

彷彿當年榮泰經營失利的情節，又重新上演，讓我心中感慨良深。

這是台灣中小企業共同的問題，老闆非常打拼，也不希望倒人家的帳，但是一旦撐不下去，沒有人能夠接續經營，最後也不得不倒帳，而公司許多無形資產、社會資源，更隨著企業的失敗

一起消失。

若深究問題的核心可發現，當企業主把企業資源視爲己有，大權獨攬、資金私用，終將不免步上「一人公司」的險途。

事實上，從積極面來看，企業要追求長期發展，要分散風險，必須累積人才、累積資金，在非常有限的條件下，當然需要借重外力；從消極面思考，萬一公司遭遇困境，希望有人可以接棒、挽救，讓公司得以永續經營，更需要公私分明的財務結構。

因此，從創業的那一刻起，我就強烈的認知到，不管從資金或從管理的角度來看，這公司絕不是我一個人的。基於這樣的信念，宏碁始終堅定採行授權管理，在多年授權的基礎上，發展出今日的分散式組織架構。

談到「一人公司」，大家總覺得這種集權式的組織絕非長久之計，也難以成氣候；然而，儘管多數老闆都不願成爲一人公司，但不幸的是，許多企業終究還是步上一人公司的後塵。

原因何在？

容忍與欣賞

客觀來說，老闆是掌握全局的人，任何事情由他來做，當然最有效率，特別是當公司發生狀況時，爲了立即有效解決問題，老闆自然而然就會全權作主，久而久之，就陷入一人公司的窠臼

當中。

因此，若要跳脫這樣的窠臼，首先，老闆必須養成容忍部屬做事比自己差的耐心。如果老闆不能忍受員工的無效率與錯誤，員工每每做到一半，老闆就失去信心而接手親爲，員工永遠不能獨當一面，而授權管理也就成爲空談。

其次，老闆要能接納部屬和自己不同的做事方式。雖然員工做事方法有所不同，但結果的好壞卻往往是見仁見智的，老闆不僅該試著接受，更要學會去欣賞。

其實，多數的老闆都是聰明人，不會不明白這些道理，但何以許多企業發展到中大規模，甚至開始國際化了，仍舊難跳脫獨裁管理的處境？

因爲人畢竟存在弱點與盲點。

首先，要老闆旁觀而不心急，就已經不太容易；還要進一步去欣賞別人，更加困難。更嚴重的是，有些老闆對部屬完全沒有信心（我認爲，這樣的人格特質根本無法勝任領導人），權力交不出去，也只有事必躬親。

其次，是沒有未雨綢繆，並耐心等待成果。世事往往如此，在處於順境不需要別人幫助的時候，就不會想到要培養人才，而一旦發現必須求助別人，再去培養人才時，爲時已晚。因此，爲了在需要時有人可以依靠，就必須在不需要依靠別人的時候培養人才。

但問題的關鍵是，培養人才需要五年、十年的時間，如果老闆沒有長期投資的心理準備，或

在少數人離去後便心灰意冷，就會永遠陷入缺乏人才的惡性循環裡。

而認真深究起來，隱藏在最深處，也是多數老闆不願承認的原因，其實就是個「貪」字。貪權、貪利固然是貪，貪效率、貪方便也是貪，因爲貪，所以權力一把抓。

從人性的角度來看，一般受過教育，見識也不少的人，都明白什麼才是對的，但所有人都會犯錯，往往就是因爲貪。雖然大家都知道貪是不應該的，但是，貪卻可以讓人馬上獲得好處。因此，要克服貪念，最重要的是要想出一套邏輯說服自己：「不貪，終究會比貪更有利」；更重要的是，要用一套方法來逼著自己非貫徹執行不可。

不當永遠的領導人

在共同創業的約法三章當中，我們訂下有朝一日要另請高明的約定，就是在堅定表達我完全沒有永遠擔任領導人的預設立場。這不是口頭空言，一九八九年，當劉英武出任宏碁電腦總經理時，我賦與他的權力就超過我，而我也是真心願意把權力下放。

因爲對家族企業的不認同，我從來沒有把公司據爲私有的想法，早在十多年前，我就宣布絕不讓我的小孩進入宏碁工作。因此，我就非得努力培養公司內部人才不可。宏碁現在能有完整的經營接班梯隊，正是因爲我們已經建立共同擁有的共識，才能使員工產生長期貢獻的忠誠度。

有人說我喜歡開支票，其實這正是爲了避免形成一人公司，所想出來逼迫自己去落實的方

法。因爲承諾在先，就必須設法兌現；爲了不讓自己後悔，最好的辦法，就是一再重複承諾，把話講明、講定，爲了不使信用破產，只好盡力實現。

從創業開始，我們就希望創造一個合乎人性，生生不息的企業體系，不管是人性本善的文化，或是以員工入股建立利益共同體，都是爲了不斷強化這個體系的運作。因爲當多數員工都成爲股東時，爲了保障這麼多人的權益，必須要形成一個能對大多數人負責的環境，因此就不能有利益輸送或兩套帳册的作法，如此，公司就自然朝向制度化健全發展。

事實上，宏碁和許多台灣企業一樣，在創業之初是由我太太管理財務。但和其他企業不同的是，我們絕無意要公司變成家族企業，只因當時沒有一位創業夥伴願意管理財務，才不得不如此做。到了一九八三年底，我們邀請大陸工程創辦人殷之浩先生投資宏碁，一方面引進資金、分散股權，另外也藉此機會交出財務管理的棒子。

回想起來，如果宏碁不是在一開始就強烈表達要交棒與廣招高明之士的意願，我和太太同時在宏碁工作，再怎麼解釋，都難免被誤解爲家族企業。

我太太爲公司奉獻的心情當然毋庸置疑；但必須考慮的是，專業能力能不能永遠跟得上公司成長（事實上我也常常如此檢討、反問自己）？既然不希望淪爲一人公司，所以當殷先生加入投資，我們就請他介紹財務經理人來協助宏碁。

然而，財務工作交棒的過程並不順利，因爲宏碁成長速度太快，而且有太多資產是無形的，

組織又很分散，財務管理實在是件難事，以致於從殷先生的石化業借將而來的主管，不太適應這樣快速、巨幅的變動。但是，我們並沒有因此放棄財務管理專業化的目標，後來一直更換到第三位財務副總經理，加上宏碁採用分散式主從架構，各子公司財務獨立運作，才算穩定下來。

在宏碁，財務人員的任務並不是幫老闆看荷包、補破洞，而是在國際化與業務快速增長與日益繁雜的情況下，努力讓財務制度化，尤其對分散在國內外的聯屬企業而言，財務人員更肩負協助每一位總經理有效管理財務，以維持企業健全體質。因此，在九〇年代初期宏碁遭遇困難時，雖然有銀行抽銀根，但因爲能夠守住這些原則，並沒有造成太大的財務危機。

充分信任，徹底授權

很多理想、理念，若是缺乏一套方法貫徹，就不可能落實，而我貫徹這套方法的哲學就是「攤著牌打牌」。許多企業在面對外界的疑問時，總是閃爍其詞，或打空包彈，不願斬釘截鐵的答覆，但宏碁不需如此，因爲很多事在完全公開的情形下，早已成定論或定局，員工不必揣測上意，可以邁步朝既定方向去做。

當然，企業能不能做到授權，關鍵在於最高決策者的意願。

有時，同仁的意見和我並不相同，但只要同仁自認有把握、可行的作法，讓同仁試試又何妨？其實，但凡授權別人執行，就必定和自己的想法有出入，想通這一點，就不難接受不同的做

事方法和結果，來取代自己心目中原來的方案。

因此，每次交辦工作，我只會概要地表達一些看法，至於如何執行，就完全讓員工自行發揮，結果只要差不多就可以了。長期下來，我總覺得同仁做得比我更好，所以就更樂於授權。如此一來，不但老闆省事，如果部屬達成出乎意料的好結果，公司更可因授權而獲致更好的績效，授權體系就形成良性循環。

多數人在執行上司交辦的工作，與執行自己規畫的方案，成就感是不一樣的。畢竟大家心理都希望有個舞台展現自己的才華，有這樣的機會，自然會懂得珍惜並全力以赴。

然而，授權不是毫無章法、漫無紀律。授權管理有個非常重要的精神，就是責任，誰當家誰就要作主。老闆只能從旁輔導，不能替部門主管作決定，否則主管永遠不會成長。按照授權分工負責，整個公司才會有秩序，有效率。

宏碁在發展不順利的時候，曾經發生員工信心不足，產生權責不分的「大鍋飯心態」。而我們解決的方法，不是放棄授權，而是讓授權做得更徹底，我們將原來的組織打散，讓子公司獨立門戶、對外競爭，權責一旦分明，情況立刻改善很多。

是學費而非浪費

但是，確立分工負責的過程中，老闆一定要捨得爲員工的成長付出學費。

我個人也是在繳過巨額學費後累積經驗。過去幾年，宏碁的幾項投資虧掉幾十億（參見第二部諸章），但是，我現在的經營能力也比過去強很多。只要付出代價之後能對公司有所回饋，就是學費而不是浪費。若要讓宏碁成爲一個有自省能力及學習能力的組織，只要員工是無心之過，只要賺的錢比付出的學費多，我們沒有理由吝於幫他繳學費。

早期，宏碁曾發生這麼一個案例。當宏碁推出「天龍中文電腦」時，頗獲外界好評；但業務卻遲遲無法推展，一位新進業務員費了一番功夫才賣出一套，當他正爲此高興時，卻發現客戶原來是家專事詐騙的空殼公司，我們因此損失十幾萬元。

事發之後，主管並沒有責怪他，反而對他說：「這個情況還真有點怪，我們來看看哪裡出了毛病。」

於是，他們逐一檢視客戶信用管理的步驟。發現他的確詢問了客戶銀行帳號，也向銀行查對，唯一的疏漏是沒有進一步查詢往來的時間。這是我們當時徵信手續還沒確實建立的部分。

這件事產生了三個影響：第一，我們的信用管理制度更加完備；第二，由於上司的寬容，這位業務員更加努力工作，後來奪得年度業績的第一名；第三，其他同仁親眼所見，使「人性本善」的文化更具說服力。這些收穫當然遠遠超過十幾萬塊錢。

其實，換個角度想，宏碁未來要面臨那麼多未知的挑戰，如果不自己替自己付學費，誰來替我們付學費？又如何能突破瓶頸？

也許有人會質疑，在台灣挖角與跳槽風氣盛行的環境下，公司為員工付出學習的代價，最終還不是為人作嫁？其實，只要公司有好的學習環境，流動率自然降低；如果公司不能善待員工，人才終究難留，到頭來還是陷入一人公司的困境。

我向來都認為，老闆不要追問員工對公司是否忠誠，只要問自己，如何營造一個環境，讓員工願意留下來為公司效命。

嚴格說來，宏碁和我個人的形象結合得相當緊密，甚至比許多家族企業都有過之而無不及，而我也以能創辦宏碁，並領導同仁不斷突破挑戰為榮，但是在心態上，我卻有做不好可以隨時下台，隨時可以退休、交棒的準備。因為我們已經培養相當多的人才，因此，交棒時的心情是可以很痛快，並且了無遺憾的。

現在，宏碁已經是大家的公司。而我正全力以赴的，其一是把目前的工作做好，稱職地扮演這一棒的角色；其次是示範一個模式。我想，未來接棒的人儘可以有自己的風格，但精神不能差太多，他要為企業的生生不息努力，並且不能讓外界對於宏碁精神有所誤解。

我從不認為「控制」是我的專長，也不相信有人可以用控制的手段延續企業精神；但我卻可以以身作則去「影響」。希望透過潛移默化的方式，使往後接棒的人能比我更稱職地扮演領導人的角色。

突破思考盲點

當我在與企業界朋友分享宏碁的經驗時，總會有人問起這樣的問題：「領導人要如何才能不貪權，並能自然而然地授權？這能力到底是天生自然的，還是需要有心去克制？」我認爲，這是有心培養出來的。

任何理念的成形都是如此，如果發現一個必須突破的盲點，就必須用心去想通。如果不用心，凡事都只想一半，往往會使很多原本是對的事反而都行不通。

例如，老闆因爲部屬的效率比自己差，就不授權，那是只想一半，因爲他沒有考慮長期發展和培養人才的問題，也沒有想通如果到頭來把自己累死，很多事想做也力不從心。

如果企業主在做決策的時候，不僅考慮短期、直接與有形的因素，同時也把長期、間接與無形的因素加入思考，就可以避免很多思考盲點。

其實這並不複雜，只要多一道反向思考的程序就有極大的助益。

例如，主管不願授權是因爲他想到若失去控制，就覺得一切都完了，但是反過來想，「一切都完了」的失控，發生機率其實幾乎等於零。再深一層考慮，授權是可能會招致風險；但若不授權，事情忙不過來，公司沒法推展，更是死路一條，可能還敗得更慘，而授權還可能有活路。更何況，如果授權得當，成功的比例多過失敗，公司還能創造更大的格局。

如此一想，一切就海闊天空了。

宏碁的授權管理，是透過整套系統的建立與運作，這個系統包括了共同願景（龍夢成真）、凝聚力（利益共同體），以及企業文化（人性本善），從而發展出長期的策略（培養人才），以及健全公司體質的制度（透明化的財務管理）。

如果要爲宏碁二十年來付出的學費算總帳，我想，「得」比「失」多了許多。在不斷的學習改進當中，我們嘗試一些讓企業生生不息的策略，不管是「主從架構」或是「全球品牌，結合地緣」，我相信，這些策略在二十世紀結束前仍然有效，我只要不斷重新審視，並賦與新意即可。

我期待的是，在歷經這麼多挑戰之後，宏碁的同仁能發展出適用於二十一世紀、有效的經營模式，那也將會是對台灣的另一個貢獻。

第 三 章

智慧財產權的教訓

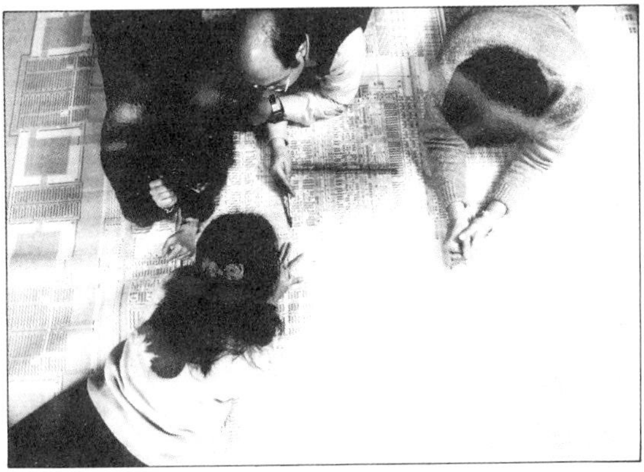

在創新的道路上，沒有
倖得的成功，而是滿布
著無數嘗試錯誤的足
跡，以及辛勤的汗水。
而這些經驗，卻是企業
成長最重要的動力。

還記得電子錶筆嗎？一種外殼上嵌著一小方格電子錶的筆。初期，採用LED（發光二極體，light-emitting diode），只要輕輕一壓按鈕，時間就會顯現；後來改良爲LCD（液晶顯示器，liquid crystal display），便隨時可顯現時間。十多年前，它曾經流行一時，但很多人也許並不清楚，發明電子錶筆的人就是我，也不清楚它是從一個失敗產品改頭換面而來的。

一九七五年，我帶領榮泰的同仁研發出電子錶，但這項產品與現在的電子錶並不相同，它是以LED作爲顯示材料，而不是如今普遍使用的LCD，使用者想知道時間，必須用另一隻手去按鍵才能顯示數字，我們稱爲「雙手錶」。因此，業界並不看好這項產品，認爲它終將會被以LCD爲顯示材料的錶所取代。

就在LED電子錶走入死胡同的時候，一九七六年四月，我前往瑞士參加一項珠寶展（Bassel Show），看到有個打火機嵌著電子錶，當下靈光一現，何不試試將錶和筆結合？既然LED手錶使用不便，改成單手操作即可的錶筆，就沒有這個困擾。於是，在回程的飛機上，我和總經理林森便動手畫起設計圖，回到台灣之後，立刻在榮泰的機械工作室裡，開動車床製造樣本，大約兩三個月的功夫，我們就推出電子錶筆。

開發成功後，我曾申請專利，但未被核准（後來我才知道，負責審核這項專利的專家，正是我研究所的指導教授，也算是有趣的巧合）。然而，此時，全台灣已颳起電子錶筆的生產風，單價從原先一百美金，一路下滑到兩三塊美金。利潤雖急遽趨微，卻也出盡風頭，當時，嚴前總統

贈送外賓的禮物就是電子錶筆，儼然成爲台灣的代表特產。

沒想到，失敗的電子錶，卻造就了電子錶筆的成功。我一直秉持這個信念，在創新的道路上，往往布滿許多嘗試錯誤的機會，但這些經驗卻是企業培養長期能力的重要資產，即使一個產品遭到挫敗，但是只要過程中累積了技術實力與智慧財產權，往往會峯迴路轉，另外開出一株好花。宏碁的發展歷程，就一再印證這個看法。

不斷研發求創新

正向思考：企業擁有獨門技術，較具有競爭力。

反向思考：開放獨門技術，企業才能長保競爭力。

思考邏輯：技術開放將造成產品的普及，企業可因此擴大經濟規模、降低成本，提高獲利；技術權利金又可投入新技術開發，維持企業競爭實力。

說起來，我和研究發展的確挺有緣分，甚至該算是我的老本行，就業的第一份工作是研究發展，而宏碁也是靠研發立業。年輕的時候，開發新產品一直是我的興趣，從環宇時期的桌上型電子計算器，到榮泰時期的掌上型、工程型電子計算器和電子錶筆，都創下國內或世界第一的紀錄，爲我的就業歷程留下值得回味的記憶。

其中，最值得一提的是，一九七二年成功開發掌上型電子計算器的經驗。

當時台灣廠商生產電算器時，ＩＣ需靠美國，鍵盤則需靠日本，如果有更新型、更複雜的ＩＣ問世，鍵盤上必須增加按鍵，此時就只能等著日本廠商發展出新鍵盤。等待往往曠日廢時，當我決定研發掌上型電算器的同時，就必須從最關鍵的技術下手，於是，我便自己著手開發小型的鍵盤。

當時，爲了尋找按鍵和電路板之間大小、彈性適中的接觸材料，我幾乎跑遍台北的電子材料行，後來終於在日本找到合用的零件。結果，這個鍵盤不但爲我獲得專利，爲公司賺進利潤，更重要的是，降低電算器開發成本，縮短開發時間，外型設計也較多樣化。因爲當電算器從最簡單的加減乘除，演進到工程型的電算器之後，鍵盤上有多達三十五個按鍵，而亞洲只有我所設計的鍵盤可以應用。

這段歷程讓我深深體會，在研發新產品的時候，總有些影響開發時間與成敗的關鍵技術，若能夠突破關鍵技術的瓶頸，便掌握後續的研發能力。

另一方面，從我的角度來看，當年我所開發出來的產品，所需的技術並不太難，但是，要把簡單的構想轉化爲賺錢的產品，比研發工作更爲複雜而重要。例如，一九七一年我開發出事業生涯當中的第一個電算器，就因爲沒有機會進一步改良，終究沒能成爲賺錢的產品。

因此，徒有創意並不能造就成功的產品，而是要不斷改善產品，從挫折中學習，使產品能廣

爲市場所接受，投入研發的心力與資源才有回收的一天。

橋牌機的啓示

宏碁創業之後，由於過去的經驗，我們深知新產品在後期的商品化階段，風險遠比前期的開發階段要大得多。宏碁早期財力單薄，無法負擔高風險投資，於是，我們選擇前半段的工作，只幫客戶設計產品，後段的工作由客戶自己進行，也暫時不推出自己的商品。

宏碁所設計的第一個微處理器應用產品，是橋牌界聞人魏重慶所委託開發的電子橋牌機（由林家和負責執行）。

魏先生是「精準制」橋牌叫牌系統的發明人，在他領軍之下，締造了台灣橋牌隊的全盛時期。有一回，魏先生帶隊出國比賽，發現對手因作弊而擊敗中華隊，心中非常不平，於是，他希望能發明一種機器，用電腦控制洗牌、發牌、叫牌、打牌、攤牌、計分的機器，讓選手分坐四個房間，彼此不能打暗號、做手勢，維持比賽的公平性。

因爲同是交大校友，及我過去在電子界小有名聲，魏先生便委託宏碁設計這項產品。這筆生意對草創時期的宏碁助益極大，因爲魏先生總是在還沒有開出設計費用的估價時，就一次次地預付費用，稍稍紓緩當時資金短絀的壓力。

我們一共替魏先生設計過三代的橋牌機，但是始終沒有辦法商品化，因爲成本實在太高，也

找不到夠大的市場來量產。再加上，有一回，美國女子橋牌代表隊到台灣來比賽，試用了橋牌機，結果選手不習慣打牌的時候手中沒有牌，弄得靈感全失。於是大家就對橋牌機愈發地興趣缺缺。

橋牌機的案例，再度證明將研發成果商品化，絕非想像中的容易。

什麼都可以賣

台灣的發明家很多，姑且不談發明的內容爲何，許多發明者都把自己的創意當成稀世瑰寶，抱著不放，到頭來落得飲恨心死或精神錯亂。我認爲，技術的發明是永無止境的，當一個人認爲自己發明了千載難逢的東西，事實上明天就會有更多更好的發明誕生。因此，對一個發明者而言，最重要的是能夠即時將發明轉換成報酬，也就是將發明變成商品。但是，發明者必須考量的是，自己有沒有足夠的資金將發明商品化並大量製造？即使有錢，有沒有能力開拓市場、管理財務？這一連串的挑戰，並非多數發明家可以勝任的。

因此，我以爲有志從事發明的人，應該賣自己的創意，而不是讓自己也介入發明產品的生產與行銷行列。因爲即使發明者的發明能力是滿分，但生意能力可能不及格，從發明跨行從商，不但扼殺創意力，而且極可能拖垮自己。

事實上，發明者儘可以全心投入創意，而把發明專利授權給別人去生產、行銷，賺取智慧的

報酬。再把利潤投入從事更多的發明，賺更多錢。或許有一天，發明者認爲已經賺足了資金，也覺得有能力去學習量產、行銷，再去嘗試賺取產品商品化過程的錢。屆時，經營風險相對就降低許多。

宏碁就是這麼起家的。早期，我們幫國內外其他企業從事四十幾項產品開發，不但因此累積資金，而且從中培養出不亞於國內大型家電廠商的技術實力。即使現在宏碁的規模已經超越台灣所有的家電及電子廠商，我們還是主張「宏碁除了家人不賣，什麼都可以賣」的原則，這當然也包括技術和專利。

敝帚自珍風險高

有句廣告詞說：「好東西要與好朋友分享」，但在一般人的想法當中，和別人分享以後就不能獨享利潤。然而，獨享利潤往往也意味著獨擔風險。分享固然會降低自己的利潤，但也降低風險。況且，企業不會只因一個商品的成功，就從此高枕無憂，而是要有千百次的成功才能持續生存。事實上，分享發明，往往不是利益的流失，而是創造更大的利益。

舉例而言，許多國際性大企業都喜歡擁有獨家技術，其中尤以日本公司爲最，因爲獨家技術可以確保產品在市場上一枝獨秀，坐享厚利。但是宏碁並不喜歡這麼做，因爲在科技產業裡，今天的獨門絕活可能不久便成了明日黃花，還不如趁技術還值錢的時候，和大家分享，一方面我們

可以將發明所換得的權利金，投入新的研究開發，以確保技術不斷進步；另一方面，開放專利之後，在許多廠商共同介入之下，產品會更爲普及，因此可以藉擴大生產規模以降低成本，同樣可以確保公司的競爭力。

從另一個角度來看，擁有獨家技術是很危險的。許多公司之所以必須緊抱獨門技術不放，是因爲公司的管銷費用太高，所以必須採取這樣的方式來獲取額外的利潤，但如此一來反而看不見問題，延誤改善時機。尤其是企業若以技術的強勢，動輒對同業或客戶施壓，必然令人覺得反感，企業不可能永遠不出錯，一旦犯錯或是技術不再強勢，他人反擊的動作更會毫不留情地接踵而至，屆時企業經營的風險更大。

基於這樣的理念，宏碁不但將技術開放給外界，並以同樣開放的態度對待外界的技術。雖然宏碁是靠對外販賣研發起家，也擁有非常多的技術，但是早期的代表性產品，卻都是和別人合作或購買技術而來，包括「天龍中文電腦」和朱邦復先生合作，「小教授一號」是以十萬元向陳義誠先生（曾任倫飛電腦總經理）購買現成軟體，第一代IBM PC／XT相容個人電腦則是委託電子所研發。

天龍中文電腦叫好不叫座

一九八〇年四月，宏碁和朱先生正式展開中文電腦的合作開發。在此之前，朱先生已經研究

中文電腦多年，但是支持與認同的夥伴都逐漸離去，使其計畫幾乎已經到了無路可走的地步。朱先生不甘心放棄，就向宏碁購買微處理發展系統，打算自己著手開發。

然而，購買了發展系統之後，朱先生卻因爲不會使用設備，仍無法實行其計畫。由於經費有限，時間緊迫，他便透過當時宏碁的銷售工程師朱和昌（現任聯訊電腦總經理），希望與宏碁合作開發。於是，我和時任宏碁研發主管施崇棠（現爲華碩電腦董事長）便前往造訪朱先生。

當時，朱先生有兩個構想，一個是輸出技術「向量組字法」，一個輸入技術「倉頡字母法」。我對「向量組字法」興趣甚高，這項技術可以六十四K位元組（Kilobyte，K爲kilo的簡寫，即一千）的硬體設備造出三萬個中文字，足敷中文字體的需求，而它所需要的儲存容量，僅爲其餘輸出技術的十分之一。施崇棠也認爲可行，於是，我們就開始進行這項合作案。由宏碁負擔開發費用，產品利潤雙方分成。

在工程師不眠不休地努力之下，五個月之後「天龍中文電腦」研發成功，推出之後相當轟動，台視新聞特別報導了這項產品，並獲得國內產品設計最高榮譽的「行政院長獎」。

爲了推廣倉頡輸入法，宏碁大規模投入消費者教育活動。除了連續舉辦讀者「拆字遊戲」的中獎活動外，並在資訊週的電腦展時，花費七十萬元舉辦中文輸入比賽。讓這種完全陌生的輸入技術，逐漸爲大眾所接受並廣爲使用。

但當第一位顧客從板橋前來宏碁，指名購買天龍電腦時，我們卻楞住了，因爲客戶的需求必

須有軟體配合才能解決，但是因爲宏碁無法提供軟體，這筆生意當然就做不成了。結果，天龍的名氣是打響了，但是卻沒有業務。

天龍中文電腦的叫好不叫座，足可作爲研發人員的借鏡。純從技術的角度來看，開發出「會動」的新產品其實並不困難，但是，要做到好用又便宜，讓消費者可以用合理的價格，買到方便運用的產品，才是真正的挑戰所在。

後來，朱先生又萌生一些新的想法，希望能發展出更有智慧的新一代電腦。但是我認爲，第一代產品的商品化尚且未能成功，就算真正研發出新一代電腦，還是會遭逢商品化的問題，那是比發明更困難許多的任務。於是雙方便結束合作關係。

中文輸入法百家爭鳴

當然，每個人的想法都不一樣，朱先生也許有自己的看法。但我一直有個信念，在科技這個領域，不管發展什麼產品，自我實現的成就感是一回事，但要對人類真正有所貢獻，是在於應用廣度，否則也只是閉門造車。朱先生是一位難得的發明家，卻不是一個生意人。

雖然天龍電腦最後並未成功，但是倉頡輸入法卻被廣爲使用，並成爲產業標準。這其中有一段插曲。

當時，充斥在台灣的「蘋果二號」仿冒品也漸漸開始中文化，最方便的作法，就是採用現成

的向量組字法和倉頡輸入法，因此這兩項技術就透過地下管道流傳開來。雖然宏碁與朱先生已結束合作關係，但由於雙方共有這項技術專利，我便向朱先生提議，將這項技術免費開放給同業使用。

當時，台灣正為了中文電腦的產業標準爭執得不可開交，有人主張採用類似日本電腦的大鍵盤，有人堅持沿用英文電腦統一規格的小鍵盤，大家都宣稱自己的輸入法最好，各自動用政治資源，以期技術能成為產業標準，並收取權利金。宏碁雖然已經免費開放技術，但還是花費許多精神協助資策會進行評估，最後，資策會以科學實驗評估的數據，推薦小鍵盤的倉頡輸入法，此時才正式確定這項技術成為產業標準之一。

近幾年，陸續也有些新的輸入法加入，例如大易等。但自從這個事件之後，我就不再介入中文輸入的任何事務，因為我深感只要牽涉到產業標準，就會參雜政治因素與利益糾葛。研究發展的目的是為了帶給社會更進步的產品，更好的生活，但結果往往讓研發的心血結晶染上種種無意義的色彩，實在有違貢獻社會的初衷。

事實上，從另一個角度來看，英文的鍵盤本來就不是最好的設計，原始設計完全是針對打字機的機械考量，避免打字速度太快造成字臂卡在一起。儘管電腦沒有這層顧慮，但誰能改變這個設計？如果不能改變，爭執有何意義？可是一直到今天，類似中文輸入法孰優孰劣的爭執仍未停止。

「小教授一號」一炮而紅

若論宏碁創業初期最具代表性的產品，非「小教授一號」莫屬。它不但是宏碁自創品牌產品外銷的起點，也奠定日後往個人電腦發展的基礎。

掌上型電腦學習機是我從創業第一天就想做的產品。在此之前，電腦學習機體積都相當龐大，而就如同計算尺終究被掌上型電算器所取代一般，如果將電腦學習機設計成掌上型機體，應該會廣被接受。

但在七〇年代中期，各種重要組件的體積都無法符合輕薄短小的條件，加上宏碁的財力有限，不足以長期支持研發與商品化的投資，我只好將這個構想擱在一旁，先代理微處理器產品。一九七八年，宏碁代理全亞電子的「EDU－80」微處理器學習機，全亞是當時台灣唯一生產這項產品的廠商，爲了推廣這項產品，宏碁與全亞成立了「宏亞微處理器研習中心」。

一九八〇年，宏碁將「EDU－80」推廣到外銷市場，爲因應海外市場所需，必須將「EDU－80」的技術文件（即操作說明書）由中文翻譯成英文，於是，我特別請交大教授魏哲和擔任這項工作。對成熟的電子產品（例如電視機）而言，操作說明書是非常簡單的，只需薄薄幾頁，介紹各種按鍵的功能，消費者自然會使用；但是電腦產品牽涉到複雜的軟體程式與硬體結構，操作手冊都是厚厚一冊，編寫一份技術文件所耗費的精神，甚至超過硬體開發。況且對台灣廠商而言，

編寫外文技術文件，更是一件高難度的工作。

「EDU－80」的英文技術文件，就足足花費了半年功夫才完成。但由於這份技術文件的投資，也促使後來「小教授一號」的推出，因爲「小教授一號」的英文技術文件，就是改編自「EDU－80」。而這項產品的開發時間，不過才短短兩個月。由於我們特別選在台北與美國電子展的時機推出，因此使這項產品一炮而紅，打開宏碁在國際間的知名度。

技術文件繫成敗

關於「小教授一號」，另外還有一段插曲。當時，工業技術學院教授謝清俊在看過中文版的技術文件之後，覺得其間仍有部分看不懂之處，這表示這份文件仍不夠客戶導向，於是，他特別介紹在政治大學新聞系教授科技傳播的學者謝瀛春女士，從最基本的中文技術文件開始，向我們講解這門當時仍相當新的學問。

宏碁早期能夠在業界快速竄起，不單是產品本身的因素，對於技術文件所投入的心血也遠超過許多同業。

即使如此，宏碁早年的技術文件仍不夠理想。一九八六年，德國ＡＥＧ集團旗下的一家子公司要尋找廠商代工生產，當時安迅電腦（ＮＣＲ）與宏碁都在爭取這筆生意，雖然安迅在德國生產，價格較高、產品也不及宏碁，但是最後客戶仍選擇安迅電腦，主要關鍵就是技術文件。對客

戶而言，代工廠商所提供的技術文件若做得好，才能夠提供客戶有效的服務。

這件事情更加強了我對技術文件的投入。爲此，我們特別從聯合報系的英文媒體——中國經濟通訊社，找來擔任記者的李崇泉，專門負責技術文件部門，並創立國際科技傳播協會的台灣分會。爲了編寫道地的英文文件，除了雇用在台美國人之外，特別從菲律賓延聘近十位工程師負責這項工作（宏碁是當時台灣雇用合法菲籍勞工人數最多的企業）。

由於長年的投資，宏碁在技術文件方面的成就一直是領先台灣其它廠商，現在除了英文之外，也具備編寫西班牙文、德文技術文件的能力，這對拉丁美洲與歐洲市場的開發，有絕對的助力。

對台灣電腦廠商而言，外文技術文件不僅與新產品在國際間商品化的成敗有關，也是廠商的瓶頸所在。宏碁致力於這項工作的成果，再度印證「突破瓶頸、挑戰困難、創造價值」的經營哲學。

建立能力，掌握時機

近幾年，產業升級已然成爲台灣當務之急的工作，而研究發展正是其中最關鍵的課題。但是根據調查，台灣民間企業研究發展的經費，占營業收入不到一％的比例，較之美國與日本都偏低許多，投資偏低，轉型的速度自然遲緩。

事實上，比起行銷、庫存與營運成本，研究發展的費用是很低的，研發花的都是小錢。因此，宏碁對研發的投資始終不遺餘力。

在我的經驗當中，企業投資研發並非難事，研發工作的困難，是在於如何評估、找出具市場潛力的產品，並做出成熟的商品，這是比技術更重要的工作。因爲每個研發計畫都是一個系統，當中包含許多無形的經驗，例如可量產的程度、品質的穩定度、成本等等，我稱它們是技術的「可行（enable）能力」，是書本上學不到，必須通過實際投入才能逐漸培養的實力。

當企業擁有這些能力之後，還必須掌握兩個關鍵條件：方向和時機。也就是朝什麼方向進行研發，以及在何種環境與時機著手最爲恰當。而這兩個條件，更需要專業與經驗的累積。

但非常遺憾地，大多數企業的研發人員都是資歷較淺的工程師。因爲有經驗的研發人員，往往都會升遷成爲管理者，另一方面，資深的工程師也不願長期從事基層工作，使研發人員不斷流失。因此，如何傳承經驗便非常重要，靠文件的紀錄是一種方式，但那畢竟不是親身體驗，效果十分有限。根本之道是必須給研發人員嘗試的機會，並給與指導、協助。

宏碁非常重視研發，但不計較研發計畫執行成敗，我真正在乎的是同仁有沒有從中累積經驗，有沒有學習的心。研發失敗，可能是因爲經驗不夠，也可能是因爲整個大環境的技術水準並不成熟，所以不能馬上商品化。但是如果能繼續累積能力，當客觀環境條件成熟了，自然能夠轉換成賺錢的產品。

從長期的眼光來看，研發能力的儲備，遠比單一計畫的成敗要重要得多。

一九八四年，宏碁剛剛推出第一部十六位元個人電腦，當時我們投資美國矽谷的日技高科技公司（由關係企業宏大創業投資所投資），爲了借重日技既有的科技實力，便派出一個六人小組遠赴美國移轉技術，進行工作站的開發，但是計畫失敗。由於工作站的技術比個人電腦爲高，有第一次的取經經驗，兩年之後，同一個團隊再度到美國，任務是開發三十二位元個人電腦，這一回，宏碁領先ＩＢＭ推出三十二位元電腦。

一九九一年，宏碁投入巨資，開發每秒可執行以百萬計條指令（MIPS, Millions of Instructions Per Seconds）的微處理器爲核心的ＲＩＳＣ（精準指令集電腦，Reduced Instruction Set Computing）個人電腦，並於一九九三年推出，結果因爲配合的軟體不夠，在市場遭遇挫敗。一九九五年底，我們重新整合技術，利用英代爾的Pentium晶片，捲土重來，推出新一代高性能、低成本的伺服機。

宏碁多年來致力於創新，遭到的挫折不知凡幾，但我始終覺得，在研發過程中，產品也許會失敗，技術的累積是不會失敗的。特別是當全球掀起保護智慧財產權的風潮，研發能力不只爲了成長，更是企業在市場競爭中圖存的命脈。

智慧財產權的挑戰

正向思考：一旦侵犯他人智慧產權，為避免或降低造成損失，採取完全抵禦或規避手段。

反向思考：付出合理賠償，痛在心頭，才能避免更大的損失。

思考邏輯：付出代價，才能提高警覺；然而累積自己的智慧財產權，可與其他廠商相互授權，才能確保自身權益。

身爲資訊業的一員，智慧財產權永遠是我們最重要的課題之一。

宏碁創立初期，雖然對專利與著作權這兩個名詞時有所聞，但當時台灣對智慧財產權的觀念仍是相當模糊。但因我的個性使然，在設計產品的時候，只要發現與其他廠牌的產品有些微類似，就會放棄原來的設計。所以，宏碁以自行研發產品起家，並沒有觸及智慧財產權的問題。

宏碁首度遭遇智慧財產權的挑戰，是引發自一九八二年推出的「小教授二號」家用電腦。「小教授二號」是根據「蘋果二號」的理念重新設計，但型態有所差異的產品（當時，台灣廠商所生產的都是與「蘋果二號」一模一樣的仿冒品），我們下了許多功夫，不但體積較小，設計結構更是精簡許多，重要的是，「小教授二號」與「蘋果二號」並不相容。

宏碁從來沒有抄襲「蘋果二號」的念頭，但是，「小教授二號」推出之後，因爲價格低廉，設計獨特，因此在國際間得到許多掌聲，不但被德國《晶片》（*CHIP*）電腦雜誌選爲該年度「十大個人電腦代表作」，還與我們的國旗一起上了英國《你的電腦》（*Your Computer*）電腦雜誌的封面。國際間的迴響，立刻引起蘋果電腦的嚴重關切，並在全世界封殺這項產品。

當時，蘋果電腦在英國與南非等國，展開對宏碁經銷商提出告訴的行動。我們自認理直氣壯，決心循法律途徑解決，然而當我們深入了解，在這些國家打官司的訴訟費用實在不是一家年輕公司所能負擔時，就決定收手，只在亞洲國家與台灣繼續銷售。但是蘋果電腦並不因此罷手，又委託理律法律事務所在台灣封殺「小教授二號」，但我們無論是法理、氣勢或是訴訟費用，都站得住腳，便一直經營下去，直到推出「小教授三號」爲止。

開啓台灣研究智慧財產權的風氣

但是，一波未平，一波又起，就在這期間，「小教授二號」在美國也出了問題，有一批貨在舊金山海關被整批扣留。

當時，外在環境對我們相當不利，因爲《時代》（*Time*）雜誌才剛以大篇幅報導台灣是「海盜王國」，全島充斥「蘋果二號」的仿冒品。雖然如此，我一直認爲「小教授二號」並不存在仿冒問題，就委託美國著名的律師事務所處理，以便早日開展美國市場業務。

然而，儘管律師一再與海關交涉，卻始終不得要領，後來才終於弄清楚問題的癥結，並不是出在產品本身，而是在於附贈的手册。

原來，「小教授二號」在台灣推出時，爲了增加消費者使用的興趣，附贈了一本《看漫畫學電腦》的小册子，原始的中文版是由師大一位教授撰寫，因爲內容深入淺出，引起消費者的好評，我們便請原作者將它改編成英文版，結果作者抄襲部分蘋果電腦的說明書，才引發這場侵犯著作權的事件。

嚴格說來，若要從機器本身論斷是否仿冒，並非易事，但是這本手册卻讓我們失去立場。最後，這一整批電腦就這樣被扣關而無法退回。

在這個階段，國際間對電腦軟體著作權涵蓋範圍的認定，尚未有成熟定論，仍有相當大的灰色地帶。另一方面，國內當時正大力取締電動玩具業者，許多生產廠商便轉而從事仿冒「蘋果二號」。宏碁在經歷這個慘痛教訓之後，深切體認智慧產權的重要，便主動從美國邀請三位專業律師，到台灣召開一場介紹智慧財產權的研討會，與會人士包括產業界、工業局官員、教授和國會助理，將智慧產權包含商標、專利、著作權和營業機密的概念引進國內，也開啓台灣研究智慧財產權的風氣。

一九八三年，我邀請曾任前立法委員紀政國會助理的鄭中人加盟宏碁，成立法務室（我與鄭先生相識，是因爲協助電動玩具業向政府請命），而宏碁也從此開始進入智慧財產權制度化發展

的階段。在此之前，台灣已有企業設置法務人員的編制，但專門處理智慧財產權，而且投入眾多人力從事研究的企業，宏碁也堪稱是台灣第一家。

無形財產當道的時代

事後來看，如果當年推出「小教授二號」時，國際間已經發展出「潔淨室」（clean room）的方法，宏碁就不會白白地損失一大批電腦。

「潔淨室」是爲了確保開發相容電腦軟體時，避免侵犯著作權的一種作法。在智慧財產權的四個類別當中，專利是要保護發明的觀念；而著作權則是要保護表達的方法。設計相容電腦的軟體，就好比有人寫一個類似「魯賓遜漂流記」概念的冒險故事，如果作者在創作時並沒有看這本書，而是自己發展出一個曲折離奇的故事，就沒有侵犯到別人的著作權。「潔淨室」就是這樣的概念。

例如，電腦公司設計ＩＢＭ相容電腦的軟體，要有兩個工作團隊，第一組人的任務是研究ＩＢＭ電腦，並寫成規格；另一組成員必須向法院宣示從未看過ＩＢＭ軟體基本輸出入系統（BIOS, Basic Input／Output System，）原始著作，再按照第一個團隊所寫出的規格設計軟體，如此設計出來的產品，既能與ＩＢＭ電腦相容，又不至侵犯他人的著作權。

這個作法於一九八〇年代中期在美國逐步推展，次年，宏碁就從芝加哥的律師事務所引進並

採行。

小教授二號事件使我體認到，過去人類的經濟活動，主要是創造有形的財產，例如農產品、房舍等等；未來，人類將會創造愈來愈多的無形財產。然而，儘管有形財產交易已有幾千年歷史，仍不時發生糾紛，不管土地買賣、遺產繼承或是證券交易，甚至人們對於相關法令，仍然一知半解，更何況才新生不久的無形財產權，更難避免問題層出不窮。

當時，爲了喚起同仁與同業對智慧產權的重視，我經常表達這樣的概念：有史以來人類發生戰爭，大多都是爲了爭奪有形財產，例如占領土地與油田。而未來最激烈的戰爭，將是無形的智慧財產權的戰爭，因爲，未來無形財產的價值將會遠超過有形財產，而這個時代的來臨，絕不會太久。

為著作權法翻案

因爲智慧產權觀念才剛萌芽，推展的進度難免緩慢。但是這十年來，特別是在「三〇一法案」的壓力之下，台灣從以往將盜印大學用書、盜版唱片視爲理所當然，到今天這個地步，也算有相當大的進步了。

我在台北市電腦公會理事長任內推動電腦軟體著作權的立法工作，對資訊業智慧產權的發展，有相當深遠的影響。

一九八五年，在美國貿易制裁的壓力下，內政部提出「著作權法」，並迅速在立法院一讀通過，當我們發現，電腦軟體將被視同音樂與文字創作相似，以簡單的條文一筆帶過時，我們決定採取補救行動，因爲日益繁複的軟體著作糾紛，已然遠非這些文字所能規範。

當時，我請鄭中人在公會成立一個專案小組，齊聚台灣ＩＢＭ、神通等企業代表，以及理律法律事務所律師、台大教授等專業人員，針對日本、美國、德國等國家剛落實不久的智慧財產權法案，進行研究，提出一個軟體著作權法的版本，雖然條文不多，但是每一條都將法令的來龍去脈詳細附註說明，還附了一大本研究報告，準備在二讀的時候翻案。

當時立法院尚未全面改選，已經一讀通過的法案要翻案可說絕無僅有。但由於這個法案對台灣有全面性的影響，而我們也並非如時下的「利益團體」意圖爭奪私利，而是希望有明確而公平的遊戲規則。於是，在與時任立委簡又新、林鈺祥溝通之後，他們便同意幫忙。而我們也開始舉行聽證會，並將研究報告送給每一位立委參考，最後終於照公會的版本一字不改地立法通過。

法案通過之後，公會就開始推動一連串的配合活動，如「反仿冒」、將智慧財產權推廣到小學等活動，希望透過廣泛的宣傳與教育，將這些觀念深植在台灣。

而宏碁在智慧產權方面的波折，並未結束。在宏碁正式發展相容電腦之後，更是難關重重。

宏碁進入個人電腦的緣由，起自一九八二年我去拉斯維加斯參加美國COMDEX電腦展。在這次展覽中最出風頭的產品，是康栢推出與ＩＢＭ相容的個人電腦。當時，迪吉多、德州儀器、

王安與惠普等公司也同時推出個人電腦，但都與ＩＢＭ電腦不相容，儘管它們的功能與外型比之ＩＢＭ電腦毫不遜色，可是銷路卻相差甚多。

這帶給我很大的啓示，電腦產品具備相容性是非常重要的。過去，「小教授二號」雖因功能強而轟動一時，但因爲和「蘋果二號」不相容，使得能夠應用在「蘋果二號」的眾多軟體，都無法應用在「小教授二號」，後來的銷路便因此大大受限。因此，如果電腦廠商不打算走仿冒的路，就必須有發展相容電腦的能力。

全力發展相容電腦

回台灣之後，我便開始推動與ＩＢＭ　ＸＴ相容電腦產品的開發。然而，當時公司的人力都投入開發與「蘋果二Ｅ號」相容的「小教授三號」，於是，便以一千五百萬台幣的高價，委託工研院電子所設計。在發展過程中，我們想要讓產品更好，就要求採用新一代的ＩＣ、最好的ＩＯ（輸出入系統），結果反而不相容，使得產品推廣到美國，客戶不能接受，只好全部又修改（相容產品就是如此，原來的產品不完美，後來發展出的產品也得跟著不完美才行）。

一九八三年底，當我們打算把這個產品推出上市的時候，工業局卻有意見了。他們要求電子所不能獨家授權宏碁，必須與其他業者分享。但我們簽的的確是獨家合約，於是，當時工業局宋鐵民組長就與我協調，最後達成協議，把技術開放給五家廠商使用，宏碁的委託費用降爲三百萬

元。台灣的個人電腦就在宏碁率先行動，別的廠商乘便跟進的情形下，正式鋪開發展道路。

正應驗了「萬事起頭難」這句俗話，一九八四年二月，宏碁將第一批個人電腦運往美國，又再度遭到美國海關扣留。這回，是電子所設計的基本輸出入系統侵犯到ＩＢＭ的著作權。幸而由於電子所是政府單位，經過折衝之後，ＩＢＭ同意讓貨物退還重新修改。

和「小教授二號」的遭遇一樣，電子所也沒有仿冒的意圖，只是因爲沒有採用「潔淨室」的作法，爲了使產品相容造成其中部分和別人相同，整個產品就算是侵犯智慧財產權。

因爲客戶已經下了訂單，當貨退回來之後，我們不得不儘速解決基本輸出入系統的問題。由於電子所修改的時間長達六個月，爲了儘快出貨，我們只好另覓他途，花三千萬台幣，向美國數位研究公司（DRI, Digital Research Inc.）公司購買Concurrent CPM（CCP–M），這是ＩＢＭ在採用微軟的作業系統MS–DOS之前作業系統的產業標準，他的功能比微軟的MS–DOS強，但因爲這家公司姿態比微軟高，使ＩＢＭ轉而與微軟合作，最後便逐漸沒落。

在向ＤＲＩ公司高價購得授權之後，我們才得以順利出貨。這個代價也使宏碁能夠掌握先機，將個人電腦推向市場。

雖然宏碁吃盡了不相容的苦頭，但卻也因此成爲台灣最早體會相容的重要性，並死心塌地發展相容電腦的業者。

「天龍中文電腦」失利的原因，正是無應用軟體可以配合。一九八二年，施崇棠所領導的研

究小組靈機一動，何不採用英文規格的電腦硬體與軟體，發展成中文電腦，如此，就能應用一般英文軟體來處理中文。於是，宏碁首開世界觀念之先，提出中文電腦的「透通性」（transparency）概念。

當時，設計中文電腦的廠商，如王安、IBM、惠普、神通等企業，都是利用特別規格來處理中文，這和通行全球的英文規格完全迥異，後來都紛紛遭到挫敗。而宏碁提出「透通性」概念之後，就成爲日後全世界中文電腦的統一作法。

在全世界個人電腦發展過程中，日本電腦業是唯一沒有採取「透通性」作法的特例，他們獨樹一幟地發展特殊規格的電腦。這個作法讓日本電腦業保住了當地市場，不受外商的競爭，但是卻也因此始終無法擴大在全世界的占有率，他們贏得日本市場，卻輸掉了全世界，可以說占盡便宜也吃足了虧。

這個概念現在説來並不難懂，但在早年，要深切了解其中的重要性，還非得有親身體驗不可。

漫長的授權談判

當IBM相容電腦成爲產業的發展主流之後，資訊業者就難免會在智慧財產權問題上和IBM交手。台灣業者的經驗，尤其豐富。

一九八七年，ＩＢＭ在台灣對相容電腦的廠商進行技術授權。原本簽定授權合約本身並無爭議性，問題是合約的內容卻是不平等條款，不但授權的範圍很小（例如，授權僅及十六位元電腦），ＩＢＭ甚至可以隨時片面終止授權。因此，許多同業都無法接受，不願簽約。

於是，台灣ＩＢＭ法務部門的負責人便採取「以小逼大」的策略，先與小廠商與貿易商簽約，利用小廠商在市場以「有ＩＢＭ正式授權」的招牌，打擊大型廠商；另一方面，更以「已經有這麼多廠商都簽約，其他廠商沒有理由不能簽約」的說法，要求大廠商簽約。

平心而論，當時小型廠商之所以願意簽約，部分是沒有深入研究合約內容，部分則抱持「簽約歸簽約，遵守與否又是另一回事」的心態，但是這樣的心態與作法，是那些注重長程規畫的廠商無論如何都不會認同的。於是，宏碁聯合其他五家同業，由鄭中人主辦，與國外律師深入分析合約的每一條條文，開始和ＩＢＭ展開長達一年多的談判過程。

我們之所以聘請美國律師，就是要兼顧美國企業的認知角度，爭取他們可以接受的條件。斡旋到最後，仍有一個條文雙方相持不下，ＩＢＭ堅持只要他們認定授權廠商有侵害專利的行爲時，就可以終止授權；但我們認爲，合理的作法應該是在法院判決成立，而廠商仍有侵害之行爲時才能終止。但ＩＢＭ始終不肯鬆口，理由是他們在日本也是同樣作法，而且台灣以仿冒出名，非得將一把利刃架在廠商的脖子上，才能防止自己被侵害。

最後，在李國鼎資政出面，經濟部長陳履安與次長徐國安也關心這件事的情況下，ＩＢＭ同

意給經濟部一份信函，協定從通知到制裁會有段緩衝期，如果期限內未解決，才採取正式行動，而此行動也必須得到經濟部默認。至此，雙方才正式達成協議。

在這一段歷時一年多的談判當中，面對強勢的對手與未知的前途，箇中壓力真是難以言喻。

九百萬美元的鉅額學費

一九八九年五月十二日，和ＩＢＭ簽約沒多久之後，ＩＢＭ的法務主管前來通知，宏碁再度侵害ＩＢＭ的著作權。這真是晴天霹靂，我們當然不敢置信，但當他們把證據送達公司，證實問題出在基本輸出入系統當中鍵盤的控制器部分。

事發之後，當時任職執行副總的童虎到日本談判，原本就打算付錢賠償，因爲這個部分對整個產品影響甚微，我們估計合理價格最多賠兩百萬美金。但ＩＢＭ的代表經過一番計算，竟然索賠數千萬美金的天文數字。我清楚地記得，童先生回來時蒼白著臉，整個人幾乎癱掉了，我也完全沒有料到ＩＢＭ會如此獅子大開口。

當企業在面臨類似情況時，訴諸政治管道是最迅速有效的解決方法，但宏碁從不願以此方式來解決自己的問題，於是，便打算獨力面對問題，和ＩＢＭ長期周旋到底。

但是到一九八九年十一月，當我們正在召開「天蠶變」會議的同時，同仁告訴我，部分未經修改的產品仍在市面流通。聽到這個訊息之後，我原本堅定的態度被軟化了，因爲一旦被ＩＢＭ

發現這個狀況，勢必要求更高額的賠償，甚至終止技術授權，屆時將造成業務中斷。在和出身IBM的劉英武總經理商議之後，我們決定妥協，匆匆以九百萬美元解決這樁案件。

那一年宏碁的盈餘不過一億多新台幣，卻出現這筆兩億餘新台幣的賠償金，原本處境已相當艱難，此時更是雪上加霜，但除了認賠了事，也著實想不出更好的方法。

在這段期間，第三波文化事業也發生另一起案例。一九八九年，第三波發行一本書，內容是解釋IBM的基本輸出入系統，由國內的一位教授所撰寫。作者在書中以IBM基本輸出入系統的使用手册作爲附件，被IBM逮個正著，索賠五十萬台幣。這的確是於法不合，我們二話不說就付了錢。我們付出這個代價，無非希望同仁能夠體會切膚之痛，從而學習謹慎小心。

事實上，無論是《看漫畫學電腦》或這本書，作者們都應該尊重智慧財產權，問題是國人長期對智慧財產權的漠視，如果未經親身教訓，往往都不會警覺。

全力發展專利

宏碁在智慧財產權方面得到的教訓之多、付出的代價之高，相信在國內至今無人能出其右。但也因爲如此，宏碁管理智慧產權的制度化，「啓蒙」的比別人都早，一九八二年開始，就陸續建立智慧財產權的管理規章。

這套制度分成兩部分，一個是保護措施，一個是發展策略。

且一九八五年開始，宏碁將智慧產權的規範納入員工的雇用合約中，包含營業機密、智慧財產權歸屬等等，都規畫得清清楚楚。

在實施之初，有些同仁不願意簽約，我分別與他們當面溝通，也根據他們的意見做必要的修正，但仍有少數同仁不願配合，理由是台灣沒有其他企業有此先例。但我們認爲這個制度是爲了保護多數同仁的權益，不能因少數人的抵制而放棄，便下達最後通牒，不簽約的同仁只有忍痛請他離職。最後，大家總算都簽約。直到今日，公司與員工從未發生智慧產權糾紛。

另一方面，我們有一套鼓勵同仁發展智慧產權的制度，還要求並協助他們申請註册。這些年來，宏碁所擁有專利的數量，超過台灣其他同業的總和，而且品質愈來愈高，早期以新式樣的專利占大多數，現在則是以發明和新型爲主。

宏碁從不吝惜獎勵同仁發展智慧產權，並設有專利評估小組審核同仁的成績。這套獎勵制度分成幾個層次：第一，研究別人的專利，並撰寫心得報告，公司就發給潤筆費；第二，提出專利構想，也核發獎金；第三，如果專利構想被公司內部評估小組審核通過，法務人員會協助提案人一起動筆寫專利，並提出申請；第四，在國內外正式得到專利之後，公司會針對專利的性質，如新式樣、新型或發明，再給與不同程度的獎勵；第五，當專利授權外界而讓公司能夠收取權利金之後，提案人還可以分紅。

近兩年，也有同業仿效這套作法，但是從廣泛性與周延性而言，宏碁都應算是最有基礎的。

在制度化獎勵專利的措施之下，一九九二年，宏碁在台灣首居國家發明獎當中，就榮獲第一名，由於主辦單位規定獲獎企業須在三年後才能再提申請，而宏碁事隔三年之後，又再度獲得第一名，這證明了宏碁的研發實力在國內的地位。不單在台灣，現在宏碁已和許多美國高科技公司相互授權，因爲宏碁擁有的專利已有相當的質與量。

我們當然不會就此自滿，和世界一流公司相比，我們仍有相當大的努力空間。我也認爲，台灣的科技業要更上一層樓，也必須有更廣、更深的專利發展能力。

但我可以肯定地説，宏碁如今能夠在技術上和國際大公司平起平坐，而同仁也能夠深切了解智慧產權的重要性，並全力發展專利，是用很大的代價換來的。

矽奧事件

但另一方面，令人遺憾的是，當一九九二年宏碁以「矽奧技術（chip-up，以更換單一微處理器便能使電腦升級，大幅提升執行速度）」得到專利，而要求使用這項技術的廠商支付權利金時，同業卻以這項專利是「習見」、是大家都知道的簡單技術爲由，不願支付權利金。

換個角度來看，很多今日大家都會製作的物品，例如迴紋針，我們卻不能説它的最原始構想是「習見」而不是創新。專利的前提就是創新，在宏碁提出「矽奧技術」時，全世界並沒有人提出這項技術，它不但在台灣有專利，現今在美國也是專利技術。

許多同業不願付錢，就拿大帽子扣在宏碁頭上，說此舉將迫使產業外移。令人遺憾的是，不但同業反彈，媒體也站在同情「弱者」的角度報導此事，甚至有半導體廠商為了討好客戶，在一旁起哄。宏碁辛苦創新，只是要求合理的智慧財產權，卻反而變成眾矢之的，淪為挨打的角色。

若是比照外商的作風，宏碁早就不留情面地訴諸法律，因為我們於法完全站得住腳，只要上法院控告，同業便不得不付費。但宏碁並沒這麼做，事實上，宏碁過去也曾有過專利被侵犯，但我們同樣也沒有驟然採取法律行動。

一九八七年，我們發現市面出現第三波的仿冒軟體。在刑事警察局協助下，我們同時在台北、台中、高雄查獲三十八家仿冒廠商，而我們處理的方式，只讓每家賠償區區五千元（還不夠我們那次追查仿冒的成本），並寫切結書保證不再仿冒，再犯則將付諸法律。當時仿冒是屬於刑法，一旦被起訴，後果是相當嚴重的，而宏碁如此低調處理，是因為我們了解在台灣的大環境下，一般人對智慧財產權的認知還不夠，所以我們願意犧牲一些權益，扮演教育與推廣的角色。

由於「矽奥事件」發生時，正值康栢開始降價，市場競爭激烈，我們體諒同業正處於轉型期，便退一步，主動在公會召開說明會，向同業解說我們的專利範圍。平心而論，任何國際性企業都不會如此大費周章，只會以一封來函告知，便開始索費，至於對方要花多少人力與金錢來研究專利範圍，是完全不予理會與體諒的。

我們甚至還特別提出許多優惠措施，但其它同業卻還是不願付費，最後只好同意在「矽奥」

取得國外專利，或者有廠商向中央標準局提出異議不成立之後，才開始收權利金。

但是，當一九九四年美國任尼（Zeny）公司以「矽奧」侵犯其智慧產權爲名，向法院控告宏碁，獲不起訴處分，我們要依約收費時，同業又開始反彈。

比之國際間慣常採取的作法，宏碁已太過讓步，卻仍得不到認同，這讓我相當感慨。但是因爲我們自覺是整體產業的一分子，所以對大環境的不成熟與同業認知不足，也只能暫時委屈求全。

直到「矽奧」問世之後四年，這項技術也在美國取得專利時，同業才無話可說，同意簽約付錢，「矽奧事件」也終告落幕。

付出代價保障未來

在「矽奧事件」的過程中，有業者譏諷宏碁，因爲曾經在智慧財產權上吃了大虧，所以就如法炮製，對付同業，這是相當錯誤的心態。今天，智慧財產權已經在全球科技業蔚然成風，潛心於智慧財產權的廠商遍布全世界，姑且不論這些廠商投入的資源與應得的回饋，假使業者不能體認其中的重要性，得過且過，不願付代價來學習，終有一天會引爆定時炸彈，對方絕不會像宏碁這般處處讓步，屆時公司可能就很難生存。

遺憾的是，有這種認知的台灣企業主並不多見。有一回，我參加資策會主辦的一場智慧財產

權研討會，全場沒有一位企業負責人到場聽講，都是基層人員，不禁當場表達我的感慨。智慧財產權關乎企業發展決策，決策者非深入了解不可。宏碁過去的確蒙受過損失，但卻也從中獲得經驗與能力，保障未來不會出大紕漏。

從一九九三年發生英代爾「三三八事件」，就可以看出宏碁與其他同業的不同。

當時英代爾公司引用美國「三三八號」專利，指控使用美國超微（AMD, Advanced Micro Devices）微處理器的倫飛電腦，侵犯該公司專利，要求倫飛改買英代爾的微處理器，或繳交電腦售價的一%作爲權利金。這原本是英代爾與其他微處理器廠商之間的專利糾紛，但台灣的電腦廠商因使用這項零件，間接受到牽連。

事情發生之後，同業受到極大衝擊，既焦急又感到不平，便向政府單位尋求支援。有人形容這如同「日俄戰爭」在中國領土開戰，台灣廠商夾在半導體公司之間無端受害。但宏碁並不太憂慮此事，因爲在累積多年的實力之後，我們和英代爾有相互授權的合約，包括矽奧技術。因此，即使英代爾引用「三三八條款」，不一定能爲難宏碁，因爲宏碁比同業多一些籌碼可作爲交換條件，這就是重視智慧財產權的有利之處。

但是，這並不意味宏碁的專利已經足夠到可以高枕無憂。所以，當我們計畫投資動態隨機存取記憶體（DRAM, dynamic random access memory）廠時，就採取技術來源由合資夥伴德州儀器全部提供的方式，如此一來，就免除可能侵犯智慧財產權的顧忌。

換個角度來看，台灣半導體產業之所以能有目前的榮景，部分利潤正是來自少付智慧財產權的錢，因爲部分廠商遊走在侵犯他人專利的邊緣，但是這個利益能持續多久？過去，因爲國內業者規模小，國外廠商暫時不予理會，但當台灣已發展爲世界第四大半導體生產國，難保別人不會眼紅。

事實證明，目前外國廠商索賠行動已然接踵而至。部分廠商雖然被提出告訴仍不願付錢，顯然他們的看法並不同於宏碁。究竟哪種作法是正確的？我不願遽下斷語，相信十年之後將不辯自明。

我始終認爲，企業面對智慧財產權的問題，千萬不要等事到臨頭才開始規避、抵禦，而是平日就要儲存這方面的能力。要做到「平日有儲蓄，臨時不用急」，除了企業主須對其有所認知之外，還是老話一句：要培養人才。

當企業規模不大的時候，可以仰賴外面的專業人士；一旦規模夠大，就要建立專業的人才庫。宏碁這一路走來，備極艱辛。早期，台灣幾乎沒有一位處理智慧財產權的專業律師，然而，如今台灣相關的人力資源已經不可同日而語，不管是政府或企業，都應更有能力來從事這方面的努力。

回想起來，由於宏碁國際化起步較早，當多數企業仍局限於國內的認知來做決策時，宏碁已經不得不依照國際上的遊戲規則經營。正因爲宏碁經常走在政策與大環境的前面，總是不免要比

別人多付出心力。不僅止於智慧財產權方面，當我們開始製作並推出通行全球的廣告時，台灣也沒有任何一家廣告公司有類似經驗；財務會計更是如此，因爲沒有一家企業是將全球事業的財務報表合併到台灣總部，以致於會計師事務所在初期也無法跟上宏碁的腳步。

同樣地，當宏碁成爲台灣企業在國際間自創品牌的開路先鋒時，更是遭遇重重挑戰。

第四章

打破MIT的詛咒

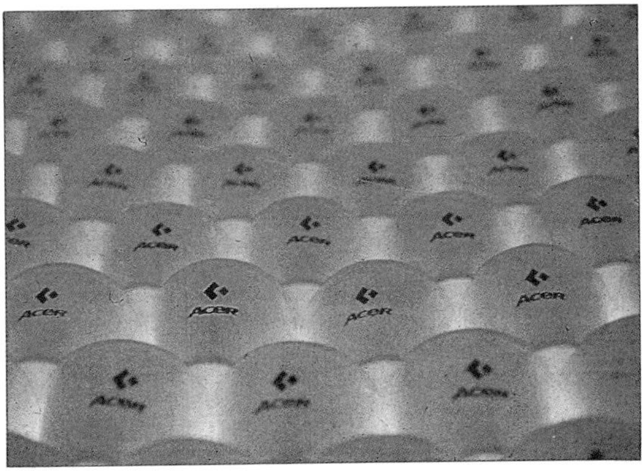

增強台灣的競爭力，關鍵在打通行銷瓶頸；要有效開展行銷，關鍵在於提升品牌形象。自創品牌，讓宏碁在國際舞台嶄露頭角。

一九九五年可說是宏碁國際形象的豐收季節，除了繼續蟬聯國際知名度最高的台灣品牌之外，還獲得美國《商業週刊》（*Business Week*）評選爲「能夠持續企業開創精神」的「亞洲新巨人」，而《遠東經濟評論》（*Far Eastern Economic Review*）所策畫的亞洲年度領導企業選拔當中，宏碁首度取代台塑，成爲台灣的領導企業。公司的表現因此使我沾光，獲得國際間頒發多項「年度企業總裁」獎項。

這是多年來揮汗播種，從瘠地裡耕耘出的一點果實。

回想一九八一年，當我們開始在海外推廣第一項自創品牌產品——「小教授一號」時，收到一封新加坡進口商的回函，信上寫著：「台灣不是生產電腦的地方，我沒興趣。」宏碁乃是在形象如此完全被否定的劣勢下，踏出國際化的第一步。

這些年來，我經常受邀對外演講，分享宏碁塑造形象與自創品牌的經驗。因爲這兩者與企業行銷能力關係至大，而行銷能力正是台灣企業最弱的一環。

眾所周知，台灣向以製造見長，如果爲台灣製造能力打分數，大概可得七十至九十五分；研發能力次之，介於三十至七十分；行銷能力大概只有五到三十分。因此，大量生產的產品沒有有效行銷，只能靠殺價競爭，如此一來，更無法擺脫低品質形象。在國際間甚至有「MIT＝30% off」（「台灣製」代表殺價三成）的「慣例」。我常感嘆，台灣企業的形象，往往不如矽谷一家破產公司。

因此，要建立行銷能力，必須提升企業與品牌形象。而企業就如同一個人，名字是其生命體的代名詞，生命體怎樣活動，就賦與了品牌形象。

塑造企業形象

正向思考：MIT形象差，要靠殺價才能競爭。
反向思考：MIT形象差，殺價競爭是死路一條。
思考邏輯：沒有高一點的利潤空間，如何投資提升形象？

一九八八年，宏碁進軍日本市場，那正是新興工業國家產品開始登陸日本市場、日本人充滿危機意識的時候。宏碁的加入，自然備受媒體關注，從NHK到大大小小的報章雜誌，合計發行量超過四千萬份的報導，提供許多免費提高知名度的機會。

當時，電腦產業的低價革命還未發生，而台灣電腦業在國際間的形象就是殺價競爭。日本記者懷著極高的戒心，單刀直入地發問：「宏碁的定價如何？」他們期待宏碁也採低價策略，如此便可以低價低品質來大作文章。但出乎他們意料之外的，宏碁的定價竟和日本電腦一樣，走的是高價路線。

因爲，宏碁絕不願自己的科技與創新實力，初亮相就被扭曲爲「便宜無好貨」。

這是深思之後所採取的策略。在日本人當時的防禦心理下，宏碁在日本的銷售空間非常有限。況且，即使有爲數眾多的消費者願意購買，我們也還沒有足夠能力去服務，所以必須從長計議（我們稱登陸日本市場是「八年抗戰」）。而正因爲宏碁剛起步就塑造了很好的形象，因此雖然宏碁目前在日本市場銷售量還不算大，但是一直穩步成長。

形象是什麼？我認爲，形象比事實先被接觸；形象也比事實簡單。而且，不論企業或產品形象，由高定位調整爲低定位很容易，但是，從低定位調整到高定位卻是相當困難。更重要的是，在國內整體產業形象已經處於弱勢的情形下，如果還把產品放在低定位，那就更難扭轉劣勢了。

以創新為形象定位

宏碁建立形象的訴求重點是「創新」，因爲領先的技術與創新的產品，是提高品牌形象最好的工具。而經營形象的方法首重長期塑造定位，其次才是追求知名度。

但光靠高喊創新並無法贏得創新的形象，因此，建立企業形象的第一個挑戰，就是如何培養「名實相符」的能力。

早期，宏碁每年以營業額的五％投入研究發展，不斷以先進技術與產品去營造創新的形象。一九八六年，宏碁領先ＩＢＭ推出三十二位元個人電腦；四年後，將這兩項三十二位元的電腦技術授權給美國優利系統公司（Unisys）；一九九二年，整合電腦與消費性電子技術，領先開發

兼具通訊、教育、娛樂、視聽的多媒體個人電腦Acer PAC，隨後，又推出「工作站功能，個人電腦價格」的Acer Formula，翻新六十四位元個人電腦架構；一九九五年，「渴望」（Aspire）多媒體家用電腦更堪稱是宏碁近年新產品中的代表作。

企業塑造創新形象的最佳時機，莫過於推出有力的新技術或產品的時候。Acer PAC獲美國《財星雜誌》（*Fortune*）評選爲「焦點產品（Product to Watch）」；而宏碁六十四位元個人電腦問世之後，《遠東經濟評論》與美國《商業週刊》分別以「亞洲的王牌」與「超越追隨、領先羣倫」兩篇報導，介紹宏碁的成就。

在諸多創新當中，渴望家用電腦更是宏碁形象大幅提升的重要契機。在美國有線電視新聞網（CNN, Cable News Network）報導中被譽爲「爲家用電腦重下定義」的渴望家用電腦，由於外型大膽突破，功能領先同級產品，很快就吸引了國際媒體的注目。如CNN等多家電視網、《華爾街日報》（*Wall Street Journal*）、美聯社、路透社，都撰文介紹這項產品。這使得宏碁完全擺脫「30% off」的定位形象，與康栢等電腦巨人的價位差距，也拉近至三%。

窮人行銷手法

多年來宏碁致力形象的提升，固然投資不少金錢，但相較之下，投入的精神更爲可觀。我稱這個精神爲「窮人行銷手法（poorman marketing）」，也是「窮小子文化」的具體實證，簡單

地說，就是「眾口鑠金」。

以宏碁的資源而言，是不可能像可口可樂一樣，耗斥巨資，大打洗腦式的廣告，所以，宏碁的策略是用不斷翻新的新聞事件，傳達相同的精神，用潛移默化的方式，建立一致的形象。雖然，宏碁在美國市場受限於知名度，要突破眾多電腦巨人的強勢廣告，不得不採取較大量的廣告手法，但在日本與第三世界國家，媒體的報導相當頻繁，曝光率不下於在台灣，所產生的效益比廣告大得太多。

從新聞的角度來看，媒體是不可能幫企業傳達一成不變的訊息，他們要的是新鮮的東西。因此，塑造形象必須有心，持之以恆地透過各種有吸引力的、有新聞價值的訊息，不斷反映同一個形象。例如，宏碁早期因技術創新而吸引媒體的注意；近兩年，管理的創新成爲媒體報導宏碁的重點。如果宏碁沒有持續地在創新議題上推陳出新，媒體失去報導的興趣，社會大眾也可能早就遺忘了宏碁。

形象要有定位，而定位要符合企業目標，以及達成目標的承諾與能力，絕不是靠短暫的新聞炒作與包裝就可以做到。爲了短期目的所作的宣傳，不但效果有限，還可能造成負面的結果。

我們常見企業爲了股票上市或促銷等短期目的，對媒體做過度的宣傳，日後一旦出現與宣傳不一致的訊息，不但沖淡了先前塑造的印象，甚至造成社會大眾與媒體的不信任感。

結合地緣，提升形象

塑造形象必須靠長期策略；而在國際間塑造形象，更需要縝密的策略思考。關於這一點，有兩個經驗值得和大家分享。

一九八六年宏碁領先IBM推出三八六電腦，突破以往追隨IBM的形象，頗受第三世界國家的媒體與學術界津津樂道。因爲同爲發展中國家，台灣企業能有領先先進國家的表現，這些國家因與有榮焉而對宏碁另眼相看。

但另一方面，一九九一年宏碁發展出獨步全球的「矽奧技術」，我特別前往紐約，向《華爾街日報》與《商業週刊》等媒體宣布這項突破時，並沒有獲得迴響。因爲這不是美國人的成就，美國的讀者沒有切身感，重要性因而被打了折扣。因此，同樣是技術創新，美國企業與非美國企業在美國所獲得的肯定，有如天壤之別。

類似的例證不勝枚舉。這也是宏碁策略改弦更張，採行「全球品牌，結合地緣」策略的原因之一。

乍聽之下，「結合地緣」與塑造形象的關連性似乎不大，但事實上，卻是突破MIT刻板印象的重要策略。對先進國家而言，宏碁採行當地化經營，又是當地的上市公司，當地人就沒藉口挑剔宏碁的產品。而在發展中國家當地化，讓當地夥伴擁有過半數的股權，宏碁雖擁有國際性品

牌，卻沒有一般跨國企業經濟侵略的作法與形象，消費者更願意接納宏碁這個朋友。

另一方面，也因爲這個創新的管理模式，再度吸引國際媒體對宏碁的注意力。《世界經理人文摘》（*World Executive's Digest*）稱宏碁這個策略爲「第四種國際化模式」，與美國、歐洲、日本的國際化模式相提並論；哈佛大學把宏碁列入「企業國際化的傑出個案」；《日本電腦》雜誌譽爲「將改寫明日電腦產業的教科書」。由於媒體的肯定，《時代》與《亞洲商業》（*Asia Business*）等雜誌更分別評選宏碁爲「台灣最具國際知名度的企業」與「最受讚賞的亞洲高科技公司」。

爲了有效突破ＭＩＴ的刻板形象，宏碁可說是費盡心思，發展出一系列的策略，也得到了回饋。

重建ＭＩＴ印象

根據我的經驗，只要策略正確，朝著既定方向努力，許多無形資產及形象的建立，只是舉手之勞，所費成本並不高。但讓我深感遺憾的是，直到今日，台灣企業把握這個竅門的人仍然太少，因爲大家並沒有集中注意力、小心在意地營造。

在一九九五年蓋洛普的一項調查中顯示，台灣產品在國際間的評價排名落於大陸之後，這結果引起政府與企業界的一致抗議。但從另一個角度來看，這卻是不得不接受的事實。台灣並非沒

有好的產品，洛杉磯奧運會所採用的帽子，就是台灣製造的產品；全世界每三部電腦就有一部是台灣生產的，專業雜誌也都給與很高的評價，但是，一般大眾並不知道這些評價；而電影「致命的吸引力」拿「開花」的台灣製雨傘嘲諷，卻是全球觀眾都接收到的訊息。

影響台灣產品形象的還不只是產品本身，例如，「犀牛角事件」等環保議題，引起國際環保團體的抵制，就連帶波及台灣企業。

其實，「冰凍三尺，非一日之寒」，「Made in Taiwan」的形象，是無形的、長期累積的結果，若非一再重複而加深印象，負面形象不致如此牢不可破。就如同一個人，即使本質再壞，如果沒有常常讓惡劣印象暴露出來，時日一久，一般人總是會淡忘。所以，台灣形象不好，是幾十年累積的結果，誰也無法在短期內扭轉。

而造成台灣長期負面形象的成因，主要來自兩方面：第一，許多品質不佳的產品，大多打著台灣的品牌，而好的產品，因爲代工生產的緣故，打的卻是外國的品牌；其次，雖然有好的東西，但缺乏大力宣傳，雖然近幾年政府開始在國際間打廣告，但效果非常有限。事實上，只要稍稍留心各種政策宣導，就不難發現當中傳達的訊息很難讓人聽得進去，這顯示政府的溝通能力實在有待提升。

提升台灣企業的形象，要從重建台灣的形象做起。第一件事，就是要賦與台灣新定位。一九八九年，我在總統府的一場演講中，提出「科技島與世界公民」的概念，就是希望幫台灣定位。

科技島的目標，不只是發展科技產業，還包括提高傳統產業的附加價值，提高生活品質及交通電信網路的普及。

現在台灣正推動「亞太營運中心」計畫，其中包含六大中心，但我認爲外界很難了解這麼一個包羅萬象的複雜形象，必須有一個主導的中心扮演主要定位的角色，去帶動其他中心的落實。我認爲，最適合的「龍頭中心」應該是高科技的製造與研發中心。

這並非科技人的本位主義，事實上，台灣科技產業多年奠定的基礎，已使其在國際間獲得比金融、交通等其他領域更多的認同，而科技的提升也有助於其他產業的升級，至少它象徵著國家朝向高品質邁進的正面形象。

假如我們能集中資源確立這個形象，整個國家的形象也會全面被帶動。就像一個人有某些過人的優點，對整個人的形象都有幫助。

當我提出「科技島」的想法之後，國外媒體如《財星》、《商業週刊》也曾針對這樣的概念加以報導。如果政府和民間都能繼續討論、闡釋，並進而落實這個想法，媒體也會不斷報導，這個概念就會變成我們國家的定位，對國家應有相當助益。

品牌無國籍

當然，企業界也並非沒有努力的空間。台灣產品如果有好包裝、好的溝通，還是能突破現有

的形象。

值得注意的趨勢是，在現今商業活動當中，商標不僅逐漸變得無國籍，甚至已有跨國際的趨勢。例如新力所推廣的「Made in Sony」形象，宏碁也正在三十幾個國家推展「Made in Acer」的概念（兩者不同之處，在於宏碁的海外事業股權當地化，自主權更高），因此，企業開始有機會突破原始生產國的刻板印象。

因為台灣產品形象不利，已是既定事實，因此，如果一家企業的產品能成為世界知名品牌，而且製造地點遍布各國，從短期來看，可以減低台灣製形象所帶來的負面影響；長期而言，則能順勢改善國際間對台灣的觀感。

宏碁開始邁出國際化的腳步時，就已經深入思考這個問題。在創業的第三年，我們一度想把總部放在美國矽谷，但考量到形象必須靠企業不斷活動來累積，而宏碁的決策與活動都在台灣，單把總部搬遷到矽谷，並不能徹底解決問題，於是放棄這個念頭。事實上，過去的佳佳科技就曾經運用這個策略，以ARC（American Research Company）為名，總部設在矽谷，在台灣運作，成立初期得到許多助益。

宏碁沒有採行這個作法，但運用了這個概念，剛開始並不去強調台灣生產的形象。有成果出現時，就塑造全球企業的架構，然後再慢慢讓媒體了解到，台灣企業能創出這樣的局面，和歐美企業平分秋色，是值得給與正面評價的。現在，從某些層面來看，台灣企業的形象反而成為宏碁

的優勢。

但整體來說，台灣總體形象仍是負面多過正面，因此，我們也不希望扛著ＭＩＴ的形象到處造勢。我衷心希望，能有更多台灣企業一起加入成爲第三世界表率的行列，如此，對ＭＩＴ的形象有極大助益。過去日本產品也曾經形象惡劣，但透過爲數眾多的企業一起努力，讓全球的人在日常生活中都離不開日本製產品，無時無刻傳達他們的創新與品質，現在，日本產品在國際間的形象已完全改頭換面了。

提高一%的附加價值

關於提升台灣的形象的作法，我一直有個想法，台灣一年的外銷金額約爲一千億美金，若能提高產品一%的價值感，就可以創造十億美元的利潤。配合這項計畫，政府可以拿出外銷金額的〇．一%，用來宣揚台灣產品。這種「四兩撥千斤」的作法是值得投資的，因爲無形的形象將可轉換成有形的報酬。宏碁在發生困難時，就是因爲過去建立的形象，獲得外界、銀行與員工的肯定和支持，才能迅速恢復，並獲致更多的利潤。

很明顯地，台灣絕對存在提高一%附加價值的機會，然而，政府的「五年形象計畫」平均每年編列的預算，卻僅約爲外銷金額的萬分之一，甚至不及宏碁年度廣告預算的十分之一。努力不夠，成效當然也極爲有限，那又如何能期待台灣產品形象會有所提高呢？

在前文我曾提過，突破瓶頸就能創造價值，現在，相信大家都看出瓶頸所在，相信大家也都同意，突破台灣形象的瓶頸能夠創造價值，但是，要不要突破?有沒有長期努力的決心和方法?很多人認爲我們沒能力突破形象的瓶頸，就目前來說，也許是真的沒有能力，但能力是可以培養的，問題在於我們有沒有培養能力的決心?

企業界的朋友常常談起不願投資在建立形象的原因，總歸因於企業沒有足夠能力，「投資一定虧錢」。這話聽來似乎言之成理，但如果永遠不投資，又如何有能力?

如果政府和企業都不願付出代價嘗試，又該寄望誰來突破瓶頸?

我一直認爲，任何一個社會，有條件的人就必須犧牲付出，而最有條件的無非是政府和企業，但現在我們的社會卻是有條件的人想占有更多，導致許多關係到打破特權或影響特權利益的法案，都遭到利益團體的杯葛，這真是相當令人遺憾的事。

事實上，不管是政府或是企業，只要堅持在正確的方向上，終會有所收穫。宏碁二十年來雖然付出許多代價，相對地，也獲得了回饋。宏碁能在國際間打響品牌知名度，證明了多年提升形象的努力，終究沒有白費。

自創品牌

正向思考：自創品牌難度大，企業必須在具有足夠能力與規模之後才自創品牌。

反向思考：企業最好從小規模開始自創品牌。

思考邏輯：先適應困難的工作，培養能力，成長將更為順利；否則當企業規模大了，就會有太多顧忌而不願冒險。

最近這幾年，建立企業識別體系（CIS）在企業界頗爲流行，但在一九八七年，當宏碁開風氣之先，把品牌從Multitech更換爲Acer的時候，外界卻不以爲然，甚至連宏碁的同仁也質疑，爲什麼輕易放棄價值兩千萬美金的品牌？

關於舊品牌，曾經發生過一段小插曲。一九八一年，宏碁推出「小教授一號」時，在世界各地頗獲好評，西德《晶片》（*CHIP*）電腦雜誌特別撰文報導。但卻把宏碁的英文名字錯寫成Microtec，正巧就是生產掃瞄器的全友電腦的英文名字，於是大批的樣品訂單全跑到全友去了。

在全世界，以「——tech」爲名的資訊公司不勝枚舉，原來的名稱既沒有差異化，又因雷同性太高，在很多國家都不能註册，導致無法推廣品牌。因此，當宏碁加速國際化腳步時，就不得不考慮更換品牌。

當時還有人勸我：「行不改名，坐不改姓，老祖宗不都這麼教誨我們嗎？」我反駁他們，中國的偉人改名或改字號大有人在，想想有多少人小時候叫做「狗子」、「柱子」，後來中了科舉，當了大官，難道還用這些名字？所以，根據老祖宗的教誨，企業在長期發展當中爲了不同的使命與任務，就應該修改不合時宜的名字，而且大可以改上三、五次。

不少企業界的朋友在國際間推廣品牌時，也面臨和宏碁類似的遭遇，他們總在捨不得與不甘願的心情下，猶豫不決。我總會告訴他們未來比現在更重要。所以，當宏碁考慮到如果新品牌可以在全世界註册，打廣告，可以在廣告瞬間就抓住觀眾的目光，未來的效益顯然比眼前的價值高時，當然也就無須留戀現在。

Acer就是在這樣的概念下，從數萬個名字中篩選產生。它是個拉丁字，是「積極、有活力」之意，簡短響亮、沒有負面聯想的諧音，還隱含王牌（Ace）的意思。最大的好處是，在各種展覽與資料索引中，只要廠商是按照字母排序，Acer經常名列首位，顧客即使驚鴻一瞥都會印象深刻。

直到今日，許多台灣的大企業仍堅持沿用中文音譯的品牌，但我認爲，中文名稱是和中國人溝通，英文名稱和外國人溝通，不必強求彼此間的相關性。因爲名字本來就是代名詞，重點在於是否便於溝通，例如，我的英文名字是Stan，對外國人來說，Stan比Chen-Jung好記得多。相信到過大陸的人，對當地常把中文名稱硬生生音譯成一長串英文字母，而感到困擾。用這種方式

攻打外國市場，往往事倍功半。

根據美國的鑑價公司估計，一九九四年Acer品牌已經價值一億八千萬美元，是台灣價值最高的品牌。但我認爲應當不只於此，現在就算有人出價十億美金，我也不願意賣。

兼顧代工與自創品牌

自創品牌一直是我的心願，宏碁剛成立時，就有自創品牌的計畫，但直到第五年才付諸實行。很多人認爲，自創品牌是大公司的專利，但在我的想法裡，自創品牌的成敗與公司規模並無太大關連，微軟、蘋果電腦等國際級企業，都是還在車庫創業階段就自創品牌。因此，若有心自創品牌，最好從小規模開始。

對於台灣企業而言，比較自創品牌和委託加工兩種經營模式，前者更有助於小企業的成長與日後的轉型。

第一，通常代工的訂單都是標準化、大量生產的產品，而自有品牌產品是少量多樣，因此，如果廠商規模不夠大，不容易爭取到代工訂單。另一方面，從小訂單開始再進入生產大訂單，較符合企業成長趨勢；如果先生產大訂單再做小訂單，等於是走回頭路，會產生設備與人員閒置的問題。

第二，代工廠商一旦要自創品牌，等於和原來的客戶競爭，客戶會箝制廠商自創品牌的行

動，或者不再下訂單給廠商，廠商馬上會面臨生計問題。如果先自創品牌，代工客戶再找上門，自然沒有理由可以箝制廠商。

第三，從業務的角度來看，代工業務開展容易，而以自創品牌開拓業務較爲困難，企業先適應難度較高的工作，培養足夠的能力，成長會更加順利。

第四，相同的道理，代工生產資金周轉快、庫存低，而自創品牌不論在資金周轉或庫存管理方面，難度較高，如果習慣代工生產的管理模式，再進入自創品牌階段，常因此而適應不良。

因此，我們不難發現國內以代工起家的大企業，在開始發展自有品牌產品時，總是顯得舉步維艱，甚至多半前功盡棄。而能夠從代工進入自創品牌的企業，例如巨大機械、光男公司，則因具備了機會與決心雙重條件的配合，先發展出有別於代工訂單的新產品（眾所周知，創新是企業自創品牌的第一要件），並且非常有毅力地撐過代工客戶抵制的難關。否則，先從事代工生產再創品牌，並不容易成功。

話雖如此，宏碁也並非只一味追求自創品牌，我認爲，代工與自創品牌是互補的，因此最好是兩者兼顧，當年我在榮泰就是採取這種作法。如此一來，不管從分散業務風險、擴大生產規模，或是技術的學習與相互爲用，都有所助益。

在這樣的考量下，即使企業暫時迫於情勢，無法使兩者平衡，也要以達到均衡發展爲長期目標。也就是說，當自有品牌業務遭遇困難時，當然必須多接些代工訂單；或者，如果代工客戶停

止下單，自然當仁不讓地多賣些自己的產品，但假若一方有所斬獲，就要將所產生的資源用於另一方面，使它獲得相對的成長。

舉例來說，當企業從自有品牌產品中獲得利潤時，可用於投資擴大產能，服務代工客戶；而當代工的大量生產帶來降低成本、增加收入的效益之後，可以將獲利投資研發，擴大自有品牌的規模。如此，就能造成互相提攜的良性循環。

曾有不少外國記者好奇地詢問，在台灣的電腦業中，宏碁規模比別人大四、五倍，爲什麼成長率還能比別人高?答案就是這種互相帶動的策略。

事實上，同業常以宏碁自創品牌爲由，鼓動代工客戶不要下單給宏碁，在同業策略性搶奪客戶的手法下，宏碁的確曾經被搶走一些訂單，但是流失的訂單終究還是都轉回來，宏碁的代工業務絲毫不比其他同業少。其中的關鍵，也正是因爲宏碁兼顧代工與自有品牌的互動成長，鍛鍊出技術、成本、規模、交貨期等各方面的優勢。

自創品牌，何罪之有?

近兩年，台灣有些自創品牌的企業遭遇危機，外界多半認爲是自創品牌導致企業失敗。在宏碁競爭失利的階段，也常在媒體上看見如此論點。但我認爲這是個似是而非的論調，品牌是企業的無形資產，當然值得長期經營，因此自創品牌的策略並沒有錯。那麼，問題究竟出在哪裡？

表面看來，自創品牌的企業失敗比例之所以高，是因爲自創品牌企業的形象層次與知名度，一般而言比代工廠商高，因此，即使兩者的失敗率是一般高，自創品牌企業失敗的曝光率也比較高，所以，外界難免會存有自創品牌風險較高的印象。

就實際業務運作的層面來看，自創品牌的複雜度的確高過代工生產。在相同的經營環境下，自創品牌必須更加努力於產品創新與形象塑造，代工廠商不需要打品牌，客戶少、訂單大、付款條件單純；而自創品牌的訂單小、客戶多，還要牽涉到行銷體系的放帳、庫存，管理的難度比較高，如果沒有健全的管理能力，失敗的可能性的確高於代工。

另一方面，由於代工的流程較爲短而單純，發生問題的時候，決策者可以直接而即時地因應；自創品牌的流程長而複雜，當問題發生時往往無法立即而正確地掌握，便會誤導經營者對長期投資有效與否的檢討，反應的速度也就比較遲緩。

如果企業在本土市場獲致初步成效後跨足國際，而國際化牽涉海外人事與資產的管理，由於海外事業距離遙遠，控管更加困難。我們不難發現，跨國型態的自創品牌，受挫比例又高過內銷型態的自創品牌。

因此，自創品牌本身無過，問題的關鍵是企業的能力。以宏碁而言，當年的失利是源自公司體質變弱，與國際化管理能力不足。

從宏碁自有品牌的業務分析，一九九二年以前，由於產品運輸補給耗費時間過長，當產品到

達客戶手上時已經過時。再以代工業務來看，由於代工業務的市場周期短，要求的是速度快與成本低，但宏碁當時產品開發速度慢、成本高，客戶的需求無法獲得滿足，訂單馬上就轉走了。

當宏碁流失代工訂單的時候，幸而我們擁有自有品牌的行銷能力，因爲自有品牌的市場周期較長，對速度的要求不像代工那樣急迫，便發揮了互補平衡的作用。

事實上，在企業發展的過程中，是不可能永遠沒有困境與錯誤的，因此，最重要的是，要儘量確保企業在困境中平穩渡過的能力。因此，宏碁從創立開始，就不斷在建立穩定的籌碼，包括人才的培養、技術的累積，以及產品多元化與客戶多元化。追求自創品牌與代工的平衡，就是多元化政策下的一個籌碼。試想，如果企業只仰賴一兩個客戶，姑且不論企業因犯錯而導致客戶抽腿，萬一客戶有三長兩短，企業也難免受波及。

因爲未雨綢繆地建立了這樣的平衡體系，所以當宏碁在進行改造工程，並以速食店模式在市場當地進行組裝，加強經營的速度與彈性之後，便重新拾回市場的競爭力。

跨國管理風險多

平心而論，在企業自創品牌過程中，真正最難度過的關卡，在於跨國管理的風險。宏碁在經營海外市場時，就曾吃了很大的虧，付出巨額的代價。

一般而言，台灣企業所經營的外銷業務，多半只是單純的貿易，貨物只要出了海關就完成銷

售程序。宏碁從一九八一年推出「小教授一號」，到一九八七年更改品牌以前，就是採取這種作法，因此自創品牌的進展一直都很順利，規模也日益擴大，所需具備的能力與對客戶的承諾也相對增加，因此便須進一步地介入市場行銷，開始一連串繁複的跨國管理工作，困難度也就愈來愈大。

跨出行銷的第一步，是建立各國的總代理體系，因此，必先找到既熟悉當地市場、又懂技術的合作夥伴，雙方各負擔一半的廣告經費，開始著手品牌的宣傳。

在宏碁目前的合作夥伴當中，不乏合作十年以上的長期夥伴。然而，在剛起步的時候，卻有三成的夥伴表現不佳，必須汰換。另外四成的夥伴，雖然短期間還算稱職，但長期下來卻無法跟上宏碁的成長腳步，於是，我們就得花費許多心力溝通，協助他們調整、轉型，或者減輕這些夥伴的任務，降低其重要性，另覓更具實力的夥伴取而代之。這些工作說來容易，但由於相隔遙遠，進行起來格外困難。

逐漸地，當經銷商和宏碁結合得愈來愈緊密，對宏碁的依賴度愈來愈高時，他們也會考慮到合作的風險，因此，爲了爭取經銷商更大的信任感，宏碁就得到當地設立公司，就近服務。然後，因應業務成長所需，必須提供更多的存貨，給代理商更大金額的放帳，戰線愈拉愈長，腳步愈陷愈深。

在電腦產業發生革命之前，雖然存貨與放帳造成資金積壓，但因爲市場狀況穩定，還不至於

構成問題。但是當電腦產業掀起革命浪潮，原來的高利潤驟然變成低價競爭，宏碁放在各地的存貨立刻因降價而產生損失。

更嚴重的是，整個經銷系統因產業遽變而布局大亂，例如宏碁在歐洲的經銷商，倒閉的倒閉，被收購的被收購。於是，宏碁在推展行銷多年有成之後，突然被迫全盤重整、重新出發，宏碁的歐洲與美國公司也因此產生巨額虧損。

海外孤軍奮戰

回顧這段歷程，可以綜合出幾個自創品牌與國際行銷的心得。

首先，發展中國家企業在先進國家設據點、管理當地的人，企業文化的說服力原本就比較弱，也較難找到好的人才爲企業效命。但如果企業海外據點的成員在十人以下，管銷費用低，作業型態單純，不牽涉廣告、放帳，問題也不會太大。宏碁自創品牌初期得以順利推展的原因便在於此。

然而，當海外據點規模隨市場成長而擴大，因爲距離所產生的成本也隨之增加，比之當地同業，管銷費大、管理效率低，競爭必然落於下風。即使實力雄厚的日本新力，在購併美國電影公司之後，也同樣虧損累累。但是，日本企業擁有獨霸世界的製造力，就算行銷管理效率稍差，也能夠撐過去。但是，台灣企業可就沒那麼輕鬆了。

以宏碁而言，不管在哪個國家，競爭對手不僅包括歐美電腦巨人，還有當地業者。夾在強龍與地頭蛇中間，如果要以他們的手法來競爭，必得擴大庫存、放帳，如此一來就弱化了自身的競爭力。如果不這麼做，而選擇和其他台灣企業一樣，只管生產、出貨，單賺生產的微薄利潤，將其他的附加價值留給國外的進口商去賺，問題雖然小得多，但這不也等於浪費多年建立市場的心血，重新走回頭路嗎？

因此，當一九九二年宏碁在美國發生虧損時，記者一再追問：「宏碁要不要從美國撤退？」我就堅決表示：「絕對不行，一旦撤退無異倒退十年。」因爲如此一來，不但前功盡棄，士氣遭到打擊，若要捲土重來，還得耽擱十年。

在強敵環伺下，台灣企業在國際市場拼戰已是不易，出師不利也在所難免。遺憾的是，來自國內的助力幾乎爲零。不但政府相關單位管制多於協助（詳見第七章），而且台灣大眾與媒體也多所批評，不能理性分析虧損究竟是有效的學習代價，抑或是人謀不臧的浪費。台灣企業國際化能力本來就弱，加上各方的反對聲浪，要想贏得市場，真可謂備極艱辛。

當然，這並不表示台灣自創品牌完全沒有勝算，而是要更努力、更有策略地突破瓶頸。宏碁採用「結合地緣」的國際化策略，就是另闢蹊徑。這樣一來，不但有當地夥伴一同分攤風險，而且他們熟悉門路，比較能掌握節省成本的方法，更重要的是，在當地化之後，才能招徠好人才爲宏碁效命。

欲速則不達

自創品牌是一條艱難的路，路程遠、回收慢，但卻是打通行銷瓶頸的重要關鍵。在擔任台灣自創品牌協會理事長期間，我常常以這段話和會員朋友共勉：「在激烈的國際競爭當中，我們已經沒有猶豫的時間了，只有及早下定決心，一步一步踏實地往前走。」

這些話聽來或許稀鬆平常，但卻是宏碁一路走來最深刻的體會，它包含幾個關鍵詞彙：「及早」、「決心」、「一步一步」以及「踏實」。在此，我將這四者分成兩方面來談。

首先，自創品牌是長期工作，不是非賺即賠的買賣，所以不能孤注一擲。它就像長程賽跑，最終目標是要到達目的地，而不是追求瞬間速度，所以必須運用策略調配速度。如果半途衝得太快，將體力耗盡，終究只能退出比賽。國內企業自創品牌遭到挫敗，有許多正是因爲操之過急而後繼乏力。

例如，光男曾在網球拍產業自創品牌頗有斬獲，但又選擇跨行科技業，如同馬拉松選手分心去參加十項全能，而且擴張過於迅速，造成體力不濟，結果沒有完成任何一項比賽，導致前功盡棄，造成讓人非常遺憾的結果。

但是，實際運作的困難是，在自創品牌之初，往往無法預知自創品牌需要消耗這麼多力氣。宏碁早年把戰線拉到海外，也同樣面臨這個問題。因此，「長期經營」是個基本概念，在經營過

程中，必須憑藉著經驗與對自我實力的了解，究竟體力如何？距離目標還有多遠？逐步調整前進的速度。

曾有人貼切地比喻，自創品牌就像在許多座山頭間跳躍前進，如果不能一躍而上就會掉落山谷，投資也等於白費；因此，企業必須準備充分，一舉過關，再就地培養實力，準備下回的跳躍。

因此，我認爲，自創品牌有幾個要件：訂定階段性目標、看得遠、出發得早、小碎步前進、體力不濟立刻稍作休息，最最重要的是，絕對不要放棄。

穩扎穩打，步步為營

其次，企業必須要避免自我膨脹，要更有自覺地穩扎穩打。

企業在自創品牌之後，媒體報導多，知名度較高，甚至外界的評價也會比較高，但企業主千萬不能存有炫耀的心情，做出炫耀的舉動，更不能錯估自己的資源與實力，去從事超過自己能力的投資或其他活動。

這就像運動選手在滿場觀眾的噓聲與掌聲當中比賽，除非自己的穩定度夠高，或是身經百戰、經驗豐富，否則必然會緊張失常，或是得意忘形。企業在自創品牌之後，就像是被置於放大鏡下面，一舉一動都備受注目。偶有佳作，會有一片溢美之讚；但若是出狀況，也會引起外界擴大解釋問題的嚴重性。

對以製造爲導向的台灣企業而言，自創品牌有個特殊的決策陷阱，在一般狀況下，企業從事製造，本錢一塊錢的產品大約可創造五到十塊錢營業額，但跨入行銷的初期，因爲信用膨脹，一塊錢可創造十到二十倍營業額，表面上看來，成長並非難事。但若沒有相對建立管理能力，企業迅速膨脹卻虛有其表，便會開始出現品質不良、庫存積壓等問題，然後資金周轉變慢，經營效益也開始變差。在這種情形下，如果決策者不能認清這種本質的差異，高估自己的能力，只會加速問題的惡化。例如，在股市指數達一萬兩千點時，若有家公司擁有市價一百億元的股票資產，便用以向銀行抵押貸款三十億投入行銷。當股市暴跌到三千點，資產驟然縮水成二十五億，但三十億的負債不但不會縮水，而且還要付利息，於是，企業馬上就周轉不靈。

宏碁向來注重財務的穩健度，早在成立的第二年，我們就提撥退職金等各種準備，我太太管理家裡股票資產也向來非常保守，既不以淨值計價，也不是市價打折，而是用面值來計算財產。有一回宏碁增資發行新股，我們爲了認股向銀行借了點錢，雖然資產仍遠超過負債甚多，但這筆負債卻老讓我們心裡不踏實。即使如此，都不免因環境的鼓勵，做出不當決策，讓公司陷入困境（詳見第六章）。

事實上，當公司面臨困難時，只要能夠及時修正，還不至於無可挽救，但如果企業是「一人公司」，決策者又不夠內行，無法判斷形勢，及時急流勇退，損失將更爲慘重。尤其在變化快速的資訊產業，更是如此。

我在電子業打滾二十幾年，對產業可謂內行，而ＩＢＭ更不能說不專業，但是當產業發生變化的時候，卻是出乎ＩＢＭ與宏碁意料之外。也就是說，我早就知道有風險，也緊盯著風險處處提防，但帳面出現的，卻是一個我完全不能接受的數字，對諸多分心跨行其他產業的人而言，更是身處風險而不自知。當時，許多同業已經危險到頭部快被剁斷了，還在爲高速成長與略有斬獲的品牌知名度而洋洋得意。

當宏碁陷入低潮時，媒體一再抨擊宏碁自創品牌的策略錯誤，如果我當時鑽牛角尖去和媒體辯論，等於是浪費心神去做沒有生產力的事，不但延誤改善的工作，還可能愈描愈黑。

但是從人性的角度去看，企業主是很難不去爲自己所遭到的誤解辯護，甚至，企業爲了避免品牌遭到損害，影響業務，還會乾脆把問題掩蓋起來。如此一來，問題反而更嚴重，本來企業遭遇困難，可以自己尋求解決，但是一旦被放在大眾的目光焦點下，還得承擔外界的壓力，變得更難痊癒。因此，自創品牌的企業在面臨困境時，根本解決之道，是必須更坦然去面對批評，更有毅力地改善問題，如此才能儘快重新鞏固品牌的信譽。

在經歷一連串考驗後，我們終能渡過這段陣痛期，如今，宏碁在國際間的表現，也證明自創品牌絕非台灣企業想望不到的理想。

然而，品牌形象的提升是永無止境的。對宏碁來說，今日的成功，是帶領企業進入另一個風險的開端，這是企業的宿命，也是宏碁永遠無法鬆懈的原因。

第二部

脫胎換骨

隨著電腦產業革命的悄悄來臨，

宏碁面臨成長的瓶頸，

再加上購併高圖斯的海外投資策略失敗，

宏碁曾於一九九〇年前後國際化的過程中發生嚴重虧損，

然而，在宏碁漸進式改造工程下所衍生出的「速食店模式」、

「主從架構」及「全球品牌，結合地緣」的發展策略，

使宏碁絕處逢生，反虧為盈。

第五章

跳出財務管理的陷阱

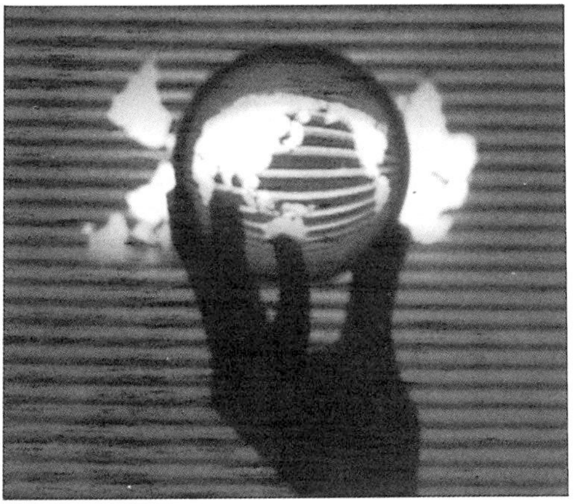

穩健資材管理，是企業降低國際化風險的關鍵。它包括透明而健全的財務制度，與高效率周轉的庫存與帳務管理。

在創業之前，有幾件事對我日後財務管理的決策邏輯，有相當深遠的影響。

小時候，家裡做小生意，我偶而也會幫忙，便發覺文具和鴨蛋是兩種不同的生意：文具利潤高、但資金周轉慢；而鴨蛋利潤微薄，可是資金兩天就可周轉一次，結果，我們從鴨蛋買賣中所賺到的錢比文具還多。

這讓我明瞭到一件事：不同行業、產品與定位，就有不同的經營型態，我稱之為「生意模型」（business model），必須先掌握生意模型，才能發展出正確的財務運作。

母親做生意價格公道，不和客人討價還價，而且不接受賒帳。我常看長輩為了收欠帳，一大早就到欠款人家裡，喝茶聊天，耗上大半天才收到一點錢，空手而還的也多有所見。台灣有句俗話：「做生意會收錢的才是師傅。」催收帳款之難，付出代價之高，可見一斑。

進入社會之後，我深切體會到台灣的銀行實在太好，好到足以陷害企業倒閉。了解銀行往來程序的人都知道，銀行提供企業信用狀接單貸款、購料貸款，只要有保證（老闆可輕而易舉以家產作保），很容易就借到錢。如果企業的「公關」做得夠好，還可以超額貸款。企業主手頭寬鬆，就會擴大投資，發展順利就再擴張，造成信用過度膨脹，只要有一回合遭遇不順，事業就像骨牌效應一樣整個垮掉。

舉例來說，當時許多企業的老闆手頭缺錢，就去買一張信用狀向銀行貸款（換言之，實際上並沒有訂單進來），因為銀行的作業是看抵押品來決定貸款與否，只要文件與程序完備，銀行並

不會深入研究。但這只能勉強度上三、五個月，因爲根本不會有貨款進來，接下來不是無以爲繼，就是以債養債。

這是台灣外銷導向的經濟結構之下，非常特殊的陷阱。除非老闆極爲自我約束，否則很容易就掉落其中。

在萌生創業念頭之前，我對企業穩健管理財務的重要性，不但有認知，而且非常認同。但是，即使在我刻意留心之下，宏碁都不免發生失誤，放眼企業倒閉的案例，多數就失敗在這個關卡上，足見其複雜與困難。

掌握資金結構

正向思考：做生意，借錢擴大投資，才能收四兩撥千金的財務槓桿之效。

反向思考：做生意，借錢從事擴張將導致企業倒閉。

思考邏輯：借錢擴張的確可在景氣熱潮中獲利，但若景氣衰退或投資遇挫，就容易導致周轉不靈而拖垮整個企業。

由於就業時期的殷鑒，我從宏碁誕生的第一天起，就把公司的資金與個人財務劃分得清清楚楚，也經常提醒同仁，一定要釐清資金的歸屬，不能混淆運用。

從法令來看，在公司法中，公司的錢並不屬於任何個人，個人是擁有股票，資金是和公司共存亡，個人挪用資金便觸犯了刑法，絕不能等閒視之。這原本是相當基本的概念，然而，企業主往往為圖方便，輕忽問題的嚴重性，導致企業財務公私不分，才剛起步就種下錯因。

另一方面，公司資金又有長短期之分，例如股東投資的資本金，可供長期投資使用；銀行貸款有長期也有短期；供應商放帳則僅供短期周轉。企業主必須有能力及區分資金的性質與用途，否則，以短期資金做長期投資，破壞財務健全性，企業不免陷入忙於跑三點半軋頭寸的惡性循環。

長久以來，台灣企業界一直流傳這麼一個看法：「做生意不借錢是傻瓜」。我則有「借錢擴張必倒論」，也就是說，如果企業長期以借錢來擴張規模，固然可以在景氣熱潮中獲得較豐厚的利潤，但是一旦景氣低迷或運作不順，馬上就周轉不靈，供應商與銀行也難逃池魚之殃。

我相信唯有堅持正確的財務觀念，企業才能長期發展。也正因為如此，宏碁雖然歷經大風大浪，難免受挫，卻仍能保住元氣，並迅速調整腳步、恢復成長。

隨時調整生意模型

落實到實際執行層面，我非常重視兩個關鍵，一個是生意模型，另一個是財務結構。以宏碁而言，由於跨足電腦、周邊設備、半導體、出版等不同領域的事業，各有不同的生意模型與財務

結構，而這些模型與結構，還會隨著時間而有所變化。

所謂「生意模型」，說來有些抽象，我舉宏碁的實例加以說明。

我曾經告訴同仁，將個人電腦毛利率訂於一五%太高，賺不到錢，必須設定一〇%才會賺錢。乍聽之下，同仁都無法置信，低毛利怎麼可能比高毛利賺錢？這完全不合理。

但最後同仁不得不認同我的看法。因爲依照一五%毛利定價，造成產品比同業貴，銷路開始減少，於是，管銷費用就相對提高，結果雖然毛利是一五%，但是管銷費用是一七%，便呈現二%的虧損。而設定一〇%的生意模型，促使效率提升、業務增加、周轉變快，反而能夠賺錢。

說穿了就是「薄利多銷」的道理。但是如果不能想通這個基本觀念，就永遠不得要領。試想，如果負責決策的是自己，會不會採取這樣的解決方案：既然一五%毛利不賺錢，就把毛利提高到二〇%？如果真這麼做，結果可能是業務愈來愈萎縮，虧損愈來愈多。

可能有人要問，何以見得是一〇%，而不是一二%或是五%？這就得靠專業了，決策者必須有經驗與能力去做最適當的決定。這就是決策者必須先具備整體模型觀念的原因，因爲各種生意型態都有不同經營手法，是走利基市場或是薄利多銷？周轉頻率如何？利率多少？風險多高？資金多寡？凡此種種都會影響生意模型。

因此，我一直有個信念：專業能力＋生意頭腦＝無往不利。

常有企業界的朋友以毛利高低來判斷生意好不好做，我認爲這是錯誤的觀念，因爲還得看費

用的高低。例如，有兩種產品，甲產品毛利五成，費用四五%，乙產品毛利兩成，費用一〇%，顯然毛利低的乙產品好做。

其次，資金周轉也是重要因素。例如丙產品毛利五成，費用四成，一年只做一次，獲利率是一〇%，丁產品毛利一〇%，費用八%，但是一年做十次，年獲利率是二〇%，結算下來，當然是低毛利、高周轉的產品較有利可圖。

這還只是兩種產品的簡單比較，實際運作可要複雜得多。因爲還牽涉到庫存、管銷費用、生產力等等因素的控制和調整。特別在現今產業快速變遷的情形下，要建立生意模型與財務結構，以中型企業而言，大約需要三年，因爲模型的正確度需要時間證明與調整。

以重新修改毛利率爲例，固然可在一夕之間改變決策，但接下來的執行動作卻相當繁雜，更需要長期努力來配合，例如，需不需要降價以擴大業務量？還是要裁員？或是要提高運作效率、降低成本？下手的地方非常多。

建立財務預警系統

凡此種種，如果沒有假以時日，是無法看出成效，並形成有效的共識。但也因爲建立模型存在驗證的過程，因此，企業必須具備一套預警系統。

一般而言，企業多半根據財務報表作決策，這是正確的，因爲財務報表是企業的總成績單；

但從另一個角度思考，財務報表已經是企業活動之後的結果，完全仰賴報表就會產生時間落差。例如說，今天接到的訂單，要幾個月後貨款才會進來。因此，決策者必須在財務報表出來之前，就已心裏有數，如此，才能夠敏銳捕捉到整個模型的變動方向，即時採取對應的措施。

所以，決策者平日就必須對企業的毛利、營收金額、開銷費用，以及任何會影響生意模型和財務結構的決策，具有整體的概念。許多管理者往往都只以單純對待數字的心態去看這些指標，但不關心其背後的意義，因此，往往當經辦人員發生筆誤而下錯決策時，都還無法察覺。我在參考每個數字時，一定有我的思考邏輯，只要數字有點出入，就馬上可以發現。這不只需要用心，而且要徹底弄清楚數字之間的關連性，才能有整體觀念。

就如同人的身體檢查報告，包含血壓、膽固醇指數等身體狀況的指標，財務架構也應有合理範圍的指標，超出這種指標就會有危機，預警系統的作用，就是提醒企業主及早發現病因，並找出有效的治療方法。

適當的自有資金比例

在前面曾經提過「借錢擴張必倒論」，也就是說，公司要兼顧成長與財務健全，必須維持適當比例的自有資金。

以宏碁爲例，假設年成長率目標是一〇〇%，那自有資金當然也要成長一〇〇%，但在生意

模型不變的情形下，錢從哪裡來？單憑獲利能賺到一〇〇%嗎？不可能。能達到二五%就很了不起了。所以必須尋找其他財源。宏碁早期的作法，除了將盈餘轉增資之外，就靠員工入股來籌資，保持一定自有資金比例以求穩健成長。

後來因爲股票上市籌集了很多錢，便積極用於投資，結果造成財務結構轉劣。此時，公司盈餘成長又同時減緩，眼見就要發生財務困境，我們採取雙管齊下的解決方案：第一，變賣閒置資產；其次，提高資源運用效率。

宏碁在一九九二與九三年，分別處理龍潭總部與新竹廠房兩筆閒置資產（詳見第八章），獲得三個好處：第一現金增加，第二創造額外的盈餘，第三減少資產閒置成本，如此馬上就改善了財務結構。

但處理資產並不是說了就立刻可以辦到，宏碁在發現財務結構變弱之後，馬上決定處理資產時，剛好房地產相當景氣，儘管如此，還是費時經年才完成。所謂「不動產」，就表示它很難動，從決策到真正出售，幸運的話，也得半年到一年，運氣不好，兩年都賣不掉。因此企業必須及時做決定，否則仍然無法救急。

提高資產運用效率

宏碁在處理閒置資產之後，雖然結構改善，但資金仍然短絀。對宏碁而言，更重大的改變，

是資源運用效率的提高，也就是動用較少的資源，做更多生意，等於是重新建立生意模型。

例如，宏碁在台灣的廠房，從以往每天運轉八小時，增加到十六至二十四小時；以往每年創造一百多億的營業額，現在，相同的廠房，一年的營業額卻成長到六百多億，生產力大大的提升。同樣的資產，多做了幾倍的生意，資金運用當然也改善許多。

改採新的經營方式之後，宏碁增加了許多新業務，例如生產主機板等零組件，以及增加代工產品的比重等等，利潤率是沒有過去高，但是淨利總值提高，也使宏碁以相同的資金多做了許多生意。

宏碁這些調整生意模型的措施，看起來不難，但其實過程相當複雜。

例如，我們決定生產主機板的時候，許多同仁都不贊成，我要說服大家先去嘗試，等投入生產並產生利潤，大家才會對這項改變心生認同。這段過程，沒有一年是不可能看出成效的。

何以調整生意模型會產生歧見？因爲幾乎所有的改善計畫都會造成陣痛。例如，宏碁在台灣的勸退計畫，以及美國的裁員，剛開始看起來是相當不利的，不但有損形象，還要付資遣費用，但長痛不如短痛，宏碁精簡人事後，營運就變得順暢多了。

近兩年，美國企業轉型較之日本公司順利，原因也在於此。以ＩＢＭ而言，光是一次整頓企業的費用（包括資遣）就高達八十億美元，當期就提列損失沖銷掉，往後就比較輕鬆了；但日本企業不願這麼做，包袱老是背在身上，就很難達到改善的成效。

宏碁爲了轉型，幾乎用遍所有改變生意模型的措施，從處理不動產、精簡人員、提高空間使用率、增加生產力與資金周轉率，到改變產品結構。好比有經驗的醫生開藥方，會同時使用幾種藥，既對症下藥又保護病體，如果一樁樁分次解決，可能就會延誤病情。

做生意的要領，其實就是讓資源做最有效的運用。在擁有相同資金的情況下，一年做四次生意的人，就無法和一年做十次生意的人競爭。因爲在資源的成本（例如利息之於資金）上，大家條件都差不多，愈能多運用幾回，就愈具備競爭的實力。因此，做生意究竟是薄利多銷好，還是高利潤好？事實上並沒有絕對的好壞，關鍵在於周轉速度與效率高低，能否優於其他同性質的企業。

總而言之，只要企業存有呆滯的人或物，就要付出成本，資產會折舊、人員要發薪水、資金要付利息、分紅，凡此種種，表面看起來無關緊要，其實已經悄悄在侵蝕企業的競爭力了。一般而言，企業最嚴重的資金積壓，就屬放帳與庫存。因此，要提高資源的運用效率，必須從這兩方面對症下藥。

跳出放帳與庫存的陷阱

正向思考：努力刺激客戶多多消費，有助公司獲利。
反向思考：衡量客戶需求，提供適量產品，有助公司獲利。
思考邏輯：為客戶著想，生意才會長久。

要保持財務健全度，我一直有個信念：「內部擠出來的錢，比外面找來的錢更健康。」早期，宏碁的財務工作是由我太太負責，她一天到晚絞盡腦汁在內部擠錢。例如，經常到倉庫走動，看到產品庫存過多，就催促業務部門趕快銷售。她收帳非常勤快，但付帳時，則是以最快速的匯款方式，掐準最後期限才付款。

剛創業時，宏碁的資金有限，接訂單的同時，就請客戶先付款，我們利用這筆錢去購料，製成產品之後出口。如果物料進口與產品出口時間能夠儘量縮短，對於資金周轉當然助益極大，因此，海關、航空公司、中央銀行外匯局每一關都不能稍有耽擱，於是，我太太親自與這些單位交涉，例如到海關陪著驗貨，讓每個手續都能在最短時間內完成。

因此，當時宏碁規模雖然不大，財務基礎卻還算穩固。

何以從內部擠出來的錢比較健康？因爲在一般的情況下，只有缺錢的人才會去借錢，但往往愈是缺錢用，外面愈是不願借你錢。相反地，外界卻相當樂於將錢借給經營良好的企業；但如果企業一缺錢，可以很容易便調到錢，內部管理就會開始鬆懈，競爭力一天比一天弱，最後便走上衰退之路。也就是說，從外面找錢，不管難易程度如何，都有其副作用。

但企業發展不可能不依靠金融體系，爲避免這種副作用引發經營陷入惡性循環，企業必須有一套制度來自我約束。

剛創業的時候，我從和銀行打交道的經驗中發現，找銀行等於造成缺錢的形象，如果讓銀行

對企業的信用產生質疑，那就非常麻煩。自此之後，我就不再主動找銀行，而是讓銀行上門來找我們。除了在一九九一年左右，我親自到銀行去做業務轉型說明外，宏碁和銀行往來的模式，是隨時讓銀行了解公司的狀況。由於保持這樣的形象，幾家往來時日較久的銀行，都一直很支持宏碁。

但在九二年的時候，宏碁也遭到部分銀行抽銀根的困境。這些銀行其實並不十分了解宏碁，也是因爲看宏碁發展不錯，才和宏碁往來，後來公司一發生困難就立刻抽銀根，我們也配合到期日還款，絕不拖泥帶水。相較之下，宏碁與那些多年往來的銀行，更能夠始終維持互信、雙贏的夥伴關係。事實上，銀行就如同企業的供應商，銀行貸款給企業，企業讓銀行賺利息，雙方地位是平等的。

放帳的信用管理

宏碁財務管理的另一個重要原則是——儘量少「放帳」（意即先出貨，後收帳）。由於在榮泰工作期間曾經發生被經銷商延票、倒帳的經驗，我對客戶信用管理非常小心。實際上，把貨交給經銷商，就等於借錢給他們，銀行放款需要徵信，交貨給別人同樣需要信用調查。因此，宏碁以不放帳爲原則，如果要放帳，就要信用管理。

剛創業的時候，宏碁往來的對象都是政府機構、學術單位與大型企業，放帳風險不大，後來

推出「小教授一號」，開始建立經銷體系，才有放帳的需要。但我們以產品創新的優勢，要求經銷商如果訂貨數量較多，必須支付現金或資產抵押才能提貨。因此，宏碁科技在經營國內市場這十多年來，被倒帳的比例一直比同業低很多。

雖然如此小心翼翼，還是吃了倒帳。剛創業的時候，有一個外國人到我辦公室，急著調零件，價值大約三千多塊台幣。我看這個外國人亟需貨源，而且金額很小，就破例放帳一次，結果這個外國人終究還是沒付錢。

「吃一次虧，學一次乖」，後來我們規定所有外銷業務，一定要有保證，不管是信用狀或銀行保證，絕不放帳。但是，同仁仍不免因爲爭取業務而出問題。有一回，一家廠商以爭取時間爲由，聲稱保證程序已經在進行當中，於是同仁沒等保證手續完全確定辦好就交貨。結果，這一個疏失，造成好幾千萬的呆帳。

我常告訴同仁，電腦是個低利潤行業，淨利不超過五%，被倒帳一千萬元，就必須多做二億元以上的業務量才能彌補這個虧損，真是大意不得。

嚴格說來，在台灣經營電腦出口生意，堅持不放帳並非易事。原本做外銷都是憑信用狀交貨，但不幸的是，因爲電腦業的蓬勃發展，有太多新加入者參與這個行業，爲了搶訂單，許多人便以放帳爭取業績。這對台灣資訊業的發展非常不利，有些美國的行銷公司就利用這個弱點，買空賣空，贏了錢就放進自己口袋，輸了錢就是台灣資訊業要賠錢。有好幾家台灣知名的大企業，

就這樣被美國相當有規模的電腦行銷公司倒帳，吃了暗虧卻不敢聲張。類似的案例，至今仍在重複上演。

要做到不放帳，不僅企業主要有清楚的認知，還必須要每一階層的人員都有這樣的理念才行。堅持原則如此困難，但放鬆原則的理由卻多不勝數，例如業務的壓力、人情的關係。事實上，要業務人員不去羨慕別人的業績很難的。他們總是抱怨：「別人放帳都那麼多，也做了那麼久，你要不要做生意？」這是很具有說服力的說詞，而我的回答是：「我當然要做生意。但是爲了長遠的安全，我們要挑品質好的業務做，寧可苦一點，多花點功夫，這樣晚上睡覺也安穩些。」

換個角度想，我們耗費多少心力在創新、品質、管理、競爭力等各個層面，當然要挑選好的業務做，如果在最後一道關卡「晚節不保」，豈不是功虧一簣？

我也常常告訴同仁，宏碁曾經因爲體質變差而遭遇挫敗，這是我們自己種的因，也就認了，但是像客戶倒帳這種外來因素，一定要特別小心地約束自己，不要把這種長期的包袱往身上攬。

海外事業的財務風險

在宏碁將自創品牌推展到海外初期，宏碁「從內部擠錢」、「不放帳」等穩健管理財務的原則，遭逢極大的挑戰。

照理說，海外分公司缺錢，應該儘快消化庫存以及催收應收帳款才對，但是庫存品本就滯銷，收帳款也非易事，因此，分公司的負責人，不管是從台灣派過去，還是當地聘用的人，一定會找最容易要錢的地方下手，於是就向台灣母公司伸手要貨，因爲新產品總是比較好賣。

另一方面，從業務人員的角度來看，他們希望客戶要貨有貨，而不會去考慮庫存多少，於是每個品種都多訂一些擺著。他們考慮的是佣金多寡，而不是帳款拖欠嚴重與否，所以，業務人員通常會高估業務目標。如果決策者不明就裡，還以爲生意暢旺、形勢大好，就難免出現財務陷阱越陷越深的危機。

當宏碁的海外事業對總公司財務發生負面影響之後，我們開始推動一項制度，對各種活動都設定指標、目標與限度，例如，總部對每個海外事業有一定出貨、放帳額度，如果帳款沒有如期收回，總公司就暫停供貨。

另外，一九九二、九三年，我花了很多時間到全世界各海外事業單位，和同仁溝通生意觀念。而宏碁比較具優勢的地方，是我們很早就推動員工入股，全球許多員工都是利益共同體的股東，如果各事業單位沒將財務做好，多數的員工都受害。於是，內部就會產生壓力去進行改善。

歸根究柢，最重要的解決方法，還是在於創造一個能促成制度有效執行的環境，如此一來，即使制度不完美，仍有個自動調節與控制的力量，內化成同仁自動自發的壓力。

回想起來，當時宏碁真是好不容易才控制住局面。當母公司開始緊縮供貨，海外事業也開始

積極對外收款，信用與庫存管理也變得較嚴謹。現在我們不但能控制分公司的存貨管理，連國外經銷商的存貨也開始納入管理範圍。

我們要求海外子公司嚴守不將過多產品放在經銷商的原則。有些業務人員認為多放些貨給經銷商，他們才會有努力販賣的壓力。但在部分國家，當經銷商有產品賣不掉時，是可以退貨的，這時，壓力就會反彈回來，導致整個訂單與資金周轉的循環發生問題。

因此，宏碁非常關心經銷商的銷售狀況。如果客戶銷售狀況不好，我們不會供貨，否則等於是害了他們，這是為客戶著想。要推動這個制度，業務人員要非常了解每一個經銷商的狀況，而且要讓客戶知道我們是出於善意，他們才會接受我們的「雞婆」。我相信能做到這個地步的公司並不多，因為多半的企業連自己都管不好。

這也是一種反向思考。台灣的餐廳就是典型的負面例證，多數的餐廳總是鼓動客人點過多的菜，不停幫客人開酒、斟酒，即使客人不喝都不斷地倒，最好客人的酒瓶裡都剩下九成滿。這種完全不幫客人設想、浪費的作法，是非常短視的。既然宏碁把客戶的重要性擺在第一位，就要盡可能去照顧他、幫他設想，這樣生意才會長久。

無知的財務陷阱

相信許多管理者都明白財務管理必須穩健的道理，但是卻不見得能精確掌握公司財務結構，

主要的原因之一是會計制度不健全。而會計帳不健全，可歸因於有心粉飾與無知的失誤。

在台灣，部分企業會為了稅務考量或股票上市而粉飾會計報表。這種作法可能讓企業短期獲得利益，但是，許多國內企業被海外事業拖垮，往往就導因於失真的會計帳讓企業決策發生偏差，就好比病人體檢報告有誤，把救命的時機都給耽擱了。

無心的失誤往往起因於經營者外行，造成企業虛盈實虧。在資訊電子業，這種情況更是屢見不鮮。

從事電子業二十多年，我深刻感受到這個行業的特殊性：技術快速翻新、價格不斷調降、產品生命周期極短。也因為如此，資訊電子業有一個其他行業的經營者不會面對的特性：新一代產品的價格，比上一代產品的零組件價格還要便宜，而且功能倍增。因此，用上一代零組件生產出來的產品，送給別人，人家都不要。個人電腦就是最典型的例子。

在其他行業，例如建築業，原料和產品閒置還會漲價，他們無論如何也想不到庫存原料與產品會有賤價難售的事情發生。

因此，當沒有經驗的人進入這個行業，在會計制度方面就會產生無知的誤差。例如，原有購入價格一百元的材料或設備，因為技術的汰舊換新，市價已經跌至十元，而企業渾然未覺，仍然以一百元記帳，年度結算時，還以為帳面賺了五十元，實際上卻是反虧四十塊。

另一方面，和許多產品一樣，電腦需要售後服務，這在會計原理上叫做「期後成本」，也就

是說成本會發生在買賣之後，所以每做一筆生意都要在帳面上提列售後服務的成本準備（個人電腦的硬體大約是二％—五％，軟體業至少一〇％—二〇％）。許多廠商沒有這麼做，看起來當時是賺了錢，其實未來還是要付出這項成本。如同許多企業不願提列員工退休金準備，看起來企業是賺錢，其實責任未了。

更嚴重的是，許多沒有提撥售後服務資金準備的業者，以爲可以降價來拼業績。降價之後當然業績鼎盛，但隨之而來的大量售後服務，就完全無能爲力了，最後，老闆往往連怎麼失敗的都搞不清楚。這種例子，在台灣的電子商場時有所聞。

因此，要有健全的會計帳，企業就必須隨時提列各種應該付出的成本準備，如放帳就有呆帳準備，有庫存就有降價準備及呆滯料準備等，這都是公司必須建立的制度。

但資訊業最棘手的問題是，太多新加入者既外行又「勇敢」，用一套自以爲賺錢其實是虧本的模式來報價，或運用一些似是而非的理論，例如，低價是爲了搶占市場，有一些人甚至連策略也沒有，迷迷糊糊進來打亂行情，又迷迷糊糊的退出市場。

這都是因爲無知造成的財務陷阱。平心而論，我們不可能期待每一個白手創業的人都有這些經驗，美國許多高科技公司也都有相同的問題。

我無意打擊讀者創業的信心，但經營企業真是非常複雜的。我經常接觸全世界許多企業界人士，他們也都有多年經營企業的經驗，說起生意也都頭頭是道，但真正具有全盤而且環環相扣的

概念者，實在不多見。在我的想法裡，生意人必須是「整套」的，必須把生意的整個循環，分門別類地分配成每個人的任務，執行的人也許只清楚屬於自己分內的任務，但決策者不僅要知其所以然，而且，前因後果都要了解得清清楚楚。

企業發生問題的時候，就像人生病，不一定可以完全知道病源在哪裡。藉由這些經驗之談，希望提供一些概念，有助於企業主管將這些概念轉換成管理原則，而一般員工也可以認同這些原則，並實際運用到工作之中。

我曾經在宏碁內部研討會中，以一段話和同仁共勉：「資材管理是高度影響企業利潤底線的要素，如果我們不知道如何管理得比產業標準更好，那麼最好立刻放棄經營，否則結果必然損失慘重。」

也將這段二十年來深切體會的由衷之言，提供給企業界的朋友。

第六章

改造工程浴火重生

購併高圖斯，讓宏碁陷入前所未見的危機，卻也促使宏碁發展出獨樹一幟的國際化管理架構。危機即是轉機，關鍵在於企業能否勇於面對問題，及早改善。

一九八八年，宏碁電腦股票上市，藉著台灣股市空前的榮景，我們籌措到充裕的資金，開始向國際化大步前進，同時邀請原任職ＩＢＭ副總裁的劉英武加盟宏碁擔任總經理，員工士氣高昂，對未來前景充滿信心。在外界的眼中，宏碁正進入一個全盛時期，而我們也當然這麼認爲。

而事實的真相是，當時宏碁的競爭力已經開始走下坡，但包括我在內的所有成員都未曾察覺。

那時候，同業像雨後春筍般，一家家冒出頭，但我們卻並不以爲意，總認爲這些廠商的規模相較於宏碁，簡直像稚齡幼子；更何況他們生產主機板，而我們是系統廠商，怎麼能夠等量齊觀？聽聞同業推出「未附微處理器主機板（motherboard without CPU）」與「未附記憶體主機板（motherboard without memory）」，我們還感到萬分詫異：怎麼會有這種東西？主機板怎麼能缺少大腦（記憶體）和心臟（微處理器）？

當時，我們並不知道，一場電腦產業的無聲革命已經悄悄展開。

這場革命是在台灣主機板廠商與全球各地進口商聯手主導下，形成一個相容電腦的組裝聯盟，從統合模式（integration mode）走向分工整合模式（disintegration mode）。舊的系統廠商——不管是ＩＢＭ、康栢或宏碁，在初遇這些新敵手時，猶如秀才遇到兵，一再斥責這些新手不按牌理出牌。雙方正式交鋒，系統廠商卻是吃足苦頭。

後來，康栢首先被迫用降價手法，以組織戰配合價格戰來扳回頹勢，電腦業利潤低、淘汰快

的遊戲規則大勢底定。而宏碁也開始以「速食店模式」在各地組裝電腦，用正規軍和新廠商對決，重新進入高成長之路。

宏碁能夠破繭而出，就是憑藉著改造工程。改造工程賦與宏碁新貌，也使宏碁不但能夠渡過危機，並且發展出更健壯的全球性高科技企業。

成長的危機與轉機

正向思考：企業發生危機是異常。
反向思考：企業發生危機是常態。
思考邏輯：人類為防風雨而蓋房舍，而非為好天氣。風雨是常態，企業遭逢危機也非異常。

八〇年代末期的電腦產業革命，並不是宏碁第一度遭逢危機。

一九八一年二月，工商時報以頭版報導「傳神通即將併吞宏碁」的新聞。論財力，當時的宏碁自然比不上有家族集團背景的神通，於是，新聞披露後立刻引起各方揣測，部分供應商開始暫停供貨，銀行也密切注意宏碁的財務狀況，甚至，同業發行的刊物上也刊登「業界盛傳宏碁財務堪慮」的文章。

對於這個沒來由的謠言，我們深知，如果處理不當，極可能造成銀行抽銀根，廠商追索貨款的連鎖反應。所幸，宏碁對財務管理一向謹慎，客戶都必須以現金提貨，而供應廠商則多在國外並未得知這個謠言，因此財務未受嚴重影響。另一方面，我們立刻開誠佈公和媒體溝通，我也親自寫信給同業澄清謠言。沒多久，上游廠商又恢復供貨，一場莫須有的風波也就此化險爲夷。

而宏碁卻也因爲這個危機事件大大地提高了知名度，真可謂因禍得福。

企業什麼時候會發生危機，是難以預料的。在我的想法裡，企業發生危機是常態，沒有危機才是異常，因此就必須有隨時應付危機的準備。就如同人類之所以要建築堅固房舍，是爲了防範天災，而不是爲了好天氣。風雨是常態，所以企業遭遇大風大浪也非異常，既然我們懂得不要等到風雨來襲才蓋房子，企業也不能等危機發生才培養能力。

更重要的是，當企業發生問題時，應儘早解決，因爲危機的爆發，往往都是原本無傷大局的小問題所累積而成。

常保組織活力

企業是生命體，就如同人一樣，它不只要存活，而且要不斷成長，未來才會有希望。然而，在我們的周遭，七十歲高齡的人比比皆是，但存活超過七十年的企業卻少之又少，若說人的成長必經苦痛，那麼企業成長所遭遇的困難，顯然千百倍於人的成長歷程。

由於發展難免受阻，一旦企業陷入停滯，就只好在內部進行汰舊換新，才能保持組織的活力。就如同軍隊無法持續擴張規模，必須靠強制退役制度來維持組織的士氣與活力。因此，早在多年前，我便公開宣布，如果宏碁連續三年成長未達一五%，我將退休讓位。

這並非信口承諾，後來在宏碁轉型發生困難的階段，我的確準備要這麼做（詳見第十三章）。

或許有人不解，企業要新陳代謝，何以先讓責任最重大的領導人退位？因爲，我的退休可以帶動每個人都往上升一級，將對提升士氣產生立竿見影的效果。我要尋找生涯的第二春並不難，總不能因爲一個人，影響幾千個員工的成長與企業的活力。

任何企業或政治體，如果領導人不這麼思考，就很難讓組織生生不息。

和人一樣，企業的成長不只是高度和重量的增加，還包括思考和能力的發展。而組織的成長，比人類更爲複雜，因爲它不但需要個別成員的能力成長，也和組織運作的有效性息息相關。

企業成長爲何如此艱難？因爲成長條件並非一朝一夕便可建立，而且養成的時間多半長達三年。也就是說，如果企業今天不成長，那是三年前沒有預作投資或轉型的準備。而正因爲當中存在時間落差，企業的發展策略就會產生過與不及的偏差。

策略過與不及，企業的發展自然是有快有慢，而快與慢之間，並沒有絕對的對錯，因爲不同的客觀環境會造成不同的結果。重要的是，如何因著企業能力與客觀環境而調整脚步。就如同耕

種，雨水充足時多種些秧苗，乾旱時則少種一些；種子不好要改良，土質不佳要施肥。

七分為現在，三分為未來

對孕育長期成長的條件，宏碁向來有個理念是，企業的日常活動，七分爲現在，三分爲未來，也就是說，目前的力量七分放在賺錢，三分用於訓練人才、培養能力等非爲現在賺錢而做的準備。而在七分努力所產生的利潤當中，又有三分的利潤必須用於投資未來，所以，眼前的獲利實際只有四分，如果年終的報表上顯示出這樣的結果，那是最理想的，這表示企業永遠都有四分的獲利，我將它稱爲「七三四模式」。

但這畢竟是理論，實際運作會受客觀環境變動的影響。八〇年代末期，當電腦產業發生低價革命時，我們發現，七分的努力卻只得到三分的獲利，因此如果我們按照原來模式，將三分獲利用於長期投資，結果就是一分獲利也沒有了。

此時，當然不能任由企業長期處在虧損邊緣，或就此停止投資，於是，我們採用雙管齊下的作法。

首先，提高組織效益，以同樣七分力量去獲得更高的利潤率。其次，暫時先減少長期的無形投資，增加更多心力於獲利，從七分調整到八、九分，讓企業儘快獲利。在恢復穩定利潤之後，立刻重新恢復「七三四模式」。

就像建造水庫來防洪灌溉，企業平常要儲備實力，建立長期調整的機制，才能夠防範惡劣的天候，企業才能安度危機，穩定成長。如果企業把利潤完全利用耗盡，不保留任何彈性，等到危急的時候，就沒有籌碼可供救急。這段陷入困境、調整模式、恢復成長的過程，就是宏碁的再造工程。但這段歷程卻非三言兩語可以道盡。首先得先回顧宏碁陷入困境的起因。

宏碁曾有一度因擴張太快，被外界指責爲「好高騖遠」，深究起來，有兩個比較可議的擴充行動：「龍騰國際」計畫及購併高圖斯（Altos）。

「龍騰國際」的失利

一九八六年，我們開始積極進入國際化的階段，便在報上刊登大幅的徵才廣告——「龍夢成真，指日可待」，大舉招兵買馬，進行「龍騰國際」計畫。以現在的眼光來看，這個計畫的方向是對的，但模式是錯的。

當時我們訂下目標，開始積極徵才、買地、建廠，然而，這些目標都以過去的經驗爲基礎，按照往年成長幅度等比例訂定。例如，人力成長二〇%，生產力每年提升一五%。但這個計畫才起步就遭遇產業變革。此時，生產力每年提高一五%已經無法存活，必須提高二到三倍才能夠和同業競爭。所以，按照舊結構所規畫出來的擴張計畫，造成人員過剩、資產投資過多，於是，固定成本、管銷費用就顯得偏高許多。

例如，根據人員成長的推估，我們在龍潭新購置的土地，是預備在新竹科學園區之外再供一萬個員工的規模所需，但是，直到今天，我們在台灣總共不過七千個同仁，因爲有許多組裝工作移到海外進行。但當時無論如何是想不到會發生這樣的情況，總以爲生產部門毫無疑問會全部集中在台灣。所以，根據舊的經驗法則，就使擴充計畫產生盲點。

另一方面，這個計畫的確引進眾多優秀人才，但因爲模式有誤，業績的成長不如預期；沒有足夠的成長，人才的發揮空間就相對受限。於是，人員擴增，效率卻遞減，決策與新產品推出速度緩慢，導致成本偏高，公司運作開始進入負面循環，競爭力也開始衰退。

就在問題逐漸醞釀，尚未出現明顯徵兆的時候，剛好宏碁電腦股票上市，又逢股市飆漲，「平實務本」的企業文化開始鬆動，不僅同仁與公司之間風險、報酬與共的關係，無法密切配合，公司的投資決策也變得大膽而不縝密。

於是，一九九〇年，我們以九千四百萬美金購併了美國高圖斯公司，這也成爲宏碁付出學費最多的一樁投資案。

「高圖斯」效應

在購併高圖斯之前，宏碁曾有參與購併美國慧智電腦的機會。事實上，以我向來的想法都是只參與投資，或找其他企業一起投資，但是時任總經理的劉英武比較傾向IBM的作風，主張宏

碁應單獨購併高圖斯。我尊重劉先生的決定，因爲他畢竟有管理世界級大企業的經驗，於是，宏碁百分之百買下高圖斯，也失去投資慧智的機會（後來，慧智由神通、和信、嘉新等集團共同購併）。

當初，購併高圖斯的著眼點，在於這家公司擁有迷你電腦的技術能力，而且在歐美也已有相當程度的國際化部署，因此希望藉由購併來提高產品附加價值，以及增強國際化的實力。但是，當我們購併之後，整個電腦產業的主流已經由原來的大電腦、迷你電腦，轉向個人電腦。

更嚴重的是，這家公司原有的同仁，仍活在過去「少量、高利潤」的時代裡，已經不符合電腦革命之後的新思維，溝通起來非常困難。另一方面，要維持這些高薪人力的管銷費用極爲沈重。於是，宏碁在美國與歐洲同時出現大量虧損，使原本已有組織膨脹問題的台灣總部，更加重了經營的困難。

此時，宏碁經歷了十幾年的順利發展，卻也背負著快速成長所帶來的沈重包袱。歸納起來，導致宏碁體質弱化的病因有五種：資金太多引起的「大頭症」；組織大而無當造成「肥胖症」；缺乏憂患意識的「安樂症」；反應遲鈍的「恐龍症」；權責不分的「大鍋飯心態」。

幸而，宏碁是個習慣變動，也頗具有變革意識的企業，當組織發生問題，我們便開始試圖尋找解決之道。

轉型二部曲

宏碁的轉型，分成兩個階段，第一個階段是一九八九年將組織更改成多利潤中心，以及推動「天蠶變」，這些工作還稱不上是改造工程（reengineering），而是精簡規模（down-sizing）或調整結構（restructuring）。第二階段是一九九二年起，我們修正生意模型，改採「速食店模式」與「主從架構」分散式管理，發展出創新的管理架構與經營哲學，這才真正進入了改造工程。

嚴格說來，推動第一階段轉型的原因，並非意識到產業革命來臨，而是爲跨國經營預作組織調整，以便建立起權責分明的制度架構。

首先，我們依照各事業業務性質的不同，區分爲行銷導向的地區性事業羣（Regional Business Unit，簡稱RBU），以及製造導向的策略性事業羣（Strategic Business Unit，簡稱SBU）。這是跨國企業經營的基本模式，算不上創舉，但是，這個模式爲日後宏碁創新的「主從架構」，建立了基本雛型。

但也就在此時，宏碁長年的問題開始浮現在帳面上。這一年，宏碁有史以來第一次盈餘未達目標。但因爲全球同業獲利也都欠佳，大家對這個成績也覺得還算能夠接受。

但另一方面，同仁卻開始普遍感受到組織氣候出現問題。因爲組織太散，產生山頭主義；權

責不清、賞罰不明，導致部分同仁不願負責的心態，事情很難推動。於是，我們召開「天蠶變」會議，藉此機會進行溝通，並開始落實組織扁平化，推動以績效爲考核標準的人事制度，釐清責任與授權的分際。

勸退員工，改善體質

在第一階段的改革期間，宏碁做了一件相當重要的決定——一九九一年的勸退計畫，在台灣勸退三百位員工，在美國裁員一百人。

勸退的原因，是由於過去的成功，導致部分同仁缺乏成長的驅策，而無法適應新的工作挑戰。而早在「天蠶變」會議當中，我們就形成一個共識，各部門要建立合理的考核制度，並想辦法淘汰三%最不適任的人，以便建立健全的組織基礎，不知不覺中，也爲勸退計畫做了鋪路工作。

但即便如此，當真正決定要展開勸退，卻仍是一波三折。我們花了兩個月時間不斷地開會，遲遲無法決定。有些主管主張，賺錢的部門並不需要裁員，應該只讓賠錢部門裁員；有些主管認爲，在績效良好部門墊底的同仁，不見得比績效不佳部門的優秀員工差。

但是，改革所考量的重點並非僅是短期的賺與賠，更重要的是未來的發展與整體效率的提升，我們要解決組織老化，以及調整新舊業務的結構性問題。就像讓過於臃腫的人，不只減重，

還要讓他比例勻稱（shaping）。

後來，我們提出比勞基法更優惠的勸退條件，那些不願意配合執行勸退的主管終於同意，也趁機整頓組織，最後決議在兩週之內完成勸退工作。然而，因爲消息走漏，爲了保護公司的智慧財產權，及同仁工作環境的安定，我們在第十天就快刀斬亂麻，一天之內完成勸退手續，並發新聞稿公布消息（企業因裁員而發新聞稿，在台灣這還是第一遭）。

被勸退的員工心裡的難過，自然是可以想像的，但爲公司長遠的發展卻是不得不如此，我們也盡可能把該做的都做好，例如工作介紹信、給員工家人的說明信等等。事後，勞委會也把這些處理方式，作爲企業處理類似事件的典範。

勸退之後，同仁因爲擔心有第二波裁員行動而人心惶惶。我直接面對同仁進行溝通，但在當時的情況下，我無論如何不能承諾只此一次，但我也告訴同仁，我絕不希望有第二次。一方面我不能讓大家喪失憂患意識，但另一方面又要安撫人心，的確是相當辛苦。

我們緊接著將高圖斯併入美國分公司，在陸續幾次的裁員之後，公司漸漸穩定下來。九二年的聖誕節，原本狀況不佳的澳洲事業也勸退八%的員工，兩個月後，帳面就開始平衡。

當公司營運開始好轉，留在公司的同仁便體認到精簡人員的措施是正確的。不管如何，被勸退的總是少數，我們要照顧的是多數人。去除病因，改善體質之後，多數人才能受惠。但若是經過幾次手術仍不能使情形好轉，那就非常棘手了。

擴充的盲點

因此，在調整過程中，主管的角色就非常重要。一般同仁難免因不了解情況而有所疑慮，而了解情況的主管就必須發揮中流砥柱的功能，穩定人心，不能人云亦云，自亂陣腳。在宏碁艱困的轉型期，所有高階主管都相當盡責，也發揮極大的功能，我願意用「表現可圈可點」來形容（雖然這句話應該留給社會公評才是）。

當宏碁進行精簡人事的時候，外界有一種說法：「宏碁請劉英武來，是要借刀殺人。」從實際產生的效果來說，劉先生與我的確都有心要解決十幾年來成長的舊包袱。事實上，正因爲宏碁願意面對問題、不逃避問題，尋求有效解決方案，才使得宏碁能在挑戰困難的過程中，贏得正面的形象與能力的成長，我認爲這也是宏碁有別其他企業的特點。

然而，勸退計畫執行之後，宏碁的經營雖有起色，但效率的提升仍然抵不過產業變動的速度。九一年底，宏碁發生歷來最大幅度的虧損，而且虧損金額（新台幣六·〇七億）遠超過預期。事實上，當時台灣宏碁仍是獲利狀態，但海外事業的虧損比平常報表追蹤的數字多出許多。這個結果帶來極大震撼，由於歐美事業是由總經理親自負責，因此，劉先生便於一九九二年四月辭職。

在擔任宏碁總經理期間，劉先生非常努力，也規畫了第二代經營者的人選，對於「天蠶變」

的推動貢獻相當大。只是整個產業大勢所趨，過往大企業成功的決策邏輯，不見得能再奏效。但另一方面，劉先生的離去，爲宏碁的責任制樹立了典範。這也是「天蠶變」最主要的宗旨之一。劉先生的身先士卒，對日後各部門的獨立運作，以及經理人的責任感，影響非常深遠。

回顧這段歷程，宏碁在外表看來發展順利、追求高成長時，內部卻已暗藏危機，這並非宏碁特殊的遭遇，企業界類似的例子俯拾皆是。究竟企業在進行擴張策略時，存在什麼陷阱？

企業要成長，一定有許多策略可以選擇，但是一般人總是會選擇自己熟悉、已經印證過的模式去發展。因爲過去一直處在順境，因此擴充時也就自然而然地用過去的認知去思考與行動。但是，再好的策略，都是在適當的時空環境下才會成功，而環境是會隨時空改變的，過去成功的策略並不保證未來仍然可行。

所以，最重要的是當企業發生危機時，要面對問題，並尋求改善的方法。這樣，企業才能化危機爲轉機，所謂「山窮水盡疑無路，柳暗花明又一村」。

於是，在劉先生辭職之後兩個月，宏碁的改造工程也正式開展。

改造工程

正向思考：組織分散將導致失控，不利企業發展。

反向思考：寧願組織失控而賺錢，不願控制而虧錢。

思考邏輯：強把組織控制在一起，效率降低、競爭不力，組織終究還是失控；如果企業成員能夠擁有共同利益，大家都能自我負責，更能為企業的最大利益而努力。

從投資報酬率的角度來看，高圖斯購併案導致宏碁損失不貲，毋寧是個失敗的個案，但是，從日後的發展來看，卻是「失之東隅，收之桑榆」。

因爲它除了讓宏碁的美國事業更具規模之外，最重要的是，我們爲了解危，被迫比其他跨國企業更早發展出分散式管理架構，包括經營模式的改變（速食店模式）、組織結構的改變（主從架構）、經營理念的改變（全球品牌結合地緣）。日後的發展趨勢，也證明了這些模式的前瞻性與未來性（參見第九章）。

好比下棋被對手「將了一軍」，被逼著下一步棋，可能會產生兩種結果：一種是走錯棋，全盤皆輸；一種是出奇招，全盤皆活。宏碁的改造工程，就是險中求勝的奇招。

事實上，早在進行改造之前，我就嘗試針對各種理念與同仁溝通，包括策略、任務、願景等等。但是，這些追求分散、授權與速度的想法，和一般以「控制」爲主要思考的國際化管理，幾乎是背道而馳，有些甚至是前所未有的。因此，我必須先說服同仁接受這些「破天荒」的想法，才可能進一步執行與落實。所以我經常舉一些其他領域既有的、簡單易懂的實例，例如鴨蛋與文

具、化妝品等，讓同仁先願意嘗試，進而產生效果。

速食店就是其中一個最具代表性的例子。

所謂「速食店模式」，就是將原來在台灣生產系統，轉變爲台灣生產組件，賣給海外事業單位，在市場當地組裝，提供市場剛出爐、最新鮮的電腦，加快新產品推出與庫存周轉速度。

事實上，早在劉英武擔任總經理期間，我就已經提議讓宏碁電腦由生產系統轉型爲主機板廠商，但被海外事業單位否決。原因是初期受限於規模，成本偏高，以致於我們賣給海外事業（也就是自有品牌產品）的價格，會比賣給其他廠商的價格（也就是市場價格）高。

但因市場狀況日益吃緊，生產主機板已是勢在必行，我再度說服海外事業單位：「如果不讓宏碁電腦轉型，改爲主機板廠商，總有一天你要向大眾電腦買主機板，你願不願意？」

最後，同仁終於願意一試。但問題是，我們生產主機板的成本太高，因此，根本之道還是要具備市場的價格競爭力。由於宏碁自有品牌的海外行銷網已經建立，短期內尚可以承受高價。於是，我們決議給負責供應海外子公司業務的副總經理施崇棠九個月的時間，九個月之後，賣給子公司的價格要與銷到外面的價格一致，以免自有品牌產品處於不利的競爭地位。

這麼一來，一方面策略性事業羣有緩衝時間，另一方面，海外行銷單位爲了配合策略性事業羣擴大經濟規模以降低成本，願意做短期的犧牲。有了這個共識，大家同舟共濟，一年之後，問題就完全解決了。

自立門戶，面對競爭

當然，任何改革措施都不是一夕之間完全轉向，以「速食店模式」而言，在喊出這個口號之前，組織運作已經略具雛型。

原本，宏碁是個典型的垂直整合企業，從生產電腦開始，爲了降低成本、掌握技術，發展出生產周邊設備（如鍵盤、監視器等）的明碁電腦，以及生產「特殊應用積體電路」（ASIC, application specific integrated circuit）的揚智科技，但多數是供應集團本身所需。因此，雖然技術能力領先，但因爲過於依賴內部，當規模愈來愈大，包袱也愈來愈大（許多企業集團也都有此問題），便不得不讓明碁與揚智開始對外營業，面對外界競爭。

在全面改變成組件模式之後，不但每一個單項產品都有和外界競爭的實力，而且都是領先者，不管是主機板、監視器或是光碟機。觀念一改，同樣的努力，所獲致的成長速度完全不同。

後來，我們把這種分工整合觀念發展到極致，變成各事業獨立運作的「主從架構」，並讓各海外事業當地化，包括當地化的組裝、由當地人管理，以及當地擁有過半股權並就地股票上市，宏碁的再造工程也因此更加周延、完備。

以國外跨國企業管理模式的演進而言，多半僅僅從策略性事業羣與地區性事業羣的架構，發展到對外營運的利潤中心，但是更進一步成爲不受母公司控制，在各地獨立股票上市，就是突破

性的想法。我們常看到美國、日本的企業到海外投資，姿態甚高，滿腦子都是「管」字，更別提讓各地完全獨立自主經營。宏碁會反其道而行，最初當然源自國際化資金與人才的不足，但重要的是爲了降低風險與有效經營（這三個模式的思維邏輯與決策背景，詳見第十章）。

在經營模式、組織架構與經營理念三管齊下的改革之後，宏碁從一九九三年下半年起，就有了明顯的改變。製造部門的管理費用降到原來的六分之一，存貨周轉天數降低一半，員工的平均營業額則成長了數倍。

適時宣傳戰果

回顧這段夾雜著煎熬與喜悅的蛻殼新生，可以歸納出幾項宏碁改造工程的心得。

首先，企業進行改革過程中，運用反向思考有助於突破瓶頸。

跨國企業因應變局主要有兩種方式，日本企業通常不做大幅調整。不敢做太多改革的結果，就必須長期苦撐。而歐美企業多半都先更換最高決策者，甚至高階經理人也換掉一大半，革命性地狠狠開上一刀，傷了元氣就認賠了事，因爲舊決策者往往無法有效解決舊包袱，而且他們習慣舊的思考模式，無法轉換成新的思考模式，所以必須靠大量換血以期收改頭換面之效。

而宏碁改造工程最大的不同，是仍以原來的決策者與幹部爲主導來做調整，因爲我們運用反向思考發展出新的模式，並且以漸進的方式推動，任何措施都有緩衝時間，視情況與體質調整，

以不傷及元氣爲主。

其次，新的經營模式必須透過溝通來形成共識。

企業轉型難免會有衝突，如果決策者從悲觀面去看待衝突，就會唯恐公司產生混亂局面，寧願息事寧人；但事實上，從積極面來看，衝突就是共識形成的過程，因此，只要溝通得宜，透過時間消弭歧見、達成目標，衝突自然就會消失。

我們可以發現，每當政策轉變的時候，總是會引起不同羣體的抗爭或抗議，最後，政策往往變成妥協之下的產物，執行效果大打折扣。我經常建議政府，將政策訂定明確的時間表，例如取消某些產業的關稅保護，必須提前數年宣布，並給與企業三、五年的緩衝期，但是期限已居就不能再妥協、拖延。有確定目標，預留準備時間，才不會心存僥倖，各說各話。

當企業運作遇到困難，內部總會提出改善意見，但是往往因爲未能取得共識，便無法進一步落實。嚴格說來，決策並不困難，問題是員工有沒有執行的共識，所以一定要強力溝通，讓大家願意照新模式去做才行。

第三，要有貫徹執行的信念，並適時宣傳戰果。

推動改革的過程中，因爲結果的不確定性，必然會產生反彈與茫然，所以，決策者必須有堅持與貫徹的毅力。而且，必須要訂立階段性目標，一旦達成階段性的目標，要適時地宣傳成果（但絕不是渲染），鼓舞士氣，讓大家可以感受到努力的成果。如果等到完全達成才宣布，恐怕

曠日費時，軍心早已渙散。

領導人的角色

近兩年，當我在與企業界朋友分享企業轉型的心得時，總會有人問起，在企業改造過程中，領導人應該扮演什麼樣的角色？

身爲領導人，我有較多機會到處走動，理所當然要比同仁多許多觀察，我也不鬆懈地動腦筋，想很多新點子。然後，要不斷從各種角度想出不同的說服點，而且天天強調、推動，並不停翻新招數，發掘一些新成果以證明成效，並且給還沒有成果的單位信心與壓力，讓大家知道我是玩真的，公司就這樣不斷動起來。

例如，爲了讓大家強烈感受宏碁要朝分工整合的方向轉型，我喊出一個口號：「宏碁除了老婆、先生不賣，什麼都賣！」這句話的意思是說，宏碁不只賣系統與周邊設備，也賣組件、技術、服務，只要價格合理。這句話是讓大家在覺得有趣之餘，感受到宏碁轉變的精髓與決心，進而認同這個突破性的看法。

另一方面，當領導人提出創新概念的同時，若是實際負責的主管能夠稱職地加以詮釋與執行，效果會更加彰顯。因爲位居前線的主管會比領導人更了解實際的需要，所以由他們來傳達這些模型的概念，更具說服力。就如同在一個團體的集體行動中，隨便一個人喊：「開動！」大家

會心存觀望，如果是最高領導人發號施令，底下的各層主管也跟著喊：「開動！」傳令下去，大家就會步伐齊一、開始行動。

也就是說，領導人的任務，首先是提出創新思考，並將原本概念模糊的新策略具體化，在內部溝通、形成共識，然後明確宣示行動，其他同仁則扮演將策略傳承、執行與放大的角色，環環相扣，都非常重要。

塞翁失馬，焉知非福

對宏碁而言，經歷過一連串的困境之後，有兩個影響讓我們確信未來會更好：其一，挫折使我們體認到，未來什麼情況都可能發生。這種心態的調整，讓我們更小心、更警覺地面對環境的變動。其二，因爲身經百戰、累積經驗，所以有了更強的免疫力。加上不斷的用心改進，建立更多的免疫功能。

長遠來看，這些條件也會隨著時間而改變。人會老化，組織也會老化，這個力量能維繫多久？在傳承之後仍能維持嗎？所以，我始終認爲，要有個最源頭的力量，讓企業一路做下去不會出錯。這股力量，還是回歸到機制的建構。

舉例而言，企業要訓練人才，不能用短期資金去做長期投資，這些都是非守住不可的原則，但光有想法沒用，要建立一個機制，讓企業不斷投資人才，及確保長期資金的來源，所以宏碁才

有「七三四模式」。有這樣的機制之後，就不致出現不預作長期投資準備的危險。否則，在沒有建構機制的情形下，任何動作都可能會爲將來埋下不定時的炸彈。

企業的存活，所以比人延續生命要困難許多，是因爲企業是由一羣生命組成的，出錯、失控的機率比單一個人大太多。但是，如果我們仔細想想，一個人的成長必須接受多少教育，那麼，企業所受的教育應該更多才對。實際上，企業領導人是否提供組織成員足夠的教育？顯然，多數的企業並非如此，因此當企業身負眾多風險而不自知，沒有時時預防，才會如此輕易地夭折。

對宏碁而言，由於過去我們致力於培養人才與健全財務，才使我們終能渡過危機，未來，更沒有鬆懈與疏忽的理由。

鬆綁而獲利的哲學

在宏碁實施改造工程之後，常常有人問我，組織如此分散，萬一失去控制怎麼辦？我的回答是：「我寧可失去控制而賺錢，不願控制而賠錢。」想通了這一點，就不會整天戰戰兢兢害怕失控了。

我常做這樣的比喻。假設我有三個小孩，一個唯命是從，但是光會花錢、沒有營生能力；第二個不願遵照父母的事業安排，但是認同家族傳統，獨立闖出一番天地而光宗耀祖；第三個不但不聽話而且完全不認同家族，破壞家族形象。如果宏碁的事業發生這三種情形，第一個小孩是敗

家子，根本不應該讓這樣的企業存在；第二個小孩當然應該還是我們的家族成員；第三個小孩我們就讓他離開家族，但也不能再分享所有權力，或者要他變成第二種，在家族規定的大原則之下創造自己的事業。

對海外聯屬企業而言，宏碁的角色是提供品牌與研發的奧援，就如同國家給與國民外交與國防上的保障。如果將來任何一家事業的董事會決議脫離宏碁，我們會尊重他們的決定。但是，就如同有一日夏威夷和阿拉斯加公民投票後脫離美國，那就不要奢望美國政府的保護；要享受美國政府保護，就得遵守美國的法令制度，要掛國旗、要繳稅。

當然，這樣的情形至今還未曾發生，但我必須讓夥伴們有選擇的餘地，否則大家永遠沒有滿意的一天。換個角度來想，歸根究柢，關鍵在於宏碁要能夠保持強盛的實力，讓大家主動願意加盟宏碁。如果存著老大心態，不求實力長進，企業還是不免分崩離析。

這兩年，不少國際性的學術單位也特別針對宏碁特殊的管理模式，進行專案研究。當然，其中不免有正反兩面的評價，學者專家對於宏碁的高度授權，給與相當的肯定；但他們也認爲，宏碁未來最大的挑戰是來自如何防止組織過度鬆散。曾經有人問起，我能不能接受並認同這樣的看法？我的回答是：「當然認同，宏碁也會全力以赴去迎接這個挑戰。而且，我們衷心以有機會去克服挑戰爲榮。」

第 七 章

國際化的挫敗與再出發

地狹人稠的台灣，有條件、也必須國際化。儘管台灣大環境並不利於企業國際化，並不表示這條路走不通，宏碁的作法，是自己開出一條路來走。

一九九一年，宏碁海外投資發生巨額虧損，一時之間，各方壓力齊至。

當時，我們繼續到海外投資的計畫，遭到政府單位（如投審會、證管會）的質疑；新聞媒體批評宏碁「衝得太快」；甚至股東與同仁也都擺明不支持的態度。有些同仁還直截了當地挑戰我：「我們辛辛苦苦賺來的錢，爲什麼要拿去外國輸掉？」

宏碁走過近十年平順的國際化歷程，似乎正面臨難以突破的瓶頸。

我被逼慘了，只好不斷動腦筋想辦法。忽然之間靈機一動，在這種情形下，唯一有機會說服同仁與投資人的方法，就是外國的夥伴也投入資金共擔風險，我們出錢、他們出更多錢；我們賠錢，他們賠得更多。如此，我才能繼續將資金拿到海外投資。

跳出這個思考窠臼之後，宏碁發展出「全球品牌，結合地緣」的新策略，一舉消除如財務、品牌形象與管理效率等困擾宏碁國際化的難題。如同身染數疾終得對症下藥，多重的問題一併獲得解決。

從一九九三年起，宏碁一舉囊括拉丁美洲、東南亞、中東三大區域的第一品牌，次年，原本連年虧損的美國市場不但轉虧爲盈，還在強敵環伺下躋身第九大品牌，使宏碁品牌進入世界前十大，名列第七。

這個策略，並不是偶發靈感，湊巧奏效，而是歷經無數的教訓、挑戰、壓力，才累積出宏碁特有的國際化模式。

建立有效跨國管理

正向思考：如果海外事業的當地經營者無法有效管理，應該放棄當地化。

反向思考：如果海外經營者無法有效管理，則進一步落實當地化。

思考邏輯：當地化既是大勢所趨，就該乘勢而為，找出有效管理方法克服困難，而非打退堂鼓。

如果要從頭細說起，我個人最早的國際化經驗，該是在榮泰電子工作時，奉派到洛杉磯支援美國分公司。由於人手少，凡事都得自己來，例如，笨手笨腳地打電報交換機（Telex），這是一直擔任工程師與管理者的我，從未嘗試過的新鮮經驗。

那時候還發生過一個笑話。有一回，我們賣了一批貨給梅西百貨（Macy），左等右等貨款始終沒進來，最後終於搞清楚，原來我們沒給發票，他們也就樂得不付賬。在台灣做外銷，只要接單、出貨、拿信用狀去押匯就大功告成了，所以我們連給發票這個最基本的動作，都完全沒有經驗。

這個例子讓我體認到，國際化的學問，遠比想像中複雜得多。在人生地不熟的環境下，有時候要收一筆帳都困難重重。如果管理者不謹慎，還要爲爭取業績而放帳，一旦有人存心賴帳，人

海茫茫，真不知道從哪裡找起。

有了這段經營海外事業的經驗，在宏碁創業的同時，我就計畫成立美國分公司。恰好那一年年底，我的同班同學張國華從美國回到台灣，他原本在矽谷的惠普科技工作。我邀請他加入宏碁，負責經營美國業務。因爲張先生從來沒有做過生意，於是，我就臨時爲他惡補了一堂「如何做生意」的課程，他還非常慎重其事地錄音。就這樣，宏碁跨出了國際化的第一步。

找人合夥，人財兩得

一九七七年，宏碁美國公司正式成立，張先生占六〇%股份，宏碁投資四〇%。

在成立美國分公司之前，我們代理美國供應商的產品，每筆生意僅能賺到五—一〇%的佣金，而且佣金結算的速度很慢。美國公司成立之後，由張先生向供應商進貨，轉賣到台灣，宏碁再和美國公司結算佣金。如此一來，供應商給美國公司較大的折扣，產生較大的價差利潤，而且佣金結算又快又有保障，更重要的是，美國公司可以向供應商賒帳，有時張先生也會幫忙先墊錢，他的財力比宏碁所有合夥人的總和還要雄厚。靠著張先生的幫忙，經營狀況始終都相當理想。

宏碁的成長過程，可說是一部不斷合夥的歷史。創業的時候是幾個人共同創業，成立美國公司是與人合夥，一九七九年成立台中與高雄公司，也是由宏碁出資四〇%，另外找三個同仁各出

資二〇%，把公司成立起來，台中有邱英雄、林銘瑤和張光瑤（已離職），高雄則是林憲銘、梁秋生（已離職）與劉文蔚（後來因故未到職）。日後，宏碁「結合地緣」、讓海外事業當地股權過半的策略，可說是早有淵源。

合夥網路的建立，對宏碁早期的發展有莫大助益。前五年，宏碁的主要業務之一是代理國外產品，由美國公司負責供應商的聯繫與採購，高雄、台中分公司則負責當地的教育推廣與市場行銷。各司其職，市場漸漸打開，合夥人也都賺了不少錢。

一九八九年，我們以換股的方式，合併美國、台中、高雄分公司，成爲宏碁百分之百轉投資的事業。我將這個作法稱爲「人財兩得」。因爲合併之後，公司資產因而增加，另外，分公司負責人在事業單位裡，生涯發展都到了極限，等於是大材小用，讓他們換到比較大的魚池裡，才能發揮所長，而宏碁也因而獲得更多好的人才。

宏碁少數沒有以這個思維去進行的購併案，以一九八七年買下康點（Counter Point）和一九九〇年的高圖斯購併案，最爲外界所熟知，而結果就是截然不同的「人財兩空」。

這兩樁購併案都是採取溢價購併的方式，也就是除了淨值之外，還多付許多錢來買無形財產權。不但多花了錢，而且這種一大口吞下的合併方式，導致嚴重的消化不良，原有人員未能即時融入宏碁的企業文化，市場狀況不佳更讓他們信心不足，人才就慢慢流失。宏碁先失財、再失人，蒙受雙重損失。

比較合併台中、高雄分公司與購併康點、高圖斯，前兩案的股東換得宏碁的股票，成為我們的合夥人，資金與人才皆留在公司「打拚」；後兩案的股東賣了股票換現金，管理團隊留在宏碁「打工」，「一起打拚」與「為人打工」兩種截然不同的心態，自然也產生迥然相異的結果。

放帳造成惡性競爭

宏碁的國際化，在企業規模不大的時候，都算相當成功。因為當時的業務只是以單純代理、接單為主，沒有庫存、放帳的問題。但是當宏碁擴大國際化的業務範圍，為了推展自有品牌產品而放帳、增加庫存的時候，就產生兩大問題，第一是資材的損失（包括催收不回來的應收帳款，與產銷預測錯誤產生的庫存），第二是管銷費用失控。多數企業國際化所遭遇的問題，大概也都不出這兩種。

應收帳款牽涉到信用管理，而信用原本就是無形的東西，要建立管理無形的信用制度，比管理有形的資產更須耗費較多時間，而這制度不單因產業環境與客戶條件有所差異，更棘手的是還牽涉到市場競爭態勢，也就是說，當市場競爭激烈時，放帳便成為相當關鍵的競爭條件之一，於是，業務與穩健便無法兼得，即使有心進行放帳管理，執行起來卻非常不容易。

試想，許多國內企業從外銷進入內銷的時候，即使是在自己的國家，都不免會因無法有效管理信用而吃倒帳，何況是在海外管理外國人？除了以下兩種情況：第一，公司經營獨家生意，那

是絕對的強勢；第二，產業的商業基本環境就是現金交易。以多數產業而言，慣例都是放帳一個月，甚至在少數行業當中，客戶進貨是開六個月的期票（俗稱「竹竿票」，取其票期很長之意），那麼就很難降低風險。

資訊業的基本商業環境在九〇年左右急遽惡化，幾乎可以用「說多糟就有多糟」來形容。內行與外行業者競逐市場的結果，廠商一旦發生產銷失衡的狀況，與其把產品放在公司倉庫折舊，不如放在客戶那裡還有機會賣掉，於是就開始陷入放帳的惡性循環。

宏碁比台灣同業更困難的地方，是我們在很多國家同時需要放帳，特別是在先進國家。

在第三世界國家市場，宏碁都是與當地極具規模的進口商合作，並採用信用狀交易，加上第三世界國家又正在高度發展，利潤高、風險低，但是在美國與歐洲，卻是有將近十個國家都面對放帳難題。在歐洲，我們特別投保壞帳險，但是買保險並不能一勞永逸，保險仍需成本，而且理賠時間往往拖上三、五年，還無法全額理賠。

就這樣，經過多年繳交學費，累積經驗後，宏碁才在先進國家慢慢建立信用管理的系統。首先，我們建立起信用調查制度，對沒有把握的客戶，盡量收現；對有把握的客戶，盡量分散客源。其次，建立市場交易狀況的預警與因應體系，例如，培養同仁敏銳的覺察力，當市場稍有風吹草動便能提前預防；當客戶逾期付款，也有一套體系來因應與調整。這種內化成組織自然行爲的工作，我稱爲「組織的基礎建設（infrastructure）」，至少需要三年功夫，而且是在人事大致

穩定的情況下才可行。

庫存問題不容忽視

除了應收帳款之外，在國際化過程中，庫存管理也是個棘手難題。因爲庫存必然牽涉到對市場的預測，市場又經常處於變動狀態，而海外市場因爲距離遙遠，還得預留更長的時間，往往是對半年以後的市場狀況進行預測，萬一預測不準，不管是數量或機種失準，都會產生庫存問題。

庫存一多，就會產生四個連鎖反應：第一，資金周轉出問題；第二，爲了資金周轉降價求售；第三，暢銷機種缺貨，而滯銷機種又大量積壓，就開始得和海外業務單位與經銷商溝通，也就是說，經銷商或銷售人員只要隨便找個藉口矇混，總部的決策方向就產生偏差。第四，如果庫存始終消化不掉，有市場競爭力的新產品便無法上市，因爲新產品上市無異打到自己爲數眾多的舊產品。

不只是宏碁有這樣的問題，一九九四年，IBM個人電腦事業的營業額是一百億美金，虧損十億，其中七億是認列庫存損失。康柏電腦也因爲四八六電腦庫存過多，無法即時推出Pentium機種。

這好比沐浴的時候調整水溫，當水龍頭與熱水器距離愈遠、水管愈長，水溫就愈難控制得恰到好處，當水溫過低，要調高水溫，須經過二十秒才會轉熱，也許在第十秒時我們就等不及再度

加溫。等二十秒到了，水已經過熱，於是又趕緊降低水溫，過十秒還是太燙，再調低水溫，如此反覆調整，忽冷忽熱。當供貨點與市場太遠，就永遠存在時間落差的問題。

在一九八八年之前，宏碁是與國際進口商合作，採取出口賣斷（FOB, Free on Board）的外銷方式，當時從付錢買原料、加工製造，到出貨取得貨款，大約只需四十五到六十天。但在介入國際行銷市場，將貨放到前線之後，產品從製造到出口至當地市場需花費一到兩個月的時間，市場當地庫存兩個月，放帳出去能夠在兩個月之後收到錢就非常不錯了，於是，資金周轉天數起碼六個月，是原來的三、四倍。換言之，假設以前一塊錢可做一塊錢的生意，現在要三、四塊錢才能做一塊錢生意。這就是國際化的苦惱。

當然，國際化也不全然吃力不討好，它的好處是可以賺取更高的附加價值，也就是說，以前我們把後段行銷部分的價值讓別人賺，現在拿一部分回來自己來做，當然就要擔負這部分的風險，但如果能夠管理得宜，是可以兼得前後段的利潤。

後來，宏碁採取「速食店模式」的作法，就是將供貨點移到前線，即使各地供貨系統的能力有所差異，由於距離較短，調整到與市場同步的機會還是比較大的。

更重要的是，當我們採取速食店模式之後，庫存周轉從一百天降到五十天，這不但使得我們的資金變得較爲寬鬆，而且風險更大爲降低，因爲庫存積壓到後期五十天的風險，比最初五十天高出十倍。因此，宏碁從九三年之後，開始能夠兼享前後段的附加價值。

當然，「速食店模式」不可能適用所有企業的資材管理問題，但是，各種解決方案萬變不離其宗，都要從產銷預測、帳務管理、庫存與費用控制幾個方面著手。而要找出有效的管理模式，最關鍵之處是經營者是否內行，而所謂的內行又可分爲兩種，一是對產業內行，二是對管理內行，這樣才能夠在壓力之下，萌發創意，並適用於企業本身的需求。

舉例而言，即使同是速食店，肯德基與麥當勞的經營模式也不盡相同，到底要師法速食店的哪一部分？要如何融入企業，組合出適切的管理模式？因此，作爲企業領導人除了必須具備突破性觀念之外，真正要落實時，還是要根據實際狀況與時空環境的不同慢慢調整。

管銷費用居高不下

除了放帳與庫存導致資材管理失控之外，國際化的另一個難題，就是管銷費用的易放難收。

當企業採取小規模的國際化，並不致於產生太嚴重的管銷費用問題，但是小規模所產生的效益必然有所局限，因此，當企業國際化獲得初步成效之後，一定會擴充規模，以取得更大的成效。當人員日益增多，海外據點也必須建立更複雜的體系，來因應複雜度日益提高的管理與管銷費用問題。

宏碁美國事業開始出現問題，就是從購併康點開始。購併的目的，是爲了增加業務，而增加業務也就代表著人員擴充，管銷費用、庫存與應收帳款增多，形成一個成本膨脹的循環。

但是，康點畢竟還僅限於美國，在購併高圖斯之後，由於一併接管高圖斯在歐洲的事業，使宏碁在歐洲原本單純的組織架構，快速倍增。不巧又碰上產業獲利由高轉薄，問題一下子全爆發出來，包括費用、資材管理，以及企業文化與管理效度的問題。

當時，一方面企業在海外已經處於失血狀態，另一方面卻還要繼續往前行進，這場仗打來格外辛苦。

海外事業因爲距離遙遠、人地生疏，營運成本較國內爲高，這原是合理的，但多數企業的海外事業營運成本都是不合理的偏高，主要有兩個原因：第一，基於企業對海外市場的期待，因此海外單位通常會積極擴張，但是業績往往未如理想，因此成本相對提高。

其次，海外事業並不是當地的管理者所有，對於控制支出並沒有切身利害，所以決策必然產生兩種傾向：營業額大與花錢多。因爲營業額大，權力就大；錢花的多，當然也比較好辦事。因此營運成本就隨著市場的開展，愈發地水漲船高。

海外投資當地化

早幾年，宏碁由於完全授權當地管理者，始終無法解決這兩大問題。採取管理當地化的原因，一方面是因爲當時台灣無適合的高階主管可供外派，海外單位的當地同仁都相當資深，國內派出去的人總自認爲條件不足；另一方面，我們始終認爲當地化是大勢所趨。但宏碁早期的管理

當地化並不成功，因爲當時這些海外的負責人並不了解宏碁，也欠缺歸屬感，於是相對地，我們也很難對他們有足夠的信心。

直到進行再造工程，精簡人事之後，我們才大致能夠掌握海外事業。海外事業開始審慎過濾業務，放棄沒有把握的業務，集中資源在少數有把握的產品及管道上，例如放慢迷你電腦、網路與工作站的腳步，先集中資源發展個人電腦。在台灣與海外事業加強溝通、建立共識並釐清方向之後，就能以比較健全的體質，恢復原先既定的發展計畫。

同時，也由於多年積極致力於培養人才，宏碁逐漸能夠派出合適的人管理海外事業。加上過去失敗的經驗，派遣到海外的管理者在進行改革時，更加師出有名。特別是這兩年，當大型電腦公司營運狀況都不好時，宏碁卻能逆勢成長，這使得宏碁的管理制度與企業文化更有說服力。

平心而論，當時宏碁國際化管理方式犯了兩個錯誤。

第一，我們太早授權給當地的管理者，當他們對宏碁的認同感還不夠強的時候，自然也缺乏爲公司著想的心情。但我們並沒有就此放棄當地化，而是更進一步「結合地緣」，讓海外事業的決策者成爲股東，如此他們對節制費用便有切身利害之感。

尤其現在個人電腦利潤已經降爲二—三%，浪費一筆錢，就得多做五十倍的業務才能彌補，省一塊錢當然比做五十塊生意容易，如此一來，管銷費用就不會漫無節制地膨脹。

其次，早期我們外派的管理人員採取任期制，外派滿兩年就調回台灣，結果，這些同仁才剛

了解狀況就要打道回台灣，回台灣後又沒有合適的任務，就紛紛被挖角成爲同業派駐海外的管理者，而宏碁海外業務卻是生手輪調。一九九一年之後，我們將制度做了一番改變，將海外經理人的任期延長到五年以上。近幾年，我們才能在內部人事布局大致安定的情形下，加快對外拓展的腳步。

企業進行國際化，原本就是比較繁雜艱巨的任務，而台灣企業由於起步較晚，經營能力已經居於劣勢，而最遺憾的是，台灣的大環境對於企業國際化還往往橫生阻力。雖然表面看來，從一九八六年起政府大力鼓吹國際化，企業國際化似乎正可開始大展鴻圖，但實際卻有極大落差。環境不利於國際化，並不表示國際化走不通。我們的作法，是自己設法開出一條路來走。

打造國際化的有利環境

正向思考：學習先進國家成功的跨國經營管理，才能有效地國際化。
反向思考：要有效地國際化，應該發展自己的管理模式。
思考邏輯：跟著第一流的企業走，頂多只能成為第二、三流的企業。

這些年來，在台灣大眾的心目中，「企業國際化」這個詞彙存在著正反兩種形象，它意味著台灣企業跟上世界潮流，在國際市場闖出一番天地；但它同時也讓企業利益輸送的弊病層出不

窮，更糟糕的是，不論政府或是民眾，多半將國際化與資金外流、產業出走畫上等號。

原因何在？

從最普遍的現象來看，台灣的國際化多數並非企業的國際化，而是老闆或大股東的國際化，也就是說，多數的海外投資都是老闆或大股東的私人投資，而不是以公司資金對外投資。

何以企業主會捨正規投資途徑而就私人投資管道？主要的原因，就是因爲政府對於企業對外投資管制過於嚴格。

相信許多企業在申請對外投資的時候，面對政府單位的重重審核，都有相同的無奈。政府擔心資金外流，而嚴格把關，的確有其道理，但是另一方面，政府對於私人匯出資金卻採取寬鬆的作法。如此一來，企業主只有兩種選擇，第一，爲求審核過關，只好壓低匯出金額，以非常拮据的資金來經營海外事業；第二，乾脆以私人身分進行海外投資。而不管選擇哪一種方式，都對企業國際化造成極大的傷害。

選擇第一種方式的企業，由於資金捉襟見肘，企業只好採取變通方式，以提供產品代替匯出資金，維持海外的資金周轉。但這只是過渡時期，長期下來，如果產品銷售狀況未如預期理想，企業馬上面臨庫存與應收帳款的問題，往往導致企業鎩羽而歸。

而選擇第二種方式的企業，就很難避免公司與私人之間利益輸送的問題，更嚴重的是，一旦海外事業出現問題，也不能即時反映在公司帳面上，就會造成決策的誤導。由於爲數眾多，政府

不得不進一步加強防範，使企業國際化遭受更不合理的關切。在這種情形下，宏碁沒有利益輸送的正規國際化反成異類，成爲政府防範政策下的無辜受累者。

正規經營反成異類

一九九〇年當宏碁在海外發生虧損時，由於宏碁採用全球統一的財務管理（一般跨國企業多採此制度），海外的虧損金額全部匯整合併到總公司，在總公司的會計報表上提列損失。但是，證管會卻要求宏碁，對海外子公司的應收帳款提列呆帳準備。

這個要求若是針對以私人名義進行的海外投資的確有其必要，因爲這些海外事業並非公司所投資，任何虧損都沒有反映在公司的報表上，所以當應收帳款收不回來的時候，是該將應收帳款提列呆帳。但是，宏碁的情形完全不同，海外子公司的所有虧損，我們已經認賠並併入總公司的報表，如果還要我們把對子公司的應收帳款再提列損失，等於是實際虧損一元卻強要我們認賠兩元，這完全不合理。

我們足足和證管會溝通了半年，承辦人員始終不能領會，直到整個案子呈到當時副主委呂東英手中，他才了解並同意宏碁的作法。

原本，我們以爲類似狀況往後應該不會再發生，不料，到了一九九四年，宏碁提出增資申請，不同的經辦人，卻提出完全相同的要求。舊事再度重演，讓這案子又拖了半年。

有一回，我閱讀新力的企業傳記，發現他們在四十年前進行國際化時，也是不被日本人諒解，同樣遭到許多困難，其中有一個問題就是合併報表的問題。看到這段記載，真是於我心有戚戚焉。

當然，國際化並非全然沒有問題。企業將戰線拉長，是比較容易造成人謀不臧或控管不嚴的問題。國際化所可能產生的兩個問題：一種是因爲改變經營型態帶動管理模式的轉換；另一種則是管理不周。前者是一項挑戰，而後者才是真正的弊端。政府的確應該制定法令以防弊端，但往往在防弊之餘，卻連正常的發展也限制住。

以合併報表的案例來說，我對證管會制定規範的精神，絕對支持；但因此而訂定出來的規章，卻經常因爲不了解產業特質與運作，而用一套死板的辦法要所有公司都照章辦事。假如所有業者都作弊，如此限制自然也沒有爭議，但如果有部分企業不作弊，卻要受到強加枷鎖的待遇，那要正規經營的企業如何在國際間與人競爭？

如果說企業致力國際化所發展出來的新經營型態，被當作是人爲弊端，處處予以掣肘，等於懲罰追求創新進步的企業。而宏碁大約是最深刻了解箇中滋味的企業。

國際化的迷思

政府的制度不是國際化唯一的阻力，整體金融環境同樣不利於企業拓展國際行銷。

直到今日，台灣多數銀行仍停留在外銷導向的作業型態，也就是說，銀行對於出口貿易提供接單與購料貸款，往往寬鬆到信用過剩，但這類外銷企業並不具備市場控制力，一旦市場萎縮或是「買爺（Buyer）」抽訂單，膨脹的信用更增倒閉風險。

另一方面，企業開拓國際行銷市場，所需資金大約是純做出口的三到五倍，但銀行卻不能提供相對的支援。

由於台灣的銀行並沒有走在企業之前先行國際化，而放款客戶的海外據點又如此遙遠，要進行徵信與稽核非常困難；對於不熟悉產業的人而言，行銷風險與報酬往往是看不清楚、說不明白的，即使企業拿出獲利的帳本來證明，都可能被懷疑是作帳的結果。如此，銀行對企業國際行銷的奧援，難免有所保留。

但換個角度來看，也許因爲企業作假情形屢見不鮮，才會讓銀行缺乏信心。於是，我反過來想，既然說服外行人這麼困難，那就先從說服內行人做起。

例如，我們推動全球聯屬企業在當地股票上市，如果真有作帳情形，難道可以逃過每一個國家的證管會？姑且不論證管會這一關，宏碁在全世界有那麼多員工和夥伴都是股東，如果不能讓大家明白公司賺每一分錢都是合法、合理、合情，又如何過得了同仁這關？

其實，大環境對企業國際化的阻力，只是反映了多數人的基本心態。至今，我們的社會仍存著一個似是而非的觀點就是，海外投資是犧牲本國利益讓外國得利，企業是基於短期利益到海外

發展，所以協助企業國際化無疑爲人作嫁。更有人基於財政觀點，認爲企業拿台灣資源對外投資，如果賺錢不匯回來，政府連稅都課不到，豈不是賠了夫人又折兵？

但大家卻不曾想過，國際化是國力的伸張，是企業增加永續發展的實力。

我始終認爲，政府若能想辦法讓企業在政府的政策之下有利可圖，企業自然會在這裡立地生根。如果有哪家企業逃稅的本事高到全世界的政府都抓不到，那也無損台灣競爭力，因爲哪個國家都沒占到便宜。但企業總會要有個著地點，今天宏碁會在台灣，是因爲這裡對宏碁而言最有競爭力，再怎麼逃，也逃不出如來佛的手掌心；如果說宏碁不需要我們的政府也能存活，那宏碁原來也就不會在這裡。

事實上，政府可以透過各種政策工具，讓企業在這塊土地上安身立命。舉例而言，「獎勵企業投資條例」的實施，雖然讓政府暫時少收一點稅，但它卻讓企業公民的資產完全曝光在政策之下。企業賺了錢暫時不繳稅，但盈餘轉增資會轉換成股票，日後投資者處分股票就產生稅收，就算大家一輩子不賣股票，總有一天還是會課到遺產稅，怎麼可能逃得掉（當然，我也認同應該讓整體稅制更加公平的前提）？

政府只要有耐心，想辦法套牢企業，終究還是大贏家。

我認爲，政府對企業國際化之所以會有疑慮，是因爲沒有思考到「人性本善」。換句話說，如果企業主把員工看得沒水準，公司的水準也高不到哪裡去，同樣的，如果政府用低層次的思考

來對待人民，人民也不得不只好低層次起來了。

面對誤解，泰然處之

正因爲社會大眾對國際化仍有未盡理解之處，在宏碁國際化遭遇挫折之前，偏巧濟業電子剛發生問題，所以外界都將兩家公司的問題混爲一談。這讓我相當不平衡，因爲宏碁的國際化架構，和其他企業老闆私人海外投資的情況相比，根本是兩張題目完全不同的考卷，怎麼能夠等同視之？

另一方面，不管是媒體或政府單位，總以其他從事代工生產電腦廠商的經營績效，與宏碁自創品牌及國際行銷的經營體質相比，一再批評我們應收帳款太多，庫存周轉速度太慢。他們未曾考慮到，自創品牌和代工根本是兩種不同的生意模型，當然更無法理解，周轉速度慢是提高附加價值與拉大戰場的結果。這兩者無論如何不能相提並論。

最不可理喻的是，當時有媒體以宏碁電腦單一企業的營業額，去除以整個集團的員工人數後指出，宏碁是全產業生產力最差的企業。在那個節骨眼上，因爲宏碁表現不好，造成媒體隨便找到一個「證據」，便大肆渲染，事實上並非如此，但我們不可能到處去闢謠、辯論，那只會愈描愈黑，讓我們更徒增困擾。

在那段時間，甚至有國外媒體報導，因爲台灣政府不希望宏碁倒閉，所以全力資助宏碁渡過

難關。事實上，當時行政院長郝柏村也曾透過資策會執行長果芸，詢問宏碁是否需要政府出面協助。對於政府的心意，我們心存感謝，但當時宏碁已經自己找到解決方法。

其實換個角度來看，在目前的政治環境下，企業要解決問題，求人不如求己，因爲即使政府首長口頭允諾協助，但一旦真正紓困的時候，就會牽涉到經辦人員的政治責任，因此每個環節都需要審慎行事，常常等整個手續都辦妥之後，企業可能早已回天乏術了。

因此，與其運用政治手段，還不如採取正常商業交易，例如向銀行融資。在宏碁採取完全透明化的作法下，交銀、台銀等行庫都相當支持我們。尤其交通銀行是台灣投資銀行的龍頭，交銀的決定當然也會影響其他銀行。當時就有外商銀行總經理打電話給當時的交銀董事長梁國樹（日後轉任中央銀行總裁），詢問交銀的態度，梁總裁毫不猶豫表達支持之意，這也使部分外商銀行陸續加入配合宏碁轉型的行列（在此，我必須對這位已故的銀行家表達感謝之意。）

入籍當地，暢行無阻

也許有讀者開始可以體會，宏碁爲何必須採行分散式管理，讓生產導向的策略事業與行銷導向的地區事業獨立經營。唯有如此，宏碁才無須爲效率高低的問題而徒費唇舌，我們不怕別人拿宏碁做比較，因爲我們每一個策略事業都可以和任何同業相比而毫不遜色。

大家也許也都能夠體會，由於企業對外投資面臨重重關卡，而海外管理又是複雜萬端，宏碁

採用「全球品牌，結合地緣」，推動海外事業當地股權過半，就是要同時解決資金匯出、海外管理者的歸屬感，以及品牌形象等多重問題。

回想台灣引進外資的經驗，我們曾經對台灣的汽車業與家電業都有過很高的期待，但是遺憾的是，許多廠商因爲受制於日本合夥人，始終未如國人所預期地分享最新技術，並讓產品有效地國際化。己所不欲，勿施於人，當我們要在第三世界國家開疆拓土，我們也必須想到，別人也會有希望國家強盛的民族性，如此，就不要將別人曾經給我們的痛苦，強加在同爲第三世界的國家之上。

我們不只希望能在第三世界有所斬獲，還要進軍先進國家。如果，我們已經入籍這些國家，當地的同業如何能像以往公然在廣告上侮辱「Made in Taiwan」的品質?

而且，這個作法更能突破保護主義的市場障礙。幾年前，宏碁開始拓展韓國市場時，曾有家企業向我們購買電腦，負責人十分慎重地千拜託，萬交代，要求我們絕對不能對外聲張。因爲在韓國，如果有人開著外國車在路上行駛，必定會招來一頓指責；假若韓國人知道這家公司購買台灣生產的產品，肯定吃不完兜著走。如果宏碁能夠透過合夥，變成一家當地企業，就不需要如此偷偷摸摸地做生意了。

我從不認爲台灣企業應該照著歐美與日本國際化的模式發展，因爲跟著別人走，頂多只能成爲二、三流的企業。

但是這個策略有個重要的先決條件，企業主要願意授權、願意分享利潤，否則根本不可能做到。但我相信，這條路一定走得通。

調整心態，強化硬體

經歷過多年國際化的成敗起伏，我最想給國內企業界的忠告是，國際化真的是急不得的。要累積國際化的實力，人才是第一要務。因爲台灣經濟是對外貿易導向，行銷的人才相當欠缺，這是大環境的問題，因此，企業必須自己花時間學習並培養人才。正因爲國際化的工作必須持續不斷，所以，企業不妨早些著手進行，如果嘗試錯誤，儘快修正，但千萬不能躁進。

其次，企業千萬不能以在大陸以及東南亞設廠的製造國際化，當成國際化的全貌。因爲加工生產畢竟是對內的，比較簡單且容易掌握，真的要對外跨入行銷國際化，其中的「把戲」是複雜萬端的。

舉個最簡單的例子，如果業務人員到外面隨意賤價售貨，公司要不要做這筆虧本生意？沒有長期培養人才，做好內部控管，輕率地走上行銷國際化，那真是後患無窮。

台灣企業到海外設廠，成功的案例很多，但是國際行銷的失敗案例卻時有所聞。濟業在海外失敗使母公司連帶受累；普騰在美國的虧損靠家族全力支持之後才逐漸穩住；而詮腦則因爲在歐洲的庫存拖垮公司等。事實上，這些公司原來在台灣的也都有相當不錯的基礎。

台灣要國際化，其實還有相當大的努力空間。我個人有兩個想法，希望提供大家共同來思考改進。

我經常在國外參加國際性會議時，看到各國企業主都相當積極參與，連經濟實力落於台灣之後的東南亞國家也不例外，而台灣卻總是只有我一個人，不禁讓我感慨良深。我們常常遺憾台灣在國際間活動空間太小，在政治上被孤立，但這是經濟事務，誰也封殺不了誰，爲什麼不能多多參與？

另外，台灣正積極希望成爲亞太營運中心，但是，台灣根本找不到一個像樣的大型國際會議場所。每年宏碁都舉辦全球經銷商會議，各國與會代表多達上千人，但國內居然沒有一個合格場地可以容納一千人一起開會。甚至，連找個能夠一起進餐的飯店都成問題，唯一一處空間夠大的圓山飯店的頂樓，卻又被一把火燒掉。即使是召開一般規模的國際會議，只有國際會議中心勉強可用，其他飯店不但場地過小，整個視聽設備都不合格。

另一方面，台灣在語言方面也呈現劣勢。其實，不管是新加坡、香港，或是菲律賓、馬來西亞，由於過去都是英美兩國的殖民地，英語相當通行。相較之下，在台灣舉辦的國際會議比東南亞國家少，企業家沒有太多機會在國內的國際會議上露面，到國際上露面的意願和機會也就降低。

我認爲，台灣有條件也必須國際化，因爲台灣幅員狹小，只有對外發展才能支持經濟發展。

然而，不管是企業或是國家，國際化不僅要有意願，而且要營造這樣的環境。國際化當然值得我們努力，那麼，何不從現在開始爲將來長期投資？

第八章

長期投資，苦盡甘來

在建立下游的行銷能力之後，宏碁與德州儀器合資成立德碁半導體，朝向上游發展關鍵性零組件。這項投資，體現了宏碁的「長期發展策略」——倒向整合、借力使力。

宏碁企業發展歷史上有三大投資案，除了前面曾經提過的高圖斯購併案之外，還有成立德碁半導體與「安家計畫」，這兩項計畫同時在一九八九年開始進行，但如今卻呈現完全不同的結果，前者成爲近兩年集團當中成長最快的事業，而後者至今尚未回收。

造成兩者有此差別的原因，可以簡單歸納成：科技是宏碁的本業，而房地產不是。但深究整個決策與發展背景，箇中卻是複雜而曲折，甚至也可說是台灣長期投資環境的縮影。

築巢計畫，自力造屋

正向思考：企業在黃金地段買大樓，可以保值，是長期發展的籌碼。

反向思考：在黃金地段置產，是企業發展的包袱。

思考邏輯：不動產的價位高，運用與管理的彈性小、成本也高，反而拖累本業的競爭力。

在地狹人稠的台灣，土地始終是一個重大的議題。一般大眾爲了能擁有一個自己的窩，終生奮鬥；企業爲了尋覓成長空間，費盡心血。在此大環境下，二十年來，宏碁總部共經過二十八次的搬遷；而爲了提供同仁安居的環境，向來堅持專注於本業的宏碁，介入了「安家計畫」的投資。

對宏碁而言，安家計畫完全是一個意外。

宏碁股票上市時，正逢台灣股市狂飆期。泡沫經濟效應不斷發酵，投身股市者，害怕成爲最後一隻老鼠；沒有投入股市者，眼睜睜看著財富差距愈拉愈遠。宏碁的同仁擁有股票，手頭寬鬆了，自然產生理財的需求，而投資決策也變得較積極而大膽。有人賣了股票，離職去創業；有人轉而投資其他事業；而伴隨股市熱潮，地價也隨其飆漲，於是，也有一部分同仁開始投資置產或改善居住品質。

當時，科學園區的企業開始流行「自力造屋」——組織一羣人，自己買地，招標蓋屋。台北也有同仁想如法炮製，就開始三五成羣地展開組織夥伴及看地等行動。

站在公司的立場，一方面不希望同仁分心，另一方面也考量到零零落落的造屋計畫，力量過於單薄。房地買賣牽涉資金龐大，而且過程複雜、糾紛不斷，以少數同仁非專業的能力，風險實在相當高。於是，就乾脆由公司統籌進行安家計畫，如此一來，有專人負責買賣談判事宜，同仁不必再分心，更重要的是，由於公司的資源也比同仁多，成功機率也會比較高。

安家計畫的原始出發點，無非只是安定浮動的人心。但怎麼也沒想到，這個決定在日後宏碁的發展過程中，竟然扮演極爲重要的角色。

今天回想起來，投入這股熱潮的人，大多數都過度低估了投資房地產的困難度。在台灣一般人根深柢固的想法裡，總認爲蓋房子一定會賺錢，這觀念嚴重誤導了一般人的決策。事實也證

明，後來房市陷入長期低迷，房地產業從人人艷羨的生意變成艱苦行業，從此就很少聽人提起「自力造屋」的計畫了。

當宏碁決定進行安家計畫時，已經決定將總部遷往龍潭，於是，自然也把「安家計畫」設在龍潭。從地點而言，龍潭位於台北與新竹之間，距離都在一小時以內的車程範圍，而且鄰近當時興建中的第二條高速高路，當時龍潭的地價也還算合理。後來，我們看上一塊完整的平地，就開始著手進行。

但是，直到真正介入之後，我們才發現，問題比我們預估的棘手許多。

置產，超乎預期的複雜

相信有土地開發經驗的人都曾遭遇相同的困擾，土地在還沒有人出價的時候，價格通常並不太高，但是只要有人表示購買意願，地價立刻呈現三級跳。

由於這塊土地是由許多地主分別持有，我們始終很難買到恰好符合計畫所需的完整區域。爲了讓整個面積完整，購買的土地就只好愈來愈大。

整個談判過程歷經波折，若不是後來股市走下坡，有幾位地主還打算繼續抬高價錢。最後我們還是沒買到所有的地，部分地主是在合作開發的條件下，才願意提供土地。

整個談判過程延宕數年，這段時期，股市由盛轉衰，不但公司資金由寬鬆而趨緊俏，同仁也

面臨相同的問題。由於同仁投入資金數目是固定的，增加的成本就得由公司負擔，原先，公司與員工各出資一半，最後，公司付出的成本比預定計畫多出五倍，花費高達二十億新台幣。龐大的資金遭到凍結，對公司營運的影響之大，不言可喻。

原本，總共有約六百戶的同仁參與「安家計畫」，後來因爲拖延太久，而總部又從龍潭遷回台北，就有一半的同仁中途退出。幸而，當初我們就採取了預防措施，整個計畫是採用合夥的方式，才能一起撐過這段時間。否則時間拖這麼長，大概每一戶都會要求解約、退款。由於是合夥的關係，公司對於計畫延遲是有道義責任，但是沒有法律責任。我們明白這個計畫是許多同仁辛勤努力之希望所繫，也盡全力達成，但平心而論，公司並沒有立場來承擔這些未確定因素。

現在回顧起來，還好宏碁對風險的責任與義務，看法未曾迷失，否則這個計畫恐怕已經胎死腹中了。

好不容易，第一期工程已經完成變更地目手續，預定一九九六年中可以動工，安家計畫很快就可以成型，看著同仁興奮地按照自己的想法，規畫心目中理想住家的外觀，多年的辛苦，總算有了初步的成果。

規畫當中的第二期工程，將與第一期的居家、研展、教育訓練中心等區域結合，計畫將它變成智慧型工業園區，我們替它命名爲「宏碁多功能智慧園區」。

推動這個計畫的原因，主要由於集團近兩年成長的腳步很快，原有的廠房已經不敷所需，安

家計畫已從單純提供同仁居住環境，變爲解決公司成長空間的問題。

此時，距離宏碁爲了解決資金短缺問題，而賣掉龍潭總部與新竹廠房的閒置資產，不過才兩三年的時間。整個情勢峯迴路轉，完全出乎預料之外。

這整個決策的因由，必須追溯到宏碁找尋棲身之所的過程。

台北居，大不易

宏碁在創業的前幾年，已經歷經將近二十次的搬遷，那時我們絲毫不以爲苦，因爲資金少，買不起辦公場所，而擴充速度又快，也就別無選擇地頻頻搬家。還好這個階段的宏碁規模還小，租用辦公室的範圍也僅限於台北東區，感覺不出明顯的變動，而搬家總是代表成長，是一種喜悅，大夥也就以辦喜事的心情來搬家。

但當宏碁的規模日益擴大，常常搬家並非良策，便計畫購置合適的辦公場地。然而，在台北地區想找到理想地點，並不是一件簡單的事。特別是股票上市之前一年，我們找過無數個掮客，每個週末都在台北近郊看地，從新店到林口，甚至我們還曾看過淡水山上一所即將遷址的學校，但是多數的土地光是變更地目就不知道要到何年。

經過幾番周折，一九八八年，我們買下龍潭一個已經停業，占地十四甲的紡織廠，作爲公司的總部。後來，我們還在汐止另外購置半棟興建中的工業區大樓，打算作爲台北地區的基地。同

時，新竹科學園區也開始擴建廠房。這些擴充計畫，正是爲了提供「龍騰計畫」十年長期發展所需的空間。

但由於第二條高速公路遲遲不能通車，交通問題無法解決，人才的尋覓便非常困難；另一方面，公司也未如原定計畫成長，預留的空間反而變成營運的負擔，爲了解決資金短缺的問題，我們只好準備出售多餘的資產。

出售龍潭總部

當時，我到瑞士去探望正在國際管理發展學院（IMD, International Institute for Management Development）進修的李焜耀，他建議乾脆把總部搬到安家計畫區內。當時我的腦海當中立刻浮現出售龍潭總部的諸般好處。因爲龍潭總部的所在地位於都市計畫內，又濱臨大馬路，和安家計畫相距不過幾公里，但單價相差了三、四倍，更重要的是，那時龍潭總部只是以舊廠房改裝，還沒有投資改建。如果宏碁要重新建造新的辦公大樓，當然要選擇地價便宜的地點。

再經仔細一想，我們在汐止還有一個基地。當初我們以爲宏碁很快會有數萬個從事高附加價值產品開發的白領階級，因此，我們除了規畫龍潭總部與新竹工廠之外，還在汐止買下幾層辦公室，以供另一批人在台北進行開發工作。但沒想到後來電腦變成低利潤行業，人才需求僅止於原定計畫的四分之一。如此一來，光是汐止的空間就足以提供總部員工所需，於是，我們決定將總

部搬回台北，暫時租用民生東路的大樓，等待汐止大樓完工後再行搬入，並且出售龍潭總部。

由於我們決策速度很快，而且時機恰當，所以出售的過程與價格都還算理想，也爲宏碁帶來及時的財務挹注。因此外界常說，龍潭總部雖讓員工嘗盡奔波勞頓的辛苦，但也在關鍵時刻發揮了很大的貢獻。

出售龍潭總部之後，我們也決定出售部分新竹科學園區的廠房。一方面也是爲了籌措長期資金，另一方面，經過公司改造工程，我們空間利用效率提升，於是將多餘的廠房分兩批賣給生產監視器的美格科技。

沒想到，才兩年時間，宏碁整整成長了三倍，原有的空間已然不足。事實上，當我們賣出第二批廠房之後不到三個月，我們就察覺情況有變，但後悔也來不及了。

企業總有許多想做的事，但是有時候在現實環境下，並無太多選擇的餘地，如果因爲太過執著於未來的憧憬，對解決眼前的問題有所遲疑，最後可能只有倒閉一途。

人算不如天算

處理閒置資產之後，宏碁的發展道路就開闊起來。也許有人認爲宏碁賣掉資產無異是走回頭路，或是缺乏前瞻性，但我認爲，企業爲了保命，有些時候是可以選擇走回頭路的，儘管如此可能造成資源損失，但當一切既成事實，即使造成虧損也不能後悔，只能儘量尋找一個讓虧損換得

更好價值的途徑。

以德碁爲例，剛創立的時候，我們一口氣向科學園區租了十甲土地，事實上，德碁的第一期工程，大約只需要三甲地，但我們刻意將第一廠擴大到六甲的規模，先使用一半的廠房（我們稱爲第一A廠）。當時，半導體市場還在景氣循環的谷底，我們雖然仍保持該有的經營模式，努力訓練人才，提高良率，但對何時能止虧爲盈，卻充滿了不確定感。

但人算不如天算，一九九二年日本住友半導體環氧樹脂廠爆炸，市場呈現產品短缺的現象，德碁的業務開始往上翻升。緊接著個人電腦市場蓬勃發展，記憶體的需求持續成長，半導體市場已經完全跳脫過去四年一個景氣循環的模式。

當時，我們的心情簡直是三個月一小變，六個月一大變，爲了不錯失機會，每隔一段時間，就要重新調整更積極的策略。因爲賺得愈多、成本愈低，籌碼便愈來愈多，承擔風險的能力提高，投資風險也相對較低（做任何決策先考慮風險，已經是我們養成習慣的反射動作）。

這時候，原本閒置的半邊空廠房立刻派上用場，成爲德碁的八英寸晶圓廠（稱爲第一B廠）。一般而言，建造一座類似規模的廠房，需要一年多時間，因爲省下這個過程，德碁雖然投資八英寸晶圓廠的起步比其他同業晚，但卻能首先進入量產，並在一九九五年迅速獲利。

在這段過程中，德碁做了兩個並不符合我做事原則的決策。第一，德碁花了好幾千萬蓋了一個很堅固的臨時辦公室，兩年後拆掉它來蓋廠房，因爲要掌握擴廠時機，辦公室也必須挪出來，

這麼做的確是一種浪費，但卻可以因此多賺好幾億，不如此做又應怎麼辦？

此外，德碁還花了六、七億蓋一個可停近千輛車的鋼架停車場，我詢問他們何以不改用成本比較低的鋼筋混凝土？他們的回答是，鋼架停車場造價比鋼筋混土貴得並不多，但節省下來的時間卻非常可觀。現在，停車場也已經改建成爲二廠了。

能說這個兩個決策沒有遠見嗎？我只能說，因爲我們不能未卜先知，對景氣的預估沒把握，所以只能用比較保守的認知來做決策，日後再視情況調整。特別在變動快速的科技業當中，對於土地的利用固然要有長期的眼光，但也要預留調整的彈性。

等到第二廠完工之後，德碁的十甲地已經全部用上了，目前我們計畫興建第三廠，但又得爲找地傷腦筋了。

安家兼顧樂業

情勢發展至此，對土地迫切需求的現實擺在眼前，雖然，爲了應付快速的成長，明碁到馬來西亞設置占地十六甲的工廠，宏碁電腦在菲律賓蘇比克灣的新廠房也有十五甲地，但集團有九成的製造投資是集中在台灣，而合計台灣所有事業的廠房面積，也不過只有十八甲。眼前，新竹科學園區已然飽和，哪裡有我們需要的地？

很明顯地，要充分利用現有土地資源，就只有「安家計畫」剩餘的土地。

規畫中的「多功能智慧園區」，並不僅是工業區，我們的目標是創造一個平價、多元化、有未來性、融合工作與生活的地方。在這裡，有資訊高速公路等科技設備的便捷，但又保持自然、寬闊的空間，以及創意活力。我們希望它不單是高附加價值產業的製造中心，與軟體設計人才的集中地，也能吸引藝術家、作家與創作工作室的駐足。

因此，我們也規畫休閒與商業中心，但不希望它過分熱鬧。我們希望它兼有環境品質與人文生命力。未來，我們要努力塑造出二十一世紀的生活與工作新型態。

客觀說來，從產業發展的角度看新竹科學園區，它可以說很成功，但是園區受限於法令，只能有一〇%的土地作爲住宅，儘管園區裡面的居住條件相當不錯，但能居住區內的人畢竟是少數，因此，造成園區附近交通極爲擁擠。如果園區面積更大、住宅比例提高，就不會如此。「宏碁多功能智慧園區」便是以解決這些問題爲主要規畫方向。

但這並不表示宏碁有意朝向房地產開發去進行多元化策略。作爲科技業的一員，宏碁對土地投資還是僅限於本業所需。事實上，如果不是安家計畫，宏碁是不會介入這個產業，而「多功能智慧園區」只是爲了要使原來的投資創造出更高的價值。

對科技業而言，如果不是從自用的角度，而是以投資的角度去思考土地問題，會產生很大的偏差。如果以自用目的去購置土地，多出來的土地，將來擴充時仍會利用到，即使一時用不到，也較容易處理。

置產營利的陷阱

過去幾年，也有電腦同業投資房地產開發，結果卻被拖垮；宏碁介入安家計畫，也是元氣大傷，因爲那已經超過我們的專業能力。但宏碁之所以會這麼做，並不是我們貪心，而是因爲要在台灣買一塊完整的地非常困難，否則安家計畫也會控制在計畫範圍之內，不會陷得那麼深。

其實，企業經營起起伏伏是正常的，企業主也應該把起伏列爲決策的考量。但當企業在投資過程中遭遇不確定因素，例如北二高遲遲不通車，買地無法控制在合理範圍，而本身能力又無法負荷時，要不要半路放棄，斷頭認賠？這才是最嚴酷的考驗。

因此，在同樣的思考邏輯下，宏碁也不投資股票。資訊產業有個非常重要的特質，如果投資方向正確，可以獲致很高的利潤，相對地，風險也很高，稍有差池就會損失慘重，所以，必須天天處於備戰狀態，集中精神與資源來經營。

十年前，當台灣開始流行企業多元化，我不只一次被問起，宏碁爲什麼不多元化？直到今天，我仍然認爲資訊業才起步，宏碁也剛開始，沒有道理分心在其他產業上，專心經營本業才會有成功的機會，土地、股票的錢真的不值得我們去賺。類似出售龍潭總部獲得利潤的情形，只是幸運，但絕對不能期待，更不能把它納入決策變數。

當然，其他產業和資訊業並不一定相同。有些產業也許受限於發展空間，或者產業已經相當

成熟，無須面臨那麼多挑戰，業者可以有多餘的時間來照顧其他的投資事業，但對資訊業而言，花時間與精力在非本業的投資，簡直太奢侈。

從另一個角度來看，宏碁龍潭總部與明碁剛落成的新廠，都是承接歇業的紡織廠，這些傳統產業由於無法繼續經營，所以賣掉土地，已經賺過一手，而我們買下之後用來生產，還能創造利潤，對於地價昂貴的台灣而言，如果希望產業競爭力不因土地問題而減弱，就必須發展電腦、半導體等高附加價值的行業。

以投資半導體而言，一甲地投資金額大概是五十億新台幣（不含地價），因爲設備折舊的緣故，每五年至十年要再投資五十億，而每年可以產生五十億的營業額；而個人電腦一甲地產生的年營業額是一百億，這大約是其他產業土地投資報酬率的五到十倍，可以說是所有產業當中土地利用率最高的行業。對於這類資本密集、高報酬率的產業，即使土地貴一點，占總成本的比重也不至於太大。

事實上，不管是韓國三星、現代，或者台塑集團，每次購買土地總是數以百甲計，而宏碁集團現今年營業額已超過一千五百億新台幣的規模，在台灣用地卻不到二十甲。試問，這些企業在營業額與宏碁今日同等規模的時候，土地有多大？台灣若要有效利用有限的土地資源，「科技島」是值得去長期規畫與努力的方向。

保值？還是拖累？

宏碁將總部搬回台北之後，因爲經營情勢好轉，就有記者問起，民生東路似乎是宏碁的幸運地，在這裡起家，而且只要辦公總部設於此地段，企業就發展得很順利，既然如此，爲什麼不乾脆在這地段買下一棟大樓？

對於企業以風水的觀點去做房地產投資的依據，我個人並無成見，但宏碁不會用這樣的思考模式去做決策。事實上，宏碁成長最快的時期公司也不在民生東路上，而且宏碁從來沒有考慮在台北市買大樓。因爲若從成本考量，只要交通時間成本相距不遠，在哪裡辦公都是一樣，沒有必要選擇價格如此昂貴的地方。

或許有人認爲，買大樓可以保值，還可能會漲價，但宏碁從來不想靠房地產賺錢。事實上，美國企業界還有另一種說法：「當一家企業開始在市中心蓋自己的辦公大樓時，就表示這企業要開始走下坡了。」不管從專業或是資金運用成本來看，都不見得有利。

如果在黃金地段買大樓，如果有多餘的空間，就必須出租或是出售，總不能夠閒置，但等到要擴張的時候，可利用的餘地就變得很少，管理起來也很麻煩。如果大樓本身的成本很高，運用的成本當然也就很高，如此，高價位資產並不必然會爲企業帶來高效益。

這段置產的歷程，真是「如人飲水，冷暖自知」。值得慶幸的是，宏碁能夠守住大原則，而

在執行的過程中保持彈性，預留迴旋的空間，才不至於被卡在這個環節上。事實上，這也正是宏碁長期投資的經營風格。

掌握關鍵零組件

正向思考：要使勞力密集的產業結構轉型，先掌握關鍵性零組件技術。
反向思考：要使勞力密集的產業結構轉型，先打通行銷管道。
思考邏輯：下游不疏通，中上游便氾濫成災；建立行銷能力，才能發展出應用性更高的產品，並帶動上游投資。

產業結構如同河流，分爲上、中、下游：上游是關鍵零組件的研發製造；中游是產品的組合裝配；產品行銷則位居下游。從經濟發展的軌跡來看，台灣企業多半靠勞力密集產業起家，也就是從中游切入。

大量發展中游產業的結果是：第一，因爲上游水源（即關鍵零組件）不足，使生產遭到箝制；其二，因爲下游（即行銷）沒有疏通，造成產品氾濫成災，賤價出售。從產業的「價值鏈（value chain）」來考量，上、中、下游必須有適度的平衡發展。

以這三個領域而言，中游的進入障礙低，附加價值不一定高，而且變化性大，所謂的「變化

性」，是指今天的優勢產品，可能明日就被市場淘汰。以行銷而言，一旦成功地建立一個產品的品牌，對未來產品仍會產生連帶的助益；而當企業具備一項關鍵零組件的研發能力，亦可適用日後新產品的開發。但是，加工產品卻是進入容易，利潤消失也快，因此，當其他國家能以較低廉的生產成本取而代之時，廠商便就只有外移或是結束經營。

正因爲如此，宏碁在創業之後便採取「倒向發展」的策略，也就是先建立行銷能力，有了行銷能力之後，便能掌握市場的反應，降低中、上游生產與投資的風險，更可以藉此發展出應用性更高的產品。

進軍半導體

在建立行銷與生產的體系之後，基於追求整體平衡發展的策略，宏碁開始回溯上游往半導體發展。一九八六年成立半導體設計的揚智科技，一九八九年與德州儀器合資成立了生產動態隨機存取記憶體的德碁半導體。

舉凡關鍵零組件的製造，都具有技術層次高、資本密集及風險高三項特質，但是它的風險高，是相較於中游的加工與下游的行銷而言，如果具備技術、資本與市場，就會降低風險。而在半導體產業當中，微處理器以設計的困難度與智慧財產權形成高進入障礙；而動態隨機存取記憶體產業不但是高度資本密集（我在一九八九年稱其爲「十億美元俱樂部」，如今已成爲「百億美

元俱樂部」），而且是公認製程最複雜、市場風險最高的產品，連世界微處理器巨擘英代爾，都曾在動態隨機存取記憶體遭受挫敗。

在德碁設立之前，台灣並沒有半導體廠商生產動態隨機存取記憶體，而在此之前台灣兩大半導體投資案——聯華電子與台灣積體電路，都是在政府主導投資的情形下成立。德碁是當時國內民營企業所投資規模最大的半導體廠，又挑戰難度最高的動態隨機存取記憶體，向來以風險作為投資首要考量的宏碁，自然必須有足夠的準備來迴避風險。

關於技術層面的問題，我們與德州儀器簽訂技術移轉合約，確保技術來源；在市場方面，德州儀器與宏碁本身的需求便已很大；而股市的空前繁榮更及時地提供了資金。

一切看來似乎是水到渠成。事實上，無論台灣或是宏碁的半導體事業，都是摻雜著醞釀、嘗試錯誤、策略修正，甚至還有若干機運的成長歷程。

發展關鍵性零組件的爭議

約在一九七七年前後台灣開始提倡發展半導體，幾位留美專家回台灣準備發展大型積體電路。當時我並不贊成台灣生產半導體。因為彼時的台灣，不但資本不足，也沒有足夠的市場掌握能力，而且，不論設計與製程技術，台灣也並未具備成熟條件。換言之，那個階段的台灣，還沒有足夠承擔半導體投資風險的能力。若說由政府編列預算進行研究，我個人並無意見，但若由企

業大量投資生產，我認爲爲時尚早。

當時，在學界的影響之下，台灣的企業界與媒體有一種論調，認爲台灣因爲沒有關鍵性零組件，所以發展遭到限制，藉此鼓吹發展關鍵性零組件的必要性。

然而，投資關鍵性零組件與裝配、行銷最大的差異所在，是它的變動彈性非常小。以行銷而言，甲產品銷售狀況不佳，可以改賣乙產品；以加工而言，電子計算器利潤趨薄，可以改生產電話機，但是，一旦投入一項關鍵性零組件的開發，不論是半導體或液晶顯示器，一做就是幾十年，不能輕易變換的。在當時台灣各種條件尚未成熟的情形之下，是否應該因爲沒有關鍵性零組件，就把非常有限的資源，投入風險如此高的事業當中？做不成，是全盤皆輸；即使做成了，還不知道市場在哪裡，如此，其效益何在？所爲何來？

如果說，只因爲某個階段沒有關鍵性零組件，讓我們少賺了一些錢，心生遺憾，所以要去扛一個長期、非常沈重而沒有把握的負擔，事實上效益並非最大。因此，我們要考慮的是資源運用的優先順序。在當時，從事中游加工可以讓我們產生最大的效益，讓我們無庸擔心存活的風險，更重要的是，可以爲未來創造關鍵性零組件的市場需求。因此，從資源有效配置的角度來看，應該先發展中下游，再循序進入關鍵性零組件。

那時，在各種公開會議的場合，我總是對主張發展半導體的人士如此表示：「如果說台灣必得掌握關鍵原材料才能生存，那台灣顯然沒有活路，因爲我們不生產石油。」很明顯地，沒有石

油的國家還是能夠發展石化工業，因此，優先投資上游的說法，在實證當中是站不住腳的。

事實上，這原本就是自由貿易，全球分工的基本理念。因此，我們應該先努力賺自己有能力賺的錢，如果短期內因爲沒有足夠的條件發展原料工業，必須花高價購買，即使心裡百般不願，也只有認了。因爲不管算盤怎麼打，賺自己最專長的錢，買自己缺乏的東西，還是最有保障且效益最高的。

到今天，有關國家或企業競爭力的學理也印證，一貫作業的策略思考（也就是凡事都想自己生產或經營）已經落伍，世界已經進入分工整合的階段。部分國家或企業發展失敗，往往就是昧於現實，抱著一舉全盤建功的心態所致。

企業當然應該嘗試新投資，然而更重要的是，從事投資必須有優先順序。根據投資項目的難易度、風險度，以及企業資源的多寡，進行充分評估之後，有策略地按部就班，集中力量，就如同下棋一般，以整體的眼光布局，但一步步地下棋子。

投資國善

我想，台灣半導體產業能有今天這番局面，當然政府與企業都付出許多心力，但是如此蓬勃發展，相信是出乎許多人意料之外的，也就是說結果遠比預計的更好。但這一路走來，也不免付出學習的代價。

一九八〇年，在政府從美國無線電公司（RCA, Radio Corporation of America）公司引進技術漸成氣候，並出面主導投資的情形下，台灣第一家半導體公司——聯華電子，從工研院電子所衍生成立。草創時期的聯華，採取「你丟我撿」的策略，也就是切入國外半導體廠商已經放棄的產品，如電子錶、音樂卡片與電話機的ＩＣ，而這些技術簡單，在先進國家生產無利可圖的產品，卻爲聯電創造了不少市場利潤。

聯電的成功，讓政府更積極地推動半導體的投資，台灣半導體業開始進入第二階段的發展。一九八三年起，若干原來任職美國矽谷的半導體專家返國創業，大王、國善、茂矽、華智等公司紛紛成立。其中，前兩家公司終以結束營業收場；而後兩家企業也並未成功，但在合併成台灣茂矽之後重新出發。

科技專才投入關鍵性零組件事業，首先就面臨資金問題。可以想見的是，這幾個創業團隊從海外歸來，集資能力自然有限。以茂矽和華智而言，因受限於資本，便把業務設定在研究開發，專賺販賣技術的錢，生產則委託日本與韓國的半導體廠商。而國善的主要設計者之一莊人川（現任美國宏碁總經理）及顧德凱（國善總經理），是其中籌資能力較強的科技人，股東成員廣及交通銀行、國民黨黨營事業（光華投資、中央投資）、中華開發、行政院開發基金，以及宏碁關係企業宏大創業投資，還有若干來自美國的資金，由於資金實力較豐，也就投入了風險性較高的動態存取記憶體研製工作。

宏碁從原先反對國內企業投資半導體生產，到加入國善的投資，原因之一是當時的產業條件已比昔日更加成熟，再加上一九八四年殷之浩先生投資宏大，我們承擔風險的資本能力也提高許多。殷先生是一位對台灣產業發展有深厚期許，而且相當樂見年輕人推動產業升級的企業家。平心而論，他並不了解半導體，但是由於他的全力支持，讓宏碁跨出半導體投資的第一步。

然而，國善雖然籌到比較多的資金，卻仍不夠充裕，只夠買半套當時較爲先進的設備，而爲了儘速投入生產，只好和聯電合作，把半套設備放在聯電，再借用部分聯電的設備。

記取教訓，敗部復活

然而，由於生產過程不順利，設計不斷變更，投入的資金天天都在消耗，虧損金額日益龐大，原任總經理因此遭董事會解聘，我還曾經自告奮勇擔任總經理半年。但整個公司體質已無可挽救，最後只好解散。

反觀小本經營的華智與茂矽，卻因開銷較小，反而得以熬到合併改組的契機。

當這些半導體廠商經營陷入困境之際，曾一再籲請政府出面支持，當時的工研院院長張忠謀就想出一個方案，成立一個專門代工生產的工廠來服務這些廠商，業者就無須爲龐大的資金與生產風險擔憂。一九八七年，台灣積體電路製造公司於焉誕生。

然而，台灣積體電路成立之後，卻沒能服務到原先需要協助的業者，反而嘉惠了美國的半導

體廠商，以及後來台灣陸續成立的半導體設計公司。台灣積體電路雖然沒達成原來的任務，但是經營得非常成功。

其實，在台灣科技業的發展歷史裡，這樣「無心插柳柳成蔭」的情節，是一再地上演。相信有許多人仍記得，當政府在一九八〇年成立新竹科學工業園區時，最初的動機是爲了吸引外國高科技公司進行技術轉移。因此第一個邀請的對象就是王安電腦，奎茂，慧智也隨即加入，但這些外商的成績卻並不理想，在這片土地上開花結果的，反而全是聯華、宏碁這類土生土長的企業。

國善失敗之後，宏碁的動態存取記憶體事業卻在德碁再度出發。這已不是宏碁第一回在曾經失利的戰場中敗部復活（例如前面曾經提及的三八六個人電腦開發案）。也因此，同業就戲稱我是「二枚腰」——在相撲比賽當中扳不倒的選手。

其實，實踐理想的過程中，往往是出師不利的，這也許因爲能力不足或者是環境不成熟，但這也未嘗不能說，我們藉此培養了日後掌握先機的能力。

但是，並非所有情況都是絕對如此一成不變。例如，宏碁歷經兩年的努力開發，在一九九三年推出ＲＩＳＣ個人電腦，也是出師未捷，但當一九九四年全世界都熱衷於投入開發同類型的威力電腦時，宏碁反而按兵不動。也正因爲我們未曾耗費精神於此，所以能夠集中精神於Pentium機種，並掌握高度成長的契機。

德州儀器技術指導

一九八九年，宏碁抱著積極而審慎的態度，再次投入動態存取記憶體事業。雖然曾有投資國善的經驗，但那畢竟只是參與投資，而德碁卻是由宏碁主導，並擁有過半股權。在董事會上，我反覆徵詢董事們的意見，直到確認大家都願意全力支持。因爲從我的角度來說，投資動態存取記憶體的風險固然不小，卻相當值得嘗試，而當時我的股權只有二成多，當然必須尊重其他股東的意見。

有了資金來源之後，接下來就是技術來源的問題。爲此，我幾乎遍訪日本半導體廠商，包括東芝（Toshiba）、夏普（Sharp）、日本沖電氣（OKI）等，其中只有夏普願意考慮，但是他們的專長是唯讀記憶體（read–only memory，簡稱ROM），而不是動態存取記憶體。直到德州儀器允諾，這個合作案才拍板定案。宏碁與德州儀器各出資七四％與二六％，成立德碁半導體，由德州儀器負責提供技術與市場行銷，德碁則負責生產。

爲了確保對方真心誠意轉移最先進的技術，我們學習台灣積體電路和飛利浦合作的模式，讓德州儀器日後可將股權提高至五一％。因爲，如果我們不給合作夥伴股權過半數的機會，他們也不會願意毫無保留地提供技術（但後來飛利浦與德州儀器都放棄股權過半的想法）。

於是，根據雙方協定，德州儀器有義務轉移最先進的技術給德碁，而且德州儀器任何一個半

導體廠所發展出來的技術，德碁都有分享的權利。當然，也因爲宏碁已經建立起尊重智慧財產權的良好紀錄與形象，所以德州儀器也願意簽署這項協定。

日後，由於德州儀器無保留的技術轉移，德碁不但擁有最先進的製程，也在德州儀器的支持下，從事特殊記憶體的研發，真正落實了提升台灣半導體技術的目標。

但這畢竟是後來用實際行動驗證的結果，在德碁投資之初，外界卻對這樁合作案頗有疑慮。

引進技術，落地生根

當時，抱持負面評價的人士認爲，宏碁出資過半，卻爲外商作嫁，甚至有人還批評此種作法無助於技術扎根，是個「不平等協議」。但是，當時我心中卻非常篤定，這個合資案一定會讓動態存取記憶體技術在台灣落地生根，因爲有太多前例可資證明。

讓我們回想一下，台灣的半導體包裝業起自飛利浦與美國飛歌（台灣子公司爲高雄電子）在台設廠，日後成爲台灣半導體包裝業的人才訓練所；通用電子爲整流器奠基，後來造就了麗正等全世界最具規模的業者；印刷電路板在安培帶動之下，華通、台灣電路等本土企業應運而生。這些先鋒企業還都是百分之百的外資，技術終究留在台灣，讓整個國家與產業都獲得利益，更何況德碁是在我們考量移轉技術，並積極參與決策與管理的情況下運作，更沒有理由不產生技術生根的效果。

再換個角度想，就算短期間德碁是爲人作嫁，但德碁所訓練出來的人才，難道會一輩子爲德州儀器作嫁？（目前，德碁正計畫在台灣股票上市，成爲道地由本國控股的公司，這個問題就更不存在了。）

釐清這些觀念之後，我們當然有理由堅信，投資德碁能爲整體產業與社會帶來貢獻。

德碁在覓得資金、技術與市場來源之後，和所有半導體廠商一樣，若要儘快獲得利潤，就必須縮短學習曲線、提高產品良率、降低成本，除此之外，還要面對不可預測的市場變動因素。

從艱難中起步

德碁剛創設的時候，國際動態存取記憶體市場仍不景氣，產品單價很低，以德碁剛起步的產量，並不具備競爭力。而國善失敗的殷鑒，也讓我們深深了解，經濟規模對半導體廠商而言，是關鍵中的關鍵，如果產量不足，必然無法提高效益。對一個半導體業的新兵而言，市場低迷、成本偏高，經營壓力之大，可以想見。

更棘手的問題是，德碁初期資本額定爲新台幣三十一億，是以生產一百萬位元記憶體的產品所規畫出來的資金需求，但是，等到德碁設廠之後，記憶體市場已經是四百萬位元的時代了，此時已是箭在弦上，不得不發，只好跳級改做四百萬位元記憶體。

爲了提高產量以降低成本，並且因應產品升級所增加的資本支出，德碁不得不以增資來改善

財務結構。

當時宏碁正陷入艱困的局面，再加上動態存取記憶體市場不景氣，想要立刻現金增資是相當困難，我們只好咬緊牙關尋找其他變通辦法。最後，我們以發行爲期三年（期滿由原股東買回），總數九億元的特別股，以籌措長期資金。

這個作法有部分是占政府便宜。因爲根據政府當時的投資優惠政策，發行特別股總共可以享受三〇%的投資抵減，三年分攤下來，平均每年一〇%，德碁每年付給購買者五%的利息，購買者每年可有一五%的投資回收。這麼一來，德碁獲得低成本資金，購買人得到合理投資報酬，而政府也達到半導體產業升級的目的，實可謂「三贏」。

德碁的資本額因此增加到四十億，而股本增加，也相對提高銀行融資的額度，德碁初期的資金問題因而順利解決。實際上，三年的時間的確有點短，但是礙於當時的現況，站在總部的立場，也只好先渡過眼前的難關，再設法籌資買回特別股。

長期投資，長期抗戰

對宏碁而言，投資德碁的初期，的確經歷一段相當艱辛的財務挑戰。

原本，宏碁之所以進行這項高度資本密集產業的投資，是期待宏碁每年可以產生利潤，並進行現金增資，資金問題便可迎刃而解。但是因爲利潤沒有如期產生，不容易以合理價格現金增

資，而資金成本過高，又對股東不利。當兩個期待同時落空，宏碁也就產生龐大資金需求的壓力。爲了健全財務，我們當機立斷，採取處理資產的方式來解決，其中也包括轉讓一六%的德碁股權給中華開發。

三年之後，日本住友半導體環氧樹脂廠爆炸，市場從谷底翻升，此時，德碁的產量與良率都已上軌道，正好趕上這個契機，到一九九三年初，便比原定計畫提前轉虧爲盈，事實上，宏碁電腦事業真正轉型成功，是在這一年的年底，但因爲德碁開始獲利，使外界重拾對宏碁的信心，不但湧入較多訂單，宏碁也在外界較爲支持的良性循環下，獲利情形真是超出我們的想像。

這就是所謂的「勢」，包括士氣和氣勢，當企業突破一個點，內外助力齊至，往往產生倍數的效果。

藉著德碁的分紅，總部順利買回特別股。換言之，德碁雖然已經獲利，但對總部而言，只有帳面上產生利潤，實際上，錢還是留在德碁。關鍵性零組件的投資，就是這麼一個長期回收的生意。這是企業在做決策之前，不能不具備的重要觀念。

另一方面，當宏碁電腦改善財務結構之後，重新開始大幅獲利，我們立刻把握時機以較合理的價格增資發行新股，不但對股東有交待，資金成本也相對較低。

對企業而言，長期投資原本是爲了長期的發展，但是，卻往往反而成爲拖累企業的包袱，箇中原因，當然不乏技術與市場的因素，但以台灣企業而言，尤以財務問題最爲常見。而分析企業

長期投資導致財務困難的原因，又可分爲三個層次：

第一，企業主沒有建立起「須以長期資金作爲長期投資使用」的認識。直到今天，仍有不少上市公司的老闆，以質押股票的方式向銀行借錢投資新事業，事實上這是相當危險的。因爲股市行情起起落落，行情好的時候，就會高估自己的財力，運用更多的財務槓桿，借更多的錢，進行更大規模投資。當股市下挫，銀行要求補足抵押品的時候，就沒有餘力可以支應，導致新舊事業同時出現問題。

第二，即使有此認識，但卻不見得認同，仍心存僥倖走險路，其結果將與第一種情況相同。

第三，有認識，也認同，但是大環境還不成熟，這就是宏碁所面臨的局面。爲了保住元氣，同時兼顧投資人的權益，我們都必須選擇成本與風險最低的籌資管道，例如發行特別股與出售股權，即使當時轉讓德碁股票的價格，並不是心目中的理想價位，也必須捨得及時出售。如果我們存著惜售的心情，等到財務危機迫在眉睫再想轉讓股票，也許就再也沒有轉圜餘地了。

借力使力

如今，德碁可以說是苦盡甘來，以次微米技術生產八英寸晶圓的第一B廠，量產之後就達到八成以上的良率。若與台灣的同業相較，雖然產品不盡相同，但是德碁的生產力與良率，都可堪稱第一。

由於德碁的成功，台灣企業界也開始掀起動態存取記憶體的投資熱潮，例如台塑集團轉投資的南亞科技，就是其中一例。回想當年，投資動態存取記憶體原本是政府的政策任務，今天，德碁等於幫政府完成了這項任務，而且效率絲毫不亞於政府。

雖然至今仍有同業對德碁模式抱持不同看法，認爲德碁並未具備自行設計的能力，但事實上，宏碁並非沒有設計人才，莊人川就是箇中好手。我們的確需要付給德州儀器若干費用，但是，自行設計也並非不需要成本，何者較爲划算，也許是見仁見智，但起碼德碁無須擔憂智慧財產權的問題。現在，部分同業只能出貨到沒有專利的少數國家，部分則官司纏身，對企業長期發展不啻是個隱憂。

另一方面，對自行設計的廠商而言，若製程當中有個瓶頸不能突破，往往曠日廢時才能解決。而德州儀器已經有許多設廠經驗，累積較多克服技術問題的能力，而德碁都能夠享受到這些技術。這些都是我們事先所預買的保險。

這也是宏碁「借力使力」的策略，而這策略的有效性可說屢試不爽。最早，我們代理美國的微處理器，學了一身本領，又賺進一把鈔票，技術比當時投入許多研發費用的大同、東元都領先。同樣的一套作法，再度運用於德碁，我們另闢蹊徑培養人才，累積技術，迥異於許多同業的發展策略。究竟孰優孰劣？目前論斷仍言之過早，但我們願意努力以事實證明。

第三部

邁入新紀元

為迎接新資訊時代及實現龍夢成真的夢想，

宏碁下一個階段性目標是

「讓Acer成為全球家喻戶曉的品牌」。

不斷翻新技術及提供最新、

最實用的產品為主要策略及使命，

「渴望」（Aspire）家用電腦的上市，

為宏碁的新使命跨出第一步。

第九章

資訊產業的革命

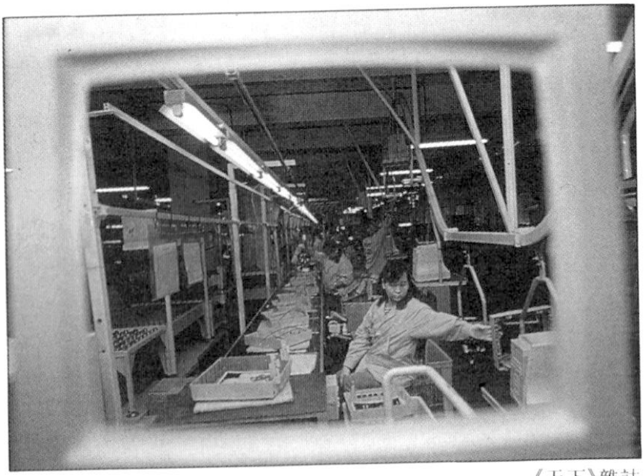

在新資訊時代分工整合的趨勢下，企業若不能成為該領域的領導廠商，便無法立足。明碁電腦集中力量發展監視器，如今已是全球第三大廠商。

《天下》雜誌
陳之俊攝

一九九五年，個人電腦剛渡過十四歲生日，台灣也靜悄悄地成爲全球第三大資訊產業重鎮。在此之前，IBM才剛花費八十億美金進行裁員及改造，而AT&T在電腦事業也累計虧損數十億美金，但台灣卻以主機板、監視器等組件與周邊產品，稱霸各單項產品的國際市場，成爲個人電腦市場中最大的獲利者之一。

一九九五年九月中旬，我在一場國際性研討會中發表演說。在提及台灣電腦業時，我告訴來自各國的資訊業者：「台灣電腦廠商進入個人電腦市場，讓許多老廠商招架不住，這不是台灣廠商的錯。我們只不過抓住產業的變化，將速度成本的變因加入產業的競爭條件當中，而加速這些大公司效率的惡化而已。也就是說，由於環境的變化，加上台灣廠商盡力貢獻自己的優勢，才促使傳統公司暴露缺點出來。今天，台灣在個人電腦有這樣的成績，有朝一日，或許超級電腦也會走進家庭，成爲電動遊戲機，那時，台灣電腦廠商也會介入超級電腦的生產，造福人類。」

會後，一位日本富士通的與會代表走過來，幽默地對我說：「我就是那個受害人！」

值得玩味的是，早年，當宏碁從微電腦要跨入個人電腦的時候，當時台灣的外商電腦業者認爲我們不過是「做玩具的」，根本不懂電腦，沒想到像宏碁這樣的小公司，不但長大了，還掀起翻天覆地的產業變革，力量並不輸給這些傳統電腦公司。

現在，我們甚至可以反過來對這些老公司大聲地說：「你們的黃金歲月過去了，現在是個人電腦當家的時代了！」

廣告回函
北區郵政管理局登記證 北台字 3619 號
免貼郵資

台北市104松江路87號7樓

天下文化出版公司 收

地址：　　縣市　　鄉鎮市區　　路（街）　段　巷　弄　號　樓

（請用阿拉伯數字書寫郵遞區號）

姓名：

宅：（０　）

公：（０　）

傳真：（０　）

天下文化讀者編號 BK

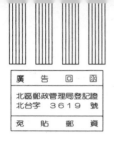

天下文化出版公司　讀者服務卡

謝謝您購買這本書。

請寄回本服務卡（免貼郵票），您將不定期收到：

- 本公司出版相關訊息——《書的天下》雜誌、優惠通知及活動消息
- 天下雜誌、遠見雜誌出版訊息、優惠通知及活動消息

您購買的書名：＿＿＿＿＿＿＿＿＿＿　書號：＿＿＿＿＿＿

購買書店：＿＿＿＿＿＿＿ 市/縣 ＿＿＿＿＿＿＿＿＿書店

您的性別：□男　□女　　婚姻：□已婚　□單身

生　　日：＿＿＿＿年＿＿＿＿月＿＿＿＿日

您　　是：□①天下訂戶 □②遠見訂戶
□③曾零買天下 □④曾零買遠見

您的職業：□①製造業 □②銷售業 □③金融業 □④資訊業
□⑤學生 □⑥大衆傳播 □⑦自由業 □⑧服務業
□⑨軍警 □⑩公 □⑪教 □⑫其他＿＿＿＿

教育程度：□①高中以下(含高中) □②大專　□③研究所

職 位 別：□①負責人 □②高階主管 □③中級主管
□④一般職員 □⑤專業人員

職 務 別：□①管理 □②行銷 □③創意 □④人事、行政
□⑤財務、法務 □⑥生產 □⑦工程 □⑧研發

您從何得知本書消息？

□①逛書店 □②報紙廣告 □③親友介紹
□④書的天下 □⑤廣告信函 □⑥天下雜誌
□⑦遠見雜誌 □⑧廣播節目 □⑩書評
□⑪銷售人員推荐 □⑫電視節目 □⑨其他＿＿＿＿

您通常以何種方式購書？

□①逛書店 □②劃撥郵購 □③電話訂購 □④傳真訂購
□⑤團體訂購 □⑥銷售人員推薦 □⑧信用卡
□⑦其他＿＿＿＿＿＿

對我們的建議

資訊產業的解構與重組

正向思考：企業要儘快提高效益，必先裁員或簡化流程以爭取改善時效。
反向思考：要爭取企業改善時效，先改變思考模式與組織架構。
思考邏輯：用舊架構去提升效率，頂多進步兩三成；以新模式與新架構，改善的幅度才有可能達到數倍的效益。

在即將告別二十世紀之際，各個領域都正掀起滔天的變革浪潮。推動變革的最主要力量，是對世界進步有所貢獻的人。在過去的時代裡，教育是貴族的特權，因此能具備知識、貢獻社會的人，也僅限於極少數的人；今日由於教育普及，使得各行各業充滿著受過高等教育的人，這些人在資本主義的誘因之下，無不竭盡所能貢獻自己的才能。爲了防範日益提升的犯罪技術所發展出來的技術，也在促使社會進步，這種高度技術進步的動力，形成無法抵擋的趨勢。

而當愈來愈多人參與貢獻，世界也愈來愈多元化時，經濟活動的發展空間變大，各行各業也開始興起產業變革，從一貫作業模式進入分工整合模式。

一貫作業模式，或稱統合模式，是二次大戰之後，經濟學家與企管學家爲了大量生產，提高效率，所提出來的理論。但進入九〇年代之後，這個理論遭遇極大的挑戰。首先，由於階級組織

龐大且互相牽制，使組織運作效率變差，再加上市場變化迅速，更暴露出其應變速度的遲緩。

於是，一貫作業模式的代表性產業——汽車工業，開始大幅裁員；而一貫作業模式的代表性國家——日本，競爭力開始衰退；經營電腦系統整合的EDS公司從通用汽車獨立門戶，通訊巨擘AT&T分化出七家公司，而新力爲了突破長年經營困境，將集團事業一分爲十。

從這個角度思考，當教育普及帶動分工整合趨勢的興起，企業組織也開始從階級組織蛻變爲分散、授權的組織架構，在這種情形下，原來的組織架構也必須進行大幅調整，一如電腦產品的主流已由大型主機，演變爲由個人電腦所組成的主從架構。

道理何在?

當組織以提高效率的作法來提高效益時，是有其極限的。就如同人在陸地上行走，不管用什麼工具，速度一定有其極限，若要突破速度的限制，非得要改變成在天上飛行不可。同樣地，要改變管理效益，也不能光在老架構上提高效率，而是必須改變組織架構，而要改變架構，就必須有全新的思考方式，因爲以舊的思考方式去尋求改善，頂多只能進步兩、三成，但是如果以全新的模式思考，改善的幅度是數倍或數十倍，效益的提升才能跟得上社會的變遷速度。

以個人電腦產業爲例，假設過去的毛利率是五〇%，雇用員工十人，費用四〇%，平均每人費用四%，產生淨利一〇%。在產業利潤變低之後，假設毛利只剩下二五%，若要維持五%的淨利，而雇用每名員工費用四%不變，整體費用又必須控制在二〇%，那麼雇用人數必須減少一

半。這也就是何以有許多公司都必須裁員，以渡過難關。

事實上，當一家公司裁員一成，已經人心惶惶，滿城風雨；裁二成，公司已然搖搖欲墜；裁三成大概就得解散了，更何況整整裁掉一半的人？更棘手的是，即使裁員半數都還無濟於事，因爲如果按照原來的架構，剩下的人也只能產生一半的價值。除非企業可以將生產力提高到原來的數倍。

建立新的經營哲學

企業一般是以裁員或簡化流程來提高生產力，爭取改善的時間。依我看來，這種作法的層次是相當低的，在時效上也絕對來不及。

企業改造大概可以分成幾個層次，層次最低的，是從原來流程中擠壓效率，例如提高獎勵或懲罰；其次簡化或改善流程；第三種是改變組織架構；層次最高的是建立新的經營哲學。層次愈低的改造，愈容易立竿見影，但持續力也愈差。例如，企業一提高獎金，生產效率馬上就會提高，但是不久之後，員工對誘因會產生彈性疲乏，而企業成本因之提高，改善的成效便消失了。層次愈高的改造，雖然效果無法立即顯現，但卻可以長期持續。

宏碁的改造行動就涵蓋了這三個層次：以速食店模式進行流程改造；採行「主從架構」（client－service）進行組織改造；「全球品牌，結合地緣」爲新經營哲學，而其中心思想爲當地

股權過半。

以「速食店模式」而言，台灣從生產系統轉而專注生產組件，將組裝移到海外市場就地進行，的確大幅改善宏碁在速度與成本方面的問題。但如果宏碁只採用這個模式，當其他競爭者起而效尤，或環境變遷，宏碁的領先優勢就會消失。但是，因爲主從架構讓每個事業成爲獨立而健全的個體，結合著當地股權過半的國際化理念，以結合「地頭蛇」對抗「強龍」，才能產生脫胎換骨的長期效果。今天回顧起來，這三個策略也都與分工整合的大勢，不謀而合。

宏碁之所以脫胎換骨，是因爲我們生產力的提高，不是以「成」數來計算，而是論「倍」數。從一九九一到九五年，集團平均每人營業額提高兩倍半，但平均每人薪資卻沒有增加（這並非沒有調薪，而是加入許多低薪資的員工，如海外工廠的員工），宏碁電腦新竹廠的產值更提高了六倍。唯有爭取到較大的改善空間，才能從中產生競爭力。

以倍數的改善目標來規畫改造行動的企業，恐怕並不多見，宏碁當初也沒有想到，但是當我們進行改造時，不斷向上調整每年的目標，四年之後便累積這樣的結果。而在新資訊時代裡，速度與效益都必須提高好幾倍，才足以因應新的競爭型態。

因此，我也必須坦率地說，像ＩＢＭ等大型電腦公司，仍常用一貫作業心態去面對勢不可擋的分工整合潮流，雖然結合了最優秀的人才、擁有最豐富的資源，也相當努力於改造工作，我們不能說他們做得不好，但若不能放棄中央集權的統合模式，其結果將會是事倍功半。

從另一個角度來看，當整個世界都往民主與當地化的方向邁進，企業的組織架構也要能順著民心調整，才能對內凝聚組織的向心力，對外爭取社會的認同。一九九五年，宏碁提出「羣龍無首」的理念，也正植基於這個認同。

資訊業快速蛻變

資訊產業之所以走到今天分工整合的局面，相信是許多人所始料未及的。究其原由，首先必須歸因於ＩＢＭ開放個人電腦環境而造成。

事實上，在資訊產業之前，汽車與家電等成熟產業，都已經具有相當程度的產業標準，但因爲資訊業是新興產業，加上以ＩＢＭ爲主的少數企業壟斷市場，因此整個產業形成各企業各擁專屬系統，而其他廠商很難立足其間，分一杯羹的局面。若說ＩＢＭ不開放系統無法造就今日電腦如此普及的情況，並不爲過；但是嚴格說來，開放是大勢所趨，因爲唯有如此，才能帶給消費者最大的利益，並創造最高投資效益，與全球資源的有效運用。

對ＩＢＭ而言，這只是一個簡單的決策，相信做此決策的人也未料到，它會對世界產生如此巨大的影響；更不會料到，它促成台灣跨足電腦業，帶動產業生態完全改觀，也加速產業由一貫作業轉變爲分工整合，形成沛然莫之能禦的趨勢。

過去，因爲全球只有少數幾家資訊大廠，他們所建立的一貫作業體系，投資大、風險高，所

以也要求高利潤；另一方面，當時懂電腦的人相當稀少，理所當然也要求高報酬，於是，電腦產業成爲貴族產業。然而，在ＩＢＭ開放系統，帶動個人電腦風潮之後，貴族產業開始平民化，對這個產業結構有所貢獻的人，可謂比比皆是，零組件廠商、經銷商、售後服務公司遍布全球，幾乎可以說，每一道程序都有許多人在專業上貢獻心力。

在產業生態的蛻變過程中，有兩個新的參與者是資訊產業結構中前所未見的。第一是專業的電腦出版商，例如美商國際數據公司（IDG）、Ziff-Davis，在美國都不到二十年歷史，但卻能靠單一專業，規模超越像麥克羅．希爾（McGraw-Hill）這樣多元化的出版業百年老店。

在媒體帶動的傳播效應下，內行的電腦用戶快速增加。從前，電腦的消費者原已不多，內行的人更如鳳毛麟角，凡事都得靠供應商。但現在比業者還懂電腦的消費者相當多，他們可以自己做教育訓練，設計軟體，於是，電腦用戶也成爲建立結構的一員。當我到第三世界國家，發現當地有許多人對電腦的了解，和身在電腦王國的美國消費者相比，差距其實不大。電腦已經完全擺脫少數廠商專屬的權力範圍。

因此，若是沿用過去電腦的基礎環境來思考產業發展的方向，將會產生格格不入的情形。新參與者的加入，也鞏固了英代爾與微軟今日半壟斷的霸主地位。

台灣的崛起與利基

英代爾與微軟有今天的局面，當然與他們的研發與行銷實力有關，但也是拜環境之賜，亦即是大家抬轎的結果。轎夫的主要成員之一是軟體廠商，成千上萬種的應用軟體，都寄託在英代爾的微處理器與微軟的作業系統之上，已然形成龐大的共生體系。

更重要的抬轎力量來自消費者。事實上，在資訊產業結構當中最大的投資者，既不是IBM、康栢，也不是英代爾、微軟，而是電腦用戶。而使用者付出最大代價的還不是金錢，電腦用戶所投入學習的精神與時間，才堪稱全世界最大的投資。為什麼結合IBM、蘋果電腦與摩托羅拉三巨頭所開發的威力電腦（Power PC），無法取代英代爾的霸主地位？因為他們的投資，無論如何不能與消費者的巨額投資相提並論，再加上人的慣性與惰性，更形成極難撼動的結構。

反觀台灣的電腦業，卻不是靠乘轎起家的。台灣廠商的崛起，是在舊電腦盟主不願放下老大身段與既得利益，而眾多的半導體、軟體、專業電腦行銷廠商都需要服務的情形下，結合台灣中小企業為主的零組件廠商，快速卡位。當英代爾在推出四八六與Pentium微處理器的時候，如果IBM與康栢願意積極配合，台灣電腦業也得不到如此快速發展的契機。

由於軟硬體都具備相當程度的標準化，整合並非難事，電腦業因此走進分工整合的新資訊時代。而它所產生的效益之一，是在分工的架構下，風險因分攤而大幅降低；其二，在各有所長的

分工之下，每個成員都在自己專精的領域不斷有效地突破，經營效益也因此而提高。

而新資訊時代的到來，一方面使電腦產業不斷產生利基市場的創業機會，但另一方面又產生極爲嚴酷的競爭，參與者如果沒有兩把刷子，躋身該領域的領導廠商，便會被淘汰。這就是所謂「要就大，不然就退（Go big or go home）」。

個人電腦潛力無窮

而所謂的「領導廠商」，又因軟硬體而有所不同，硬體業者在全球還可以同時存在十家左右，但軟體在每個領域大約只能容納兩到三家，因爲軟體要達到經濟規模，只要複製磁片即可，成本相當低廉。而不管是軟體或硬體廠商，如果不能在技術與規模都達到領導地位，抱持一窩蜂混口飯吃的心情進入市場，空間將愈來愈狹窄，甚至只落得白費力氣與空歡喜。

若要爲第一回合的個人電腦發展史算總帳，在個人電腦誕生前就已成名的老資訊公司，絕大多數是這個階段的輸家，AT&T、IBM、迪吉多、布爾（BULL）、奧利維堤（Olivetti）、西門子（Simens）等重量級廠商，總計虧損超過百億美金（相當於宏碁二十年來的總營業額）；能夠在當中獲取勝利戰果的，全部都是新公司，例如康栢、戴爾（DELL）、Gate-way 2000或是宏碁，當然也並非所有新公司都是贏家。但是，雖然新公司的總體獲利是正數，但若把新舊廠商的獲利加總計算，經營個人電腦事業仍是個虧損的行業。雖然如此，個人

電腦的普及，造福了龐大的零組件供應商，除了英代爾、微軟之外，日、韓的動態隨機存取記憶體產業，台灣的監視器廠商，都因此而獲得了高額的利潤。

如果放眼二十一世紀，個人電腦將引領世界進入資訊時代的前景來看，這些挫敗不過是漫長歷史中的一個小轉折點，在可預見的未來，個人電腦潛力無窮。

這場電腦產業革命改造了所有業者的前途，對其他非資訊業的人而言，意義同樣重大，因爲產業變革並不單會發生在電腦業，也許它也正無聲無息地在你工作崗位的周遭進行著。

新時代，新思維

正向思考：企業的長期策略是祕密武器，不能讓外人得知。
反向思考：企業長期策略應該儘早公開。
思考邏輯：長期策略需要長期努力，愈早、愈公開，愈有助於力量的凝聚，與目標的達成。

對台灣企業而言，在分工整合的趨勢下，在國際舞台的空間將愈來愈廣闊，所扮演的角色，也愈來愈重要。因爲毫無疑問地，台灣最強的競爭力所在，就是中小企業所組成的分工整合網路。在統合模式當道的歲月裡，中小企業林立，曾經是台灣經濟發展的弊病，而今卻是國際企管

與經濟專家眼中的大趨勢。《天下雜誌》把這樣的網路稱爲「變形蟲組織」。

「變形蟲組織」的彈性和效率，的確爲台灣創造優勢，然而這個網路發展到今天，也到了該往上提升水準的階段，台灣企業應該朝「質」的方向改進。而所謂的「質」又可分爲兩部分，一是素質，一是有序。也就是說，除了產業要升級之外，更要了解自己的能力與定位，使資源做有效的運用。

回首台灣過去的經濟發展，活力與生命力是絕對可以肯定的，但是也因爲一窩蜂投入非專業領域，造成許多投資的浪費。如果企業的素質能夠提升，便能夠找到本身的核心競爭力，並將資源誤用的損耗與投資風險降到最低。

另一方面，中小企業網路更要充分利用台灣已有的優勢條件，成爲進入國際分工整合網路的一環，而不只是在台灣分工整合。

因此我認爲，台灣的變形蟲組織應該蛻變爲「國際化、有系統的變形蟲組織」，也就是說，從過去紛亂中自然成形的組織，整理出一個更有系統、更有共識的體系，才不至於在紛亂的競爭中彼此力量抵銷。

從另一個角度來看，雖然台灣的製造能力已有相當基礎，但是對市場的掌握程度，以及新科技的應用能力還是相當薄弱的，我們既然沒有能力征服世界，那麼就沒有必要強出頭，與人爲敵，最好的策略就是和大家做朋友，成爲國際分工整合的一部分。

事實上，台灣的資源少，選擇也不多，原本就沒有三心二意的本錢，今天又適逢分工整合的潮流，當然要死心塌地和全球的朋友一起成長。

如果台灣廠商和大家做朋友，任何一個國際性企業要找尋策略聯盟的夥伴，都不會忽略台灣，甚至，當任何跨國企業感受到其他同業的威脅，也都會找台灣合縱連橫，台灣的地位將會變成「關鍵的少數」。如此，台灣廠商就能在國際分工網路之下，與全世界的朋友共榮共存。

新鮮科技帶回家

爲了迎接新資訊時代的來臨，宏碁將公司特質與長期經營優勢，與市場需求相結合，提出「第三次創業」的策略與使命，就是「提供新鮮科技，讓每個人、每個角落都能享用（Fresh technologies enjoied by everyone everywhere）」。這個策略的目標，是使Acer成爲全球家喻戶曉的品牌，這也是宏碁的一個龍夢，以及國人的共同願望。

在此之前，宏碁當然已經有過第一次與第二次創業的使命，一九七六年的第一度創業，目標是推廣微處理器的應用；一九八六年，第二度創業則是建立國際化與自有品牌的實力。如今檢視起來，應該都還算幸不辱命。

而在第三度創業的目標當中，包含著幾個重要的概念：「新鮮」、「享用」，以及「每個人」、「每個角落」。

宏碁之所以談新鮮科技，而非新科技，因爲絕大多數突破性的新科技，往往因爲客觀環境（例如技術層次、規模、對大眾的說服力）的因素，失敗率很高。因此我們對新科技沒有絕對把握，也不願意做太多投資，寧可在技術確定成熟之後，快速跟進（這也是我的「老二主義」），再將技術不斷翻新，讓技術保持新鮮。

就如同食物，好吃的麵包，是剛出爐的、熱騰騰的麵包；好吃的魚，是新鮮的魚。但新式樣的麵包與新品種的魚，卻可能不好吃、不能吃。對於新產品，從宏碁目前的能力來看，我們自覺無法在新技術上永遠保持領先；另一方面，企業不能爲發明而發明，必須考慮到消費者的權益。新技術可能太昂貴，可能不成熟，並不是大多數人都能享受到，而成熟但新鮮的科技產品，卻相對低廉、品質穩定，正如同人人都需要新鮮的空氣與食物，但他們卻並不昂貴。

所以，「新鮮」比「新」好。這個長期策略，不但是對消費者的訴求，也在提醒同仁：宏碁所生產的，是消費者最需要、最實用的產品。

事實上，早在宏碁發展「速食店模式」時，我就常以「新鮮」來解釋速度的重要性，與產品的價值。當時我們在台灣生產新鮮的電腦，運到歐洲已經過時。我們都知道，速食店最大的特色是現時供應現做的食物，甚至規定擱置一段時間沒有賣掉的食物，就必須丟棄。因此，當宏碁發展出速食店模式，建立策略事業單位如同「中央廚房」的專業生產與規模經濟，擁有全球各地三十餘座組裝廠時，我們當然敢和別人比新鮮。

把「新鮮」的概念和「享受」結合，表示產品不但實用、便宜，而且人人都會使用。發明的使命是讓每個人都享受到，因此，身爲發明家與工程師，必須盡力做到好用又便宜的產品；而企業的責任，則是不斷改進效率、降低成本，將節省下來的成本回饋消費者，做到物美價廉。而企業也非全然的犧牲自我，因爲透過這種方式，企業也得到提升競爭力的好處。

「每個人」與「每個角落」的意義，是宏碁希望將新鮮技術應用到全球各角落，享用的人愈多，對世界貢獻也愈大。另一方面，我們也要清楚地向非先進國家訴求：當年我們曾經深受美國、日本企業不移轉先進技術，而且將次等產品銷售給我們的氣，因此，我們要告訴開發中國家的社會大眾宏碁是大家的朋友，不會把大家當成次等公民；更進一步地，我們以結合盟友的行動，向大廠商宣示，傾銷是無法奏效的。

不斷創業論

從「新鮮的技術」出發，宏碁又發展出一個概念——新鮮的價格（fresh pricing）。大電腦廠商的行銷策略，總是隔一段較長時間之後大幅調降，但是，宏碁的策略是縮短調降期間、持續小幅調降，也就是隨時反映成本，降價回饋給消費者（見圖二）。從圖二來看，A部分的消費者是冤大頭，因爲他們付出相對昂貴的價格。然而，對宏碁相當不公平的情形是，媒體的報導總是關注大廠商偶一爲之的大幅調降，將焦點錯放在我們是否有競爭力來因應大公司的出

圖二　宏碁的新鮮價格策略

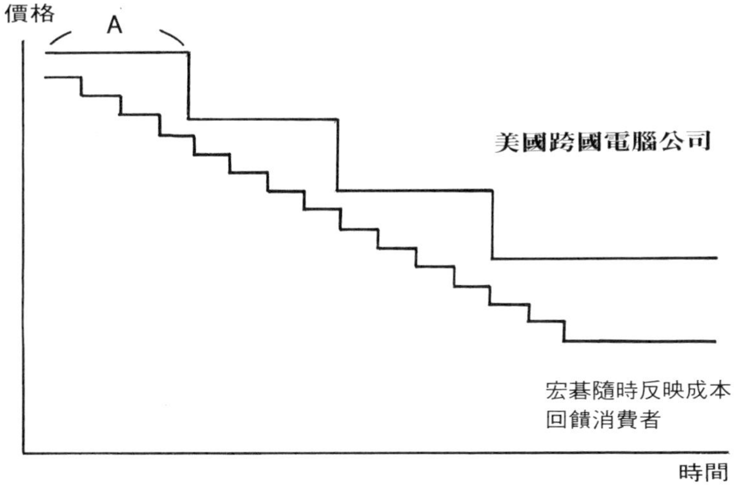

擊。事實上，主動出招的是我們，大公司的動作是落後的、是被迫出手防禦的。

第三次創業的概念，不只針對消費者的訴求，更希望形成同仁的共識。因爲要達到這些使命，鞏固這樣的風評與形象，需要花費五到十年的時間，因此，我們必須及早訂定目標，結合許多人的力量，不斷努力。這也是何以宏碁從來不把策略當成「祕密武器」，而總是抱持儘快公開態度的，因爲我們的目標不是一朝一夕可以達成。當外界正評頭論足時，宏碁已經開始行動；當目標達成，成果出現時，別人再想急起直追就已經來不及。

對已有二十年歷史的宏碁而言，我們不斷提出「創業」的概念，無非是希望公司永遠保持創業精神與危機意識，也藉此希望釐清公司更高遠的階段性目標。同時，也趁此提醒同仁，我們距

離全世界第一流的公司，還有一大段路要努力，還沒有資格享受、懈怠。

當然，有朝一日，當宏碁真的成爲第一流的大公司時，我們還會想出新的創業目標。而我也衷心希望，屆時提出新目標的人已經不是我了。

第 十 章

宏碁的三大策略

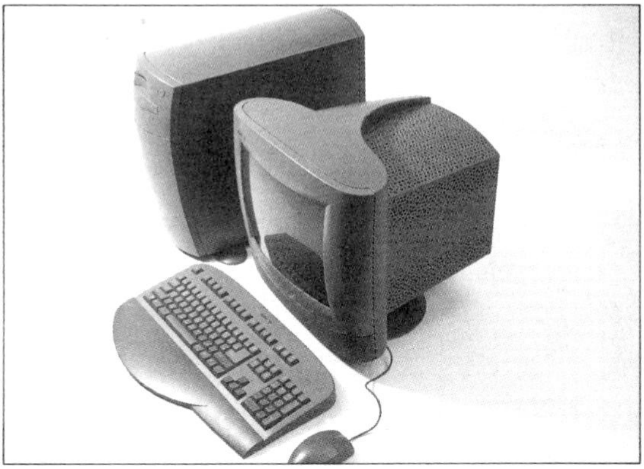

外型大膽突破的「渴望」家用電腦，是宏碁「主從架構」運作下的代表性產品。它的開發過程，比其他企業的電腦產品節省了一半以上的時間。

我們可以用不同的角度來看宏碁的三大策略——用以改造流程的「速食店模式」、用以改造組織的「主從架構」與在新的經營學下產生的「全球品牌，結合地緣」。

可以說它們前瞻，因爲速食店模式吻合了產業國際分工整合的趨勢；也可以說它們不前瞻，因爲最初是爲了因應迫在眉睫的危機。

可以說它們創新，因爲宏碁是首先將電腦主從架構導入跨國管理的企業；也可以說它們不創新，因爲宏碁一直就是分散式授權管理。

可以說它們前衛，因爲還沒有國際化企業以「全球事業、當地股權過半及當地股票上市」爲訴求；也可以說它們不前衛，因爲宏碁創業之初就已有類似的作法。

但它們確是宏碁治療痼疾、逐步調養的藥方。爲了挽救速度與成本的競爭力，我們將組裝電腦工作移往海外市場；爲了解決海外組裝基地的管理能力問題，必須借重當地人才，我們讓當地夥伴入股；爲了讓分散各地的據點有秩序地運作，我們建立一套整合組織的架構。

所以，它們也是宏碁創造未來的開墾利器。

因爲股票上市爲我們凝聚人才與錢財，以及「共同擁有」的向心力；主從架構的授權體系讓各事業獨立茁壯；而師法速食店經營，更提供了無限可能的未來發展。

順勢而爲，環環相扣，就是宏碁發展策略的特色。

速食店模式

正向思考：名牌貨，當然定價高。
反向思考：名牌貨不僅物美，更應該比非名牌貨價廉。
思考邏輯：品牌讓消費者辨識容易，並產生信任感，幫助企業創造規模、降低成本，既然成本較低，應該降價回饋消費者。

談「速食店模式」，得先簡單回顧個人電腦由統合模式走上分工整合的歷史。

一九八一年，ＩＢＭ首先推出個人電腦，翌年，康栢跟進，開啓ＩＢＭ相容電腦新紀元；一九八三年宏碁推出台灣第一部個人電腦，一九八四年台灣其他業者隨即進入。一九八六年之前，整個個人電腦產業都只有系統公司。

一九八六年之後，專業生產主機板的廠商開始出現。其中，由簡明仁先生創辦原來以代理系統業務爲主的大眾電腦，和曾任職宏碁的陳漢清成立的精英電腦，是最具代表性的廠商。

主機板廠商崛起的背景，是因爲全世界生產ＩＢＭ相容電腦的廠商愈來愈多，就如同台灣到處林立的無品牌電腦廠商（習稱「others」，或是雜牌電腦、白牌電腦）一般。這些廠商進口主機板組裝成系統，在當地市場販賣。最初我們並不以爲意，但到了一九九一年左右，這類無品牌

電腦在各國市場的占有率，已經攀升至六到七成，而這些電腦的主機板，都是由台灣大大小小上百家主機板廠商所提供。

當時台灣主機板廠商的發展狀況，幾乎可以用「打爛仗」三個字來形容。除了少數幾家之外，產品品質、穩定度都不好，但卻是氣勢如虹。漸漸地，宏碁也發現仗愈來愈難打，特別是代工訂單正逐漸萎縮，因爲當電腦運抵海外市場，產品早已過時，造成客戶的競爭力開始衰退，而宏碁也面臨利潤趨薄，占有率原地踏步的問題。

宏碁原本也生產主機板，但只是提供內部生產系統所需，並沒有對外銷售，成本並不具備市場競爭力。此時，原任職宏碁研發部門的童子賢等人離職，創立華碩電腦，以生產主機板爲主，此時，宏碁進入主機板市場的行動也已如箭在弦上、不得不發。

經過一年的溝通形成共識（參閱第六章），一九九二年，我們決定開始將主機板單獨對外拓銷。

從那個時候起，台灣成爲宏碁的「中央廚房」，負責生產主機板、外殼裝置、監視器等組件，而各地區事業單位變成組裝新鮮電腦的「速食店」，獨樹一格的「速食店模式」於焉成形。

組裝外移，快速裝配

推行「速食店模式」，看來順理成章，但卻非一蹴可幾，例如，要如何讓原本只負責行銷電

腦的海外事業，勝任產品組裝的工作？又要如何因應品項複雜的零組件採購與庫存管理？以往這些工作都是總部統籌負責，海外事業單位並沒有這些經驗。

有幾件事促成「速食店模式」的問世。

一九九〇年，我們爲了打入美國新興的量販店行銷管道，就啓用另一個品牌「ACROS」來作爲市場區隔。然而，當我們在美國註册這個商標之後，卻因爲已有類似的商標先行在台灣註册，使我們無法在台灣生產ACROS品牌的電腦。情勢所逼，我們不得不採取在台灣生產半成品，再運到美國去裝外殼、貼標籤的策略。

這是宏碁最早「當地組裝（uniload）」的雛型，但也因爲ACROS還只是最初階、最簡單的「當地組裝」，所以並沒有替宏碁帶來降低成本與提升速度的功效。

但由於有了這個起步，我們便根據各種組件的特質，分成幾個類別：第一部分是機種變化性不大的組件，如外裝、電源供應器與軟式磁碟機；第二是集團自己供應、市場變化快速的主機板；第三類是市場變化快速、必須向外採購的產品，如微處理器、硬式磁碟機。分門別類之後，便建立不同的供料與庫存管理（即所謂的運籌能力，類似軍隊後勤補給工作）。

第一類組件，因爲變化性不大，各地區事業單位可以預先大量訂購，風險很低，以海運補給即可。其次，爲了爭取產品新鮮度，主機板採用空運補給，缺什麼機種立刻補什麼貨，降低庫存折舊的風險。第三，同樣是速度的考量，硬式磁碟機與微處理器由海外事業單位在當地就近採

購。運用這套「模組化（modules）製造」的管理，我們便隨時可依市場需要，快速裝配出不同的產品，並隨著組件的最新價格，即時反映降價。

另外，我們在一九九一年發展出兩個重要的技術，也醞釀了速食店模式的催生條件。一個是「矽奧技術」，一個是無螺絲外裝（screwless housing）。

有了矽奧技術，我們可以設計出萬用主機板，適用各種微處理器（就如同漢堡內容各有不同，但漢堡麵包卻大小一致）；有了無螺絲外裝，將所有組件組合成一部電腦只需要三十秒鐘。這兩個技術的問世，讓裝配工作變得簡單，即使裝配基地遠在海外，品質也比較能夠保持穩定。

這些工作說來並不複雜，但海外事業單位在最初實施速食店模式時，也無法適應新的運籌管理方式。例如，以前如果客戶下了一千部電腦的訂單，行銷單位只要直接向總部進一千部完整電腦即可；但在組件分別採購之後，購買外裝要提前三個月，主機板是一個月，微處理器兩個星期，還有硬碟機、包裝……，全都要分別處理，整個體系運作變得複雜許多。

後來，我們派一個小組到海外協助建立制度，海外事業單位在度過適應與學習期後，速度與成本的優勢漸漸顯現，運作也開始上軌道。

截長補短，師法餐飲業

在「當地組裝模式」揮軍前進之初，一九九二年，我在宏碁全球經銷商會議（於墨西哥舉

行）當中，首次借用速食店的概念，來說明宏碁的新策略。

當時，我用餐飲業來形容電腦市場，中國餐廳遍布全球，多數的客戶也覺得中國菜經濟實惠，但是缺乏企業化經營，品質良莠不齊，因此，缺乏高水準的形象。就如同採用台灣主機板的相容電腦廠商，也是全世界到處林立，但是廠商品質參差，沒有品牌形象可言。而麥當勞以簡單的菜單、企業化經營、統一的品牌，成爲全球連鎖速食店，因此，我們要取全球各地相容電腦廠商之長，並以麥當勞的運作模式以避免其缺點。

速食店模式開始運作之後，我們庫存周轉速度加快一倍，不但降低經營風險，而且爲新產品上市創造有利條件。以前輸出整部電腦必須用海運，現在只需要將主機板空運到市場即可，新產品上市時間整整提前一個月；而在新產品上市之前，必定要先出清庫存舊產品，庫存一降低，出清存貨的時間也隨之縮短，推出新產品就更具時效優勢。

更重要的是，在模式改變之後，宏碁的產品更加消費者導向。以前在台灣組裝系統時，由於老是抓不準市場趨勢，使得暢銷的產品永遠缺貨，不暢銷的東西又堆得滿倉庫。現在，我們在全球二十八個國家，設置三十四個裝配基地，隨時視客戶的需要，彈性裝配交貨，如此就可因應市場變化。

今天，速食店模式對宏碁的意義，已經不僅止於解決速度與成本的問題，更重要的是，它可能爲未來的宏碁，帶來廣闊的發展空間。

「中央廚房」區域化

就如同今天的速食店，仍不斷在全球各地開張新店，甚至發展出加盟、直營、合夥等不同的連鎖方式，電腦的速食店模式也具有這樣的可能性，發展出原來想不到的機會，不斷提升競爭力與消費者權益，而且機會是源源不絕的。

舉一個簡單的例子。速食店的特色是新鮮方便，品質一致，許多人都有打電話向披薩店訂購各種口味披薩的經驗，只要是同一家公司的產品，由不同分店送來的披薩，不會出現太大的品質落差。也許將來有一天，宏碁的速食店模式可以發展到這樣的地步：客戶只要透過電腦網路，向鄰近的宏碁資訊廣場訂製所需要規格的電腦，我們就可以馬上裝配交給客戶。

這是電腦速食店模式發揮到極致的作法，這絕對不是異想天開，汽車業不也正計畫發展類似的體系？

宏碁是否會這麼做，端視環境的變化，例如，市場是否已經競爭如此激烈？消費者能否接受這種觀念？公司內部是不是擁有這樣的管理能力？但宏碁從跨出速食店模式的第一步之後，已爲邁向這樣永無止境的進步空間奠定基礎。

從近期目標來看，我們即將著手的是，進一步將「中央廚房」區域化。現在宏碁的中央廚房還集中在亞洲，例如宏碁電腦在台灣與菲律賓蘇比克灣設廠，而明碁在台灣、馬來西亞、蘇州投

資。未來，當市場規模愈來愈大，勢必要讓中央廚房也向市場推移，目前，我們計畫在美洲與歐洲成立中央廚房，便於就近支援。往後，台灣所扮演的角色，將是發展新組件、調配新菜單，同時支援尚未達到規模的地區。

當一個科技產品變成大量消費商品時，由於消費者經常使用，必然更懂得精打細算，屆時，產業就會逐漸朝向低利潤、籌運能力與效率導向發展。兩年前，宏碁率先將這些觀念導入事業單位的任務目標。賦與地區事業單位的任務，「Most effective global marketing and distribution network for branded systems and components（最有效的品牌產品全球配銷）」，就是在強調行銷與籌運能力的效率。

而策略性事業單位的任務，則是「Leading global component supplier to OEMs and RBUs」（領先世界的組件供應商）」，這也就是充分發揮中央廚房的功能——規模及製造力。

速食店業者之所以能夠行遍天下，不也正是憑藉這些優勢？

既能分散又不失控

在宏碁推行速食店模式之後三年，有了成績爲證，才逐漸在外界發酵，國內外的媒體更把此當作前衛的思想。

過去，迪吉多曾經有一位華人主管想在該公司推行速食店模式未成，現在，神通、大眾、精

英已經在美國歐洲等地設有裝配基地，但並不像宏碁如此分散。他們的模式應該稱爲「連鎖餐廳（chain restaurant）模式」——據點較少，但單點規模較大。

一個生產基地要供應幾個不同語言國家的市場，其彈性、市場深度及結合當地資源的程度，還是和速食店模式有所差異。但是，要做到進一步的分散並非易事，因爲海外據點和總部距離遙遠，不論產品組裝或是籌運能力，都需要足夠的人才管理，才不至於讓產品與管理失控，於是，根本問題出現了：人才哪裡來？光靠台灣的人力資源夠不夠？

事實上，當宏碁計畫將組裝移往海外，也同樣面臨這些問題，如果按照正向思考，想到這點就會覺得行不通。如果反過來想，既然從速度和成本考量，「當地組裝」都比較具有優勢，那麼，關鍵是要想辦法解決問題，而非因噎廢食。

宏碁之所以能夠解決這個問題，歸根究柢，還是因爲「利益共同體」的策略，因爲「結合地緣」，才能就地取「才」，以達到既分散，又保持品質的目標。麥當勞初到台灣時，也是因爲找到本地的合作夥伴，才能迅速打開市場。

這套策略最初是爲了突破瓶頸而產生的。如果當初我們也在原來的思路上卡死了，就不會有速食店模式的誕生了。

名牌並不等於昂貴

從速食店模式的思路再深入發展，這個概念不僅適用於管理，它還隱含著更高層次的經營哲學。

在發展出速食店模式的同時，我曾另外提出一些相關的創新概念，有部分概念甚至還和同仁經過多次辯論，才讓大家接受。例如，我認爲，總有一天系統要賣得比零組件便宜，其中，組裝和品牌都算是一個零件。乍聽之下，許多同仁都大惑不解。

想想看，系統裡面有多少零件？硬式磁碟機、微處理器、電源供應器、外殼……，客戶一次買這麼多種零件，當然要以比零件總價便宜的價格賣給他，這就好比餐廳的套餐總是比單點便宜；既然買這麼多，那我們可以附贈裝配優惠客戶。

但是，電腦業現在的狀況，卻是套餐比單點貴。套餐就是像ＩＢＭ、康栢、宏碁的產品，單點就像電子商場賣的無品牌電腦，客戶指定要什麼零組件，店家便爲其拼裝。而無品牌電腦所以比正牌電腦便宜，是因爲沒有售後服務及品質保障。根據我的思考邏輯，正牌電腦不但品質，服務要比較好，而且價格還要更便宜才對，因爲正牌的產品量大、成本低，簡言之，就是量販店的概念。

舉例而言，假設我的公司比別人大十倍，同樣去參加電腦展，我只要租五個攤位就足夠蓋過

只租一個攤位的小公司的展示效果，把大多數的訂單都搶過來了。分攤下來，大公司的行銷成本應該比較低，那就沒有道理賣得比別人貴。

但要達到這個境界，要有兩個先決條件：第一，消費者要識貨，要了解自己買了缺東缺西的雜牌產品，合計起來是比較貴的；其次，大公司不能有老大心態，覺得自己是大公司，就可以把不合理的管銷費用加在價格當中；如此，才會提供又好又便宜的東西。這麼一來，公司賺得比別人多，消費者花錢也花得值得。

既然品牌也是零件之一，而系統價格不能超過零件的總價，這也就是說，名牌電腦必須賣得比無品牌電腦便宜。我常常告訴同仁，品牌的功能不是代表企業可以附加額外價格，品牌的功能是讓生意好做，幫助企業降低成本，因爲消費者辨識容易，可以提高企業的規模與對產品的信任感。消費者買有品牌的東西，是在買信用，在電腦這個行業裡，品質就是品質，性能就是性能，不能因爲有品牌就要客戶多付錢，消費者又不是寃大頭。

但至今，仍有很多人不了解宏碁享受低利潤生意模式的邏輯。有一回，在一場演講當中，一位聽眾就問我：「低利潤如何能享受？這不是企業經營目標。」我再度舉出賣鴨蛋和賣文具的道理，解釋只要產品與資金周轉快，低毛利、低費用、高周轉的結果，可以獲得高投資報酬率，宏碁賺的錢並不比人家少，當然是享受，而不是忍痛犧牲。

現在，宏碁正不斷努力往這個方向努力，這不但對宏碁有利，對消費者也是一種福祉，也唯

有如此，才能確保宏碁生生不息地發展。

那才真叫「和氣生財」。

主從架構

正向思考：在集團內部，自家人當然要彼此照顧生意，共榮共存。

反向思考：自家人不必一定彼此照顧生意，更能共榮共存。

思考邏輯：讓各個企業選擇交易條件最好的供應商與客戶，才能具備對外競爭力。

一九九五年九月問世的「渴望（Aspire）」多媒體家用電腦，是宏碁產品發展史中極爲重要的里程碑。它的意義不單是一年兩百萬部，高達上千億新台幣的業績潛力，更是宏碁「主從架構」一次代表性的典範。

當美國宏碁開始研發這項產品的時候，我並不很清楚這個計畫。三個月之後，我在美國看到青蛙設計公司（Frog Design）所設計的造型，我才真正意識到，這個墨綠色、流線型的電腦，將是一個電腦業突破性的創舉。

短短九個月，「渴望」就推出上市了，也粉碎了美國大電腦公司在一九九四年聖誕節誇下的海口：「明年聖誕節要將宏碁趕出美國市場（聖誕節是美國電腦市場的旺季）。」

這項由美國宏碁主導的計畫，是集團成員通力合作的結果。從產品概念、軟體界面、裝機程序到行銷企畫皆由美國宏碁負責；機械與電子設計則由明碁與宏碁電腦支援；電視廣告是新加坡和紐西蘭聯合製作；代表產品形象的卡通人物「無得比小子（OOBE Boy）」在南非設計。這些合作事宜並未曾透過總部，而是由各事業直接溝通、配合。

我相信，如果「渴望」的開發，是透過傳統組織的溝通方式，在總部與諸多事業體之間呈報、爭論、修改、核准，按照電腦業研發全新產品的先例來推估，起碼需要一年半到兩年的時間，而且這項產品的大膽創意，極可能已經消磨殆盡。

主從架構蔚為風行

一九九二年，當「全球品牌，結合地緣」成爲宏碁國際化策略之後，每個公司都成爲當地獨立運作的個體，爲了有效管理這個不同於傳統、鬆散式組合的集團，就必須有個別於傳統的管理架構。由於宏碁一直都採取分散式管理，因此集權式架構完全不適合宏碁。

進入一九九〇年代之後，電腦的發展趨勢已由大型主機（mainframe）、迷你電腦（minicomputer），轉變爲個人電腦，主從架構開始蔚爲風行，而這個架構的基本原則，與宏碁精神有相當多吻合之處，因此，一九九三年，我便借用這個新興的電腦架構，運用於宏碁特有的管理模型之上。

所謂「主從架構」，就是將散置於每個人辦公桌上的個人電腦，與不同功能的伺服機（server），連接成一個完整的網路，每一部個人電腦都是獨立運作的「主（client）」，網路上隨時提供最佳資源給各工作站的伺服機的「從（server）」，密切而彈性地結合在一起。

從發展背景來看，人類組織的演進與電腦正好不謀而合。

早期，電腦有運算能力的只有主機，終端機（terminal）只是暫時輸出入資料的地方，本身並沒有處理能力。同樣地，在五十年以前，懂得經營管理的人，只是極少數的有錢人，他們雇用很多夥計，這些人也只是聽命行事的角色。

這種大型主機的架構，最典型的例子就是軍隊。軍隊的權力中心完全集中在最上層的少數人手中，其他人的職責是服從上意。這種架構對於執行簡單的目標，非常有效，因爲它透過嚴謹的組織控制，達到「一個命令、一個動作」的效果。

後來，當個人電腦功能愈來愈強、價格愈來愈便宜時，個人電腦可以勝任的工作層次也愈來愈高。假若全部仰賴主機，不但價格昂貴，大型主機也愈來愈無法應付日益繁複的工作，必須相當程度倚重個人電腦。但是，個人電腦散置各處，要如何分工、管理？於是，主從架構就應運而生。

主從架構就是要充分發揮個人電腦的好處，又要因應複雜的工作，所形成新的電腦架構。它的成本低、效率高、彈性大。但因爲必須重新安排工作，所以使用者必須花費若干時間熟練操作

系統，才能產生最大的效益。

組織亦復如此。一方面，由於人類活動日益複雜，再有能力日理萬機的領導人，也無法像過去一般獨自應付。另一方面，由於教育水準日益提升及各種知識傳播體系的薰陶，有能力擔當管理工作的人才比比皆是，就像個人電腦到處普及一般。如果不授權人才盡量發揮，簡直是浪費資源。

既是「主」又是「從」

更重要的是，對企業而言，面對市場快速變化與激烈競爭，如果任何決策都要從事業單位反映到總部，再從總部下指令到事業單位去執行，在命令層層傳達之間，商機瞬間即逝。因此，類似大主機架構的階級組織（hierarchy），在講求速度與彈性的競賽當中，勢必要居於劣勢。

企業要實施主從架構必須有以下幾個客觀環境：

第一，產業要具備相當的規模，使其分散經營之後還能獨立運作、獲利，如果產業規模不夠大，分割之後就無法生存。第二，任務必須具備相當的複雜度，因爲簡單的工作由一部個人電腦就可以解決，無須「從」的協助。第三，執行任務者不單只聽命行事，並且能夠獨立作主。因此，一個主從架構下的成員，最基本的原則是——自己能做的，自己完成；自己不能做的，找夥伴幫忙，而且隨時準備支援夥伴。

從先進國家跨國經營模式來看，日本企業是層級分明的大型主機架構，美國公司則是迷你電腦的架構。

迷你電腦介於大型主機和主從架構之間，等於是做了一半的網路化架構。例如ＩＢＭ，紐約總部等於是大主機，但在亞洲設置一個迷你電腦，也就是位於東京的地區總部，由其統籌管理亞洲地區各分公司。迷你電腦架構比大型主機有了更進一步的授權，但並未完全授權。例如，東京總部或紐約總部不同意台灣分公司的決策，那麼決策便會被推翻。

歐洲企業是「多區域性經營（multi－local）」的架構，是個人電腦和工作站不連線的作法。例如，過去飛利浦在許多國家都設有工廠，就地供應各地區市場，這個架構的缺點是比較不能達到經濟規模。這也是飛利浦最近開始關閉若干工廠，改採集中生產的策略。

宏碁的作法與上述三種模式都不相同。宏碁在全球的事業單位都是與當地企業合夥，決策中心是各事業單位的股東大會，總部只能透過股東大會影響決策。在這個管理架構中，各事業單位既是獨立決策運作的「主」，又是互相支援，作爲其他事業的「從」。例如，明碁電腦獨力發展與製造監視器，是「主」的角色，其產品供應全球地區性事業，是最專業、最有效率的「從」，同時也具備了規模經濟。

先進國家的跨國企業之所以無法實行主從架構，是因爲他們只能做到有限度的授權。無法徹底授權的原因，部分是源自企業領導人希望全權控制的權力慾望；部分則因對於各單位是否勝任

的信心不足。而信心不足的原因又來自兩方面，其一是能力問題；其次，是擔心授權後各單位無法配合總公司的發展，導致組織混亂。

因此，企業實行主從架構必須具備的主觀條件之一，就是設計這個運作體系的人，也就是企業領導人，要能放心並樂意大權旁落。幾年前，ＩＢＭ曾一度計畫採行分散式管理，後來又重新走回集中式管理，就是因爲領導人對大權旁落無法釋然。

然而，眾所周知，民主化與人性化已然在全球蔚爲風潮，從各地爭取地方自治及強調「在地」的發展趨勢，就可證明。然而，儘管大家都明白授權基層做決策的必要性，但問題在於如何授權才能降低風險。

事實上，從風險管理的角度來看，正因爲集權式的架構將資源放在總部，因此總部也擔負了全部的風險。主從架構是讓各單位自己做決策，自己擔負決策風險，也就是說，讓負擔風險的單位來做決策，反而能夠分散並降低總部的風險。

而爲了降低各單位的決策風險，實施主從架構的主觀條件之二，就是各事業須有足夠的決策與執行能力，而且成員彼此間能有大方向的規範，爲共同的利益而合作。

而宏碁之所以能夠採行主從架構，是因爲我們原就有分散式授權管理的基礎，而且同仁都是股權所有人，具有共同利益的內部凝聚力，再加上各單位的主管都任職公司多年，彼此有足夠的默契。

釐清運作規則

但這也不表示宏碁採行主從架構之後，完全不需要調適。事實上，當電腦主從架構問世之初，它的運作也並不像今天這樣成熟，況且宏碁又是世界首先援用這個嶄新電腦架構來作爲組織管理的企業，剛開始當然有許多環節必須釐清。於是，我們利用每半年一次的高峯會議來定義與釐清這些環節，經過幾年的討論，已能有效運作。

我常想，如果我們的夥伴不是如此有默契，對我領導的方向也具有信心，不知道宏碁的主從架構會往什麼方向發展。

因此，我並不認爲每一個公司都適合立即變成主從架構，因爲這還必須有環境的配合。比較合適採取主從架構的企業，是沒有舊組織包袱的新企業及老公司的新部門，後者可以先獨立門戶進行試驗，再按部就班地推展至整個公司，因爲對於採行大型主機管理架構多年的企業而言，要從大主機架構驟然改成主從架構，會產生管理混亂，無法運作的情形。

原因何在？

第一，主從架構的先決條件之一，就是執行任務的「主」是有智慧的，並不是只有「主頭（client head，即事業單位主管）」具有智慧，而是所有成員都能夠勝任。

第二，就如同電腦網路必須依照操作系統做事一樣，企業的整個組織也必須根據規畫，遵守

既定的準則來溝通或交易。如果不能遵守這些規矩，網路就會亂掉。

所以，這個網路上的成員，必須同時具備兩個基本特質：勝任與紀律。

親兄弟，明算帳

任何組織都有規矩，但主從架構的規矩和大型主機並不相同，所以必須重新學習。當企業要嘗試主從架構時，必須開始學習授權與尊重，同時還要適當地調整溝通方式與責任歸屬，而這些工作都不可能速成。試想，任何組織要開始實施電腦網路化的時候，也需要一段時間學習，何況是有機體的企業？

另一方面，電腦畢竟是機器，當程式設計安裝完成之後，便會按照指令正常運作；但是對於人類，不管訂下多少規矩，還未必會按照規矩行事。所以，企業進行主從架構的時候，所訂的規矩必須如同一個國家的憲法一樣，簡單明確，但是絕不能輕易變動。如果規定過於繁複，多如牛毛，必然要經常重新釐清規範，假設一個國家需經常釋憲，焉有不天下大亂之理？

以宏碁爲例，我們只針對價格與品牌的大原則來訂定規矩，例如策略事業單位銷貨給地區事業單位，價格不能高於市場公開價格，如果是自有品牌產品，必定要透過地區事業單位行銷；地區事業單位必須提出營收的二—五%，投入自有品牌產品的廣告費用，策略性事業單位也必須提撥產值的千分之五，作爲品牌推廣發展基金。

我們只給各事業單位幾點小約束，而讓他們擁有相當大的經營自由度。

例如，地區事業單位可以不向策略事業單位訂貨，而自由選擇最理想的供應商，如果策略事業單位因此而關門，那也無所謂，這表示它本來就沒有競爭力。

同樣的，策略性事業單位以服務代工客戶的同等待遇，與地區事業單位往來，如果自有品牌產品在市場打不過代工客戶，表示該地區事業單位能力太差。

以美國宏碁開發渴望家用電腦爲例，如果集團內各事業單位認爲這項產品沒有競爭力，不願意販賣，那是美國宏碁技不如人；如果認爲它具有市場潛力，那麼就要照規矩，付權利金給美國宏碁。

我並非樂見各單位倒閉，而是希望大家時時存有危機意識，更重要的是，要一視同仁地提供各單位最強有力的競爭條件，讓大家都能在各自的戰場中生存，否則，各單位光爲誰占便宜、誰吃虧的話題吵嚷不休，公司就永無寧日。讓大家手上都有原子彈，就可以一致對外和敵手拼搏。

同樣的道理，如果事業單位的股東大會決議退出主從架構，任何時候都可退出集團，當然從此之後它也無法享用宏碁的技術與品牌資源。換句話說，宏碁並不要「賣身契」似的強勢從屬關係，而是以提供最好的資源，讓各事業心甘情願留下來遵守一點點「臭規矩」。

換句話說，我們將這套架構建立在「利之所趨」的基礎上，以公開、合理的商業利益作爲行爲準則，以俗話來形容就是「親兄弟，明算帳」，每家公司對自己的股東負責，各爲其「主」，

如此一來就沒有利益輸送的情形。

有了這些原則性的規定，大家在共同獲利的大方向上，就比較不會去計較小枝節的出入。直到現在，宏碁還沒有發生需要搬出「憲法」來打官司的狀況。

未謀其事，不在其位

從組織管理的角度來看，主從架構之所以比大主機效率高，因爲它有個重要的特質，「如果沒附加價值，就不應該夾在中間」。稍微修改孔子的話更可貼切說明：「未謀其事，不在其位」。典型的反例，就像官僚體系裡總有些公務員只專門蓋章，別無貢獻。事實上，簽字蓋章也是需要成本的，不但要付出管銷費用，更嚴重的是時間遭到延遲，而對經辦人員而言，不但浪費光陰，更可能延誤了升官發財的機會。無形中不知流失多少社會資源。

而宏碁的「速食店模式」，就符合了「未謀其事，不在其位」的精神。

從前宏碁電腦生產系統的時候，是向外界購買硬式磁碟機、監視器、微處理器等關鍵性組件，加上自己生產的主機板，組裝之後銷售，所以營業額也包含外購組件的價值。當時宏碁電腦年營業額約有一百億，但是扣掉這些組件花費之後，只剩下五十幾億。宏碁電腦對這部分產品的附加價值並沒有貢獻，所謂「無功不受祿」，應該放棄這些業務，由地區事業單位直接向供應商採購，並在當地組裝。

當然，我們也必須探尋什麼是宏碁電腦的附加價值所在？很明顯地，答案是主機板。

雖然這麼一來，宏碁電腦的營業額就會驟然減少，然而，就如同官僚體系當中沒有創造價值的蓋章程序一般，購入組件，再組裝成系統的作法，從表面來看是創造了龐大的營業額，但實質上卻是賠錢的。因爲組件也需要庫存成本，也需要提撥折價準備，還有難以數計的時間成本，換言之，這部分的營業額是不實在的。

這樣的作法，對許多人而言可能有些匪夷所思。在台灣，企業集團將資產在關係企業間轉手買賣，墊高帳面上營業額、利潤與資產價值的情形，已然司空見慣。其實，這些所謂的「財務槓桿」不過是虛胖罷了。

宏碁不但不曾這麼做，甚至早在一九八七年，就將集團內交易重複計算的營業額，如製造單位賣產品給行銷單位的營業額，從集團總營業額當中扣除。直到今天，台灣採取此種作法的集團仍屬少數。

而宏碁電腦專心一志生產主機板之後，真是受益良多，不只加快決策時間與貨物流通的速度，使營業額呈現倍數的成長，更重要的是，這麼一來才不會產生決策上的誤導。

賺該賺的錢

誤導決策的道理何在？從英代爾生產主機板對台灣同業產生巨大衝擊的案例中，便可以清楚

看出。

主機板之於電腦，當然是非常重要的組件，但事實上主機板的附加價值是較低的（詳見下一章），然而在資訊業界，主機板業的形象定位卻是相對較高的，最主要的因素就是主機板業者把微處理器的附加價值，混入主機板當中一起思考，而眾所周知，微處理器的附加價值遠大於主機板本身。業者因此很容易就錯估了自己的真實能力，甚至還有人將微處理器轉手買賣，賺取差價，這比主機板的利潤還高。

試想，英代爾有沒有理由讓別人來賺這些利潤？爲什麼這幾年英代爾要致力於「Intel Inside」的形象？爲什麼英代爾要跳過主機板廠商，直接把微處理器送進零售行銷管道？因爲主機板業者把不該屬於自己的利潤算到自己頭上，產生很多誤導。

今天英代爾不讓主機板廠商賺取轉手可得的利潤，是理所當然的，因爲投資幾十億美金設廠及研究發展的是英代爾，要賺多少錢應該是由他們作主，而不是主機板廠商。他們如何會坐視別人賺取原本該屬於自己的利潤，而不採取保護自身利益的行動？

對宏碁而言，當英代爾跨足主機板生產時，並未如其他同業那般震撼，因爲我們憑自己創造出來的附加價值賺錢，早就不把微處理器看成「該賺的利潤」，所以不怕和英代爾在主機板市場平起平坐地競爭，這是經營企業非常重要的心態。

企業經營者必須要能隨時保持這樣的基本心態。過去基於時代背景或自己的努力，也許有些

企業或組織曾經擁有特權，但當時空環境產生變化，該丟掉特權的時候，就要勇於丟棄。如果不能看開，仍然不願放棄特權，結果就只有被環境所淘汰。

例如ＩＢＭ與迪吉多，由於過去的努力，奠定大型電腦與迷你電腦霸主的地位，當然有權擁有利潤。但是，當他們的優勢箝制到客戶的發展時，只要一有機會，客戶也就會擺脫他們。因爲，過去的努力並不表示永遠能享有優勢與利潤，如果死抱著過去的優勢不肯放，就會產生兩種結果：第一，得罪客戶；第二，在錯誤的方向投資過多，無法掌握「牛肉在哪裡」，耽擱改善轉型的時間。

打破組織階級

而主從架構比傳統組織有效率的另一個原因，是主從架構不拘泥於原有的組織層級。在傳統的階級組織架構中，子公司與子公司之間的互動，必須透過母公司，如果還有第三、四層的轉投資事業，彼此的從屬關係是固定不變的。但是在主從架構當中，第一層「主」所投資的第二、三層「主」，無須透過上一層「主」，便可直接和任何「主」進行互動。而且，第二、第三層的「主」，可以有機會升級成第一層的「主」。

例如，宏碁和墨西哥的經銷商合資成立拉丁美洲宏碁，而拉丁美洲宏碁又與智利經銷商合資成立智利宏碁。兩個事業單位之間的交易，無須透過總部便可直接進行業務上的往來。如此不但

效率高、成本低，而且交易直接、清楚，否則，透過層層輾轉傳遞訊息，到最後難免產生誤差。

這樣的組織是比較合乎人性的。誠然，我們的社會強調輩分與敬老尊賢，但是假如我們和祖父輩的人交朋友，難道非得先透過父親，再經由祖父，然後才能和那位祖父輩的朋友往來？同樣的道理，商場交易又何須經過重重組織階級？

對宏碁的全球戰略而言，當「全球品牌，結合地緣」的策略結合了主從架構，我們才有機會在跨國經營的戰場上贏過ＩＢＭ。因爲當地領導人擁有過半股權，當然要注重自己的形象與信用，他並致力保護當地消費者。因爲這個事業單位被授權獨立經營，如果企業經營不善，也不能將責任推給總部，因爲在當地上市，落地生根，社會大眾更可以相信宏碁不同於其他跨國企業的分公司，不會說收就收。

也許我也可以明白地說，這是宏碁的「陽謀」。

這些策略不過短短幾個字，卻有效因應諸多傳統跨國企業無法解決、非常細微與敏感的問題，也提高宏碁在海外成功的可能性（當然不可能百分之百保證成功）及具備更多健全經營的條件。

21 in 21

正向思考：為了鞏固自己的利益，必須防範合資夥伴占便宜。
正向思考：設計「以夥伴的利益為利益」的合作關係。
思考邏輯：如果自己占盡便宜，夥伴為了保護自己的利益，難免上下其手、暗通款曲，到頭來公司體質衰弱，反而兩敗俱傷。

「全球品牌，結合地緣」的原始版本，出現於一九九二年六月，在墨西哥舉行的宏碁全球經銷商會議上。

在開場的演講當中，我告訴來自世界各國的夥伴們：「宏碁不僅是一家台灣企業，不久之後，我們會成爲一家墨西哥公司。」揭示宏碁要在全球各國當地化的信念，並且，「邀請各位夥伴一起來改寫明日的行銷教科書！」

演講過後，當時宏碁拉丁美洲公司總經理洪銘賜還向我提出異議，認爲我的說法會讓宏碁跨國企業的形象遭到誤導。

事實上，一九八九年我就曾經提出近似的口號：「宏碁要成爲世界公民」，但當時還停在概念性階段，只覺得應該朝這個方向發展，並沒有發展出較爲貼切的表達文字。

圖三　傳統階級組織和主從架構之別（以宏碁爲例）

（傳統階級組織的從屬關係）

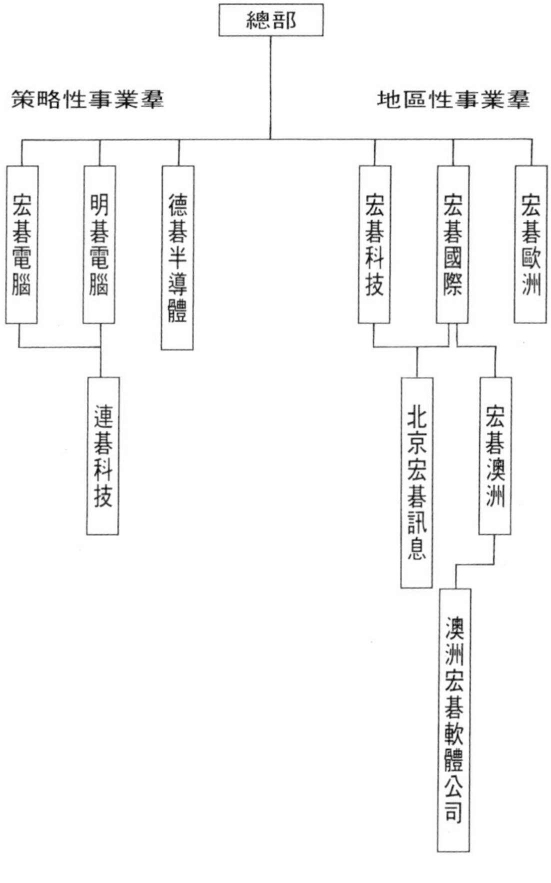

說明：在傳統階級組織中，轉投資事業（如連碁科技）與母公司（宏碁電腦）為從屬關係；在主從架構中，轉投資事業與母公司地位平行。例如宏碁國際轉投資澳洲宏碁，澳洲宏碁轉投資軟體公司，在實際運作中，各自獨立作主，母公司只能透過董事會參與及影響決策。

（續下頁）

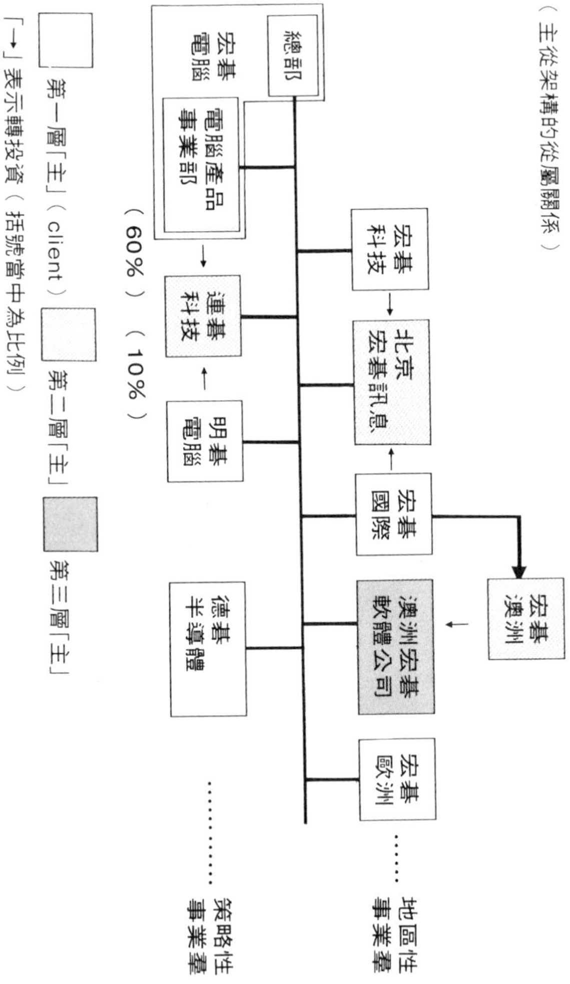
總部
宏碁電腦
電腦產品事業部
宏碁科技
北京宏碁訊息
宏碁國際
宏碁澳洲
澳洲宏碁軟體公司
宏碁歐洲
連碁科技
明碁電腦
德碁半導體
（60%）
（10%）
地區性事業羣
策略性事業羣
第一層「主」（client）
第二層「主」
第三層「主」
「→」表示轉投資（括號當中為比例）

（主從架構的從屬關係）

宏碁的特色，就是同仁可以隨時提出不同看法，爲了要說服大家，逼得我不得不仔細思考整個概念。最後，我們發展出「全球品牌，結合地緣」的完整版本，包括當地股權過半，以及二十一世紀、二十一家聯屬企業在全球上市（21 in 21）的概念。

一九九五年三月，我再度前往墨西哥演講，這時，我們已和墨西哥夥伴結爲「當地股權過半」的連理，而距離此時的半年前，哈佛大學評價宏碁爲「企業國際化管理的傑出個案」，於是，我告訴大家：「我可以交差了，因爲三年前的兩張支票都已經兌現！」

新瓶裝陳酒

對宏碁而言，「當地股權過半」這個國際化新策略，其實是「傳統」觀念下產物。當初宏碁美國、台中及高雄分公司成立的時候，實際負責的同仁就擁有六〇%股權。

在相同的概念下，一九九一年我在宏碁股東大會上，提出將明碁電腦與宏碁科技的股權降到四九%。然而爲了尊重小股東的意見，決議分兩階段降低持股，第一階段還是先保持股權過半，之後，再繼續降低到四九%；沒想到這個決議卻延緩了這兩家公司股票上市的時機。

因此，「21 in 21」可說其來有自，只是「21 in 21」的廣度和規模不相同。因此，當學術界與企業界都對宏碁的策略感到奇怪時，我們卻並不以此爲怪。

學者與業界共同感到奇怪之處是，爲什麼宏碁甘於放棄控制權？但卻又覺得，授權與讓員工

分享所有權的觀念是對的。當我們把授權與分享的策略用到極致，也就形成當地股權過半的國際化策略。

「21 in 21」對宏碁的意義非比尋常，它接續著「速食店模式」所帶動的改造工程，將宏碁帶入另一個起飛階段。

一九九四年元月，我們提出「2000 in 2000」（公元兩千年達成年營業額新台幣兩千億）的目標，一九九五年，宏碁集團的營業額成長七七%，達到一千五百餘億，使這個目標大幅修正爲提前四年，於一九九六年達成。現在，外界推計宏碁公元兩千年的營業額將達到三千億，但我估計可望達到四千億，也就是將原先計畫往上翻兩翻。我認爲，這份成績單正是由於「21 in 21」策略奏功的結果。

因爲，這個理念向全球同仁傳達一個宣示性的訊息：「這個公司遲早是你的！」因爲這個理念創造一個共結夥伴的基本環境，在共同利益的驅動之下，同仁才有時時壓低風險，積極掌握機會的意願。

從老闆到夥伴

換句話說，有了「21 in 21」，「速食店模式」與「主從架構」的功能才能發揮得更爲淋漓盡致。

舉例而言，當我們打算將系統組裝移到各地區事業單位進行時，勢將使宏碁電腦減少營業額，爲什麼他們還願意？就是因爲宏碁電腦是地區事業的股東，而不是百分之百控股的母公司。乍聽之下，可能難以分辨這兩個角色在其中有什麼差別，但實際造成的效果的確截然不同。假設A公司是我的海外子公司，那麼我對它經營成效的信心，自然不如母公司，雖然系統組裝附加價值不高，但是，與其在A公司做，還不如自己經營比較保險。另一種方式，是看哪一個地方有較爲優惠的稅率，以稅務規畫來決定將業務放在母公司或是海外。這兩者都是一般跨國企業經營模式。

但是，如果我是A公司的股東，決策的思考邏輯就不一樣。我們彼此分工，我賺我專長領域的利潤，沒有產生附加價值的部分留給A公司賺，雖然這麼一來，自己沒有賺到這部分的錢，但也沒虧損，因爲A公司會將賺到的錢分一半給我。因此，宏碁電腦還是有利潤可言的。

我曾就這個觀念和日本企業界溝通，但是根本無法得到他們的認同，因爲在他們的想法當中，行銷就是賺價差，加上一定的利潤轉手賣出去，是天經地義的事。宏碁的想法則不相同，我們變成海外事業的股東，我只賺我有貢獻附加價值的部分，沒有產生附加價值的部分就成本計價，把利潤留給海外事業單位。這種決策心態的轉變相當重要，只有這樣，速食店模式才可以徹底發揮效益。

舉大家熟知的台灣家電業的實例，日本公司和台灣合夥組成家電公司，一定會要求台灣合夥

公司非只向自己採購重要組件不可，因爲他要從中賺一筆，所以多年來家電業的技術升級始終被日本操控。

相反地，宏碁從不禁止地區性事業單位向別人買主機板或監視器，一方面，我們非做到全球最有競爭力的組件供應商不可；另一方面，如果我不能做到最好，與其讓海外事業單位賺不到錢，還不如由他們自行在當地購買最有競爭力的組件，那我們也可以賺取轉投資利潤。

也就是說，速食店模式、主從架構與當地股權過半是「三機一體」的，而後者又是最核心的關鍵。

舉例而言，如果沒有主從架構，推行速食店模式時，只要各地區事業單位零組件補給碰到一點困難，就會依賴總部解決。但在主從架構的組織策略下，地區事業已經是「主」，就得有獨立運作的能力，不能事事依賴總部，這樣才能建立起自主能力。

但是，如果沒有誘因讓地區事業獨立負責，他們總歸還是會依賴總部，所以讓當地股權過半，經營者才會有切身利害致力公司經營，否則授權的結果，可能導致各地區事業自生自滅。

這套策略如今已是彼此緊密契合，但事實上，在一九九二年前後，許多策略如速食店模式或當地化都還沒有具體成形。到一九九三年又引入主從架構，而這個架構，又早在「天蠶變」時已具雛型。加上宏碁「生下來」就已經有「當地股權過半」的觀念，於是便重新把它們形成一套體系。

策略的具體化，一方面有助於內部共識的形成，另一方面，更爲日後的決策提供參考基礎。

打破「大鍋飯」

宏碁發展出當地股權過半的策略，是有大環境的因素。台灣經濟結構和美國、日本有個很大的差異，就是台灣是個外貿導向的國家，九成五以上的產值仰賴外銷市場，而美國與日本具有廣大的國內市場，一半的營業額來自內銷。所以，就達到經濟規模的目的而言，海外市場之於台灣企業，比先進國家的企業更爲重要，這也就是宏碁非得採取有別於美、日、歐跨國企業的「第四種國際化模式」的原因。

但從另一個角度來看，如果先進國家希望能提高海外市場的比重，以達到分散風險的效果，恐怕也得從結合地緣著手。前幾年我就曾經說過，二十一世紀的台灣精英，不可能長期爲外商效命，這現象目前已初露端倪。換言之，如果外國公司希望能在台灣生根，只有和台灣精英成爲夥伴。而這個夥伴關係，並非目前台灣外商經理人擁有總公司股票的形式。

如果台灣經理人手中握有的是總公司的股票，不管台灣經營得再好，只要歐洲、美國虧錢，結果還是分不到利潤，這就是宏碁以前所遭遇到的問題。當時台灣宏碁一直都是獲利，但是因爲美國事業虧損，台灣員工也就無法分得股利。

若是宏碁購併康點、高圖斯的方式，不是以全部購併，而是只擁有一半以下的股權，讓它們

獨立運作，相信局面就大不相同了。因爲百分之百擁有美國公司，對其經理人而言，經營成效再差都沒有損失，而台灣的員工做得好，卻沒有得到應有的回饋，這豈不是相當不公平？不論是爲表現好的同仁著想，或爲表現不佳的事業找尋改善動力，都必須解決這個問題，因此，只有讓員工入股當地的事業，才能改變這種局面。

基於相同的理念，一九九六年，我們把宏碁歐洲公司一分爲三。

原來，宏碁在歐洲只有一個總部，要管理二十幾個國家，就會產生「大鍋飯」的問題。如果按照結合地緣的邏輯，應該每個國家都設置一家公司，但因爲短期內沒法找到這麼多經營團隊，於是就先分成三區，各設立一家公司，成爲次區域總部。

在此之前，一些歐洲友人向我表達不同的看法，他們認爲，一分爲三的作法，將不利於在歐洲股票上市的計畫，還是一家公司比較容易上市。我告訴他們：「一家公司固然便於上市，但是我怎麼解決北歐賺錢、南歐虧本，或者相反狀況時，所產生彼此利益不公平的問題？」儘量能把大鍋飯變小，總是比較能讓員工產生切身利益之感。

以夥伴的利益為利益

有一回，我向一位記者談起「結合地緣」可以形成利益共同體時，他提出這樣的疑問：「合夥並不等於利益與共。如果宏碁的海外合夥人，另外獨資開了一家公司，專門賣東西給合資公

司，把所有利潤都歸到自己的公司，讓合夥公司虧錢，宏碁該怎麼辦？」台灣的確曾經發生這樣的案例，當然，類似狀況也不會只存在台灣。

到目前爲止，宏碁並沒有出現這個問題，但已經有未雨綢繆的準備。在合夥之前，我們儘量攤著牌打牌，事先約法三章，如果夥伴有其他事業和合夥事業有利害關係，我們有權另外找一家公司，兩家一起經銷。

其次，合夥公司的經營團隊也須投資入股，形成獨立的利益團體，在兩造之間不偏不倚，三足鼎立才能基礎穩固。就像德碁的總經理拿的是德碁的股票，但同時兼顧宏碁與德州儀器的利益一樣。

目前在宏碁的海外夥伴當中，大致可分爲兩種，第一，合資夥伴並沒有經營其他利益衝突的事業，例如宏碁拉丁美洲公司，雙方股權各半，並不存在這個問題；第二，夥伴本身也是科技業者，例如宏碁在智利的合夥人，原本就是高科技的代理商，以個人電腦部門和宏碁合資，由原來的部門經理出任總經理，但是，其他事業和合夥公司彼此也並無競爭或利益關係。

合夥的確不見得完全確保利益與共，但如果我們將合作關係設計成「夥伴的好處就是我的利益」，就可以做到利益共享。例如，宏碁授權地區事業自行採購組件，讓合資公司得到充分的競爭優勢，宏碁也可以享有投資報酬。再者，專業經理人入股合夥事業，利益完全建立在合夥事業之上，他們得利，宏碁得利更多。

到目前爲止，宏碁的海外事業尚未發生經理人收受回扣、圖利合資夥伴的情形，因爲沒有利益輸送的管道。假若真的發生，我們可以重新談判合作條件。但是，非常重要的心態是，如果我們不能「以夥伴的利益爲利益」，自己占盡便宜，夥伴爲了保護自己的利益，當然也就會暗通款曲，那麼能怪夥伴從中搞鬼嗎？如此一來，雙方各懷異心，公司無法健全經營，反而造成兩敗俱傷的下場。

當然，宏碁的結合地緣策略也不是毫無問題。例如，夥伴自己的事業太大、太過多元化，合資公司對他而言，重要性相對較小，因此派過來的經理人層級太低。或是，因爲市場競爭日趨激烈，必須擴大規模，我們希望能夠增資，並且派遣一位副總經理前去協助，但是對方並不希望我們介入經營。這些問題必須要透過談判，尋找共識以求解決。

但大體而言，除了少數地區之外，我們在合資之前，和夥伴已有長久的業務合作關係，而且宏碁多年來的管理與文化也始終一致，所以，不會出現太大的問題。另一方面，分散式國際化架構的好處就是，即使少數出現問題，也不會影響大局。因爲，即使集中也難保不出問題，而且問題還更棘手，與其出現致命問題，還不如分散的好。

錢接力，人也接力

從「當地股權過半」到「21 in 21」，是以聯屬公司在各地股票上市，做到更進一步的當地

化。

可以預見的是，資訊產業將會發展出極爲龐大的市場，宏碁要掌握未來的機會，必定要有很多資源，股票上市就是爲這些資源而預作準備。透過股票上市，可以就地籌措資本，宏碁才有機會成爲當地數一數二的公司，並且提高企業形象。

其次，透過股票上市可以凝聚當地人才，因爲當企業大眾化之後，就不會變成「一人公司」或家族企業，第一流的人才願意加盟效命，公司也才能夠生生不息。

這就體現了宏碁「接力式馬拉松」的企業文化——錢接力，人也接力。

一九八八年前後，我常和國外媒體記者這麼形容：「宏碁以製造電腦聞名，也以製造百萬富翁聞名。」當時宏碁電腦股票上市，躋身百萬富翁的同仁有上千個，千萬富翁則有上百個。在全世界科技業裡，股權像宏碁這麼平均而分散的，可說絕無僅有。將來，宏碁不但要把新鮮科技帶給全球每一個人、每一個角落，也希望在更多國家製造出更多的百萬富翁。

有三個理由讓我深信，「21 in 21」與主從架構將爲宏碁創造更具前瞻性的願景。

第一，在這個架構之下，各事業正擔負起現階段的發展任務，讓我更有時間去思考未來的願景。

其次，也正因爲在這樣授權與自主的環境下，我所提出來的願景，必然要經過大家的認同才可行，有了共識，才有機會讓大家共同落實這些願景。

第三，如果宏碁不是利益共同體，即使我提出任何前瞻性的策略，也沒有誘因驅動夥伴們全力以赴。當宏碁建構起全球的利益共同體，執行策略的動力將更強而有力。

因此，從產生願景、形成共識、執行理念三個層次來看，宏碁未來成功的比例，應該會比過去更高。

而不斷創生與追求願景的體系，也將敦促著宏碁永不停歇地前行。當「渴望」家用電腦問世之後，我和研發部門的同仁共聚一堂，重新審視宏碁二十年來的創新歷程，我告訴大家：「一九八四年，我提出『要做豬八戒也會用的電腦』口號，希望大家能以此為目標，研發出最方便與容易使用的產品，十一年後的今天，渴望家用電腦只算是跨出了第一步，未來，還有太多任務等著大家去完成。所以，『任務尚未成功，同仁仍需努力』。」

前方的路，雖然寬闊，卻仍漫長。

第十一章

「圍棋理論」與「微笑曲線」

將圍棋的道理運用於企業，不僅可作為策略思考的依據，更重要的是有助於內部溝通與共識的形成。

常有朋友半開玩笑地問我：「宏碁又不是學術單位，幹嘛又是『主義』、又是『模式』，這麼多理論？」

許多決策者總認爲擬定策略是領導人的任務，同仁只要聽從決定，照做就好，至於決策形成的原因，並不重要。但宏碁從不採取「愚民政策」，因爲在分散式管理之下，爲了讓同仁可以有效地執行決策，以及遭遇變局時可以臨機應變，就必須有明確的原則，讓大家都知其所以然，應變起來才不至於荒腔走板。

「圍棋理論」與「微笑曲線」，都是爲了內部溝通及形成共識而產生的。前者伴隨宏碁二十年的成長腳步，後者則在電腦產業革命階段成型。

它們或可提供一些參考給與宏碁同樣處於變動環境中，尋求成長的企業與個人。

圍棋理論

正向思考：創業者應該選擇大規模市場來支持量產，確保存活空間。

反向思考：創業應該站穩利基市場，再進入大市場。

思考邏輯：初創業時，資源有限，容易被大市場的競爭者包圍，導致失敗，進入小市場比較容易站穩適當的地盤。

首先必須聲明的是，引用下圍棋的理論作爲經營哲學，絕非自視棋藝精湛，事實上，我是在大四的時候才開始學圍棋，研究所畢業後就沒有繼續練習，自然稱不上深入研究。但正如同「速食店模式」與「主從架構」也只援用其基本原則，「圍棋理論」運用於企業經營，也只取兩者大致相符的精神與策略。

在諸多棋賽之中，圍棋與經營事業最爲相近。從過程來看，象棋與西洋棋都是以打殺爲主，將對方的棋子一一吃盡，最後逼死國王或將軍，但在現實的商業環境當中，常見未遭對手攻擊卻不戰自敗的例子。而下圍棋時，雖然圍堵是圍棋的策略之一，也有出現壓倒性勝利的情形（所謂「中押勝」），但卻並不一定要將對方殺戮殆盡，置於死地才能獲勝，多半是靠占地與求活的技術致勝。

但圍棋和事業也有不同的遊戲規則。

第一，下棋是一對一決勝負；經營事業則是對手眾多；第二，下棋常因相差一子或半子定輸贏，難免傷感情；但在商場上，占有率相差幾個百分點，可能大家都是贏家；第三，下棋的範圍是固定的；但事業競賽場地卻是可大可小，沒有邊界的；第四，下棋是以單盤論勝負的，每一盤棋之間沒有連帶關係；但是做生意是一階段接著一階段，永續的競賽。

「宏碁」命名的由來，就是要進行一場永無止境、偉大的棋賽（古文中的「碁」即爲「棋」）。

占穩地盤，長期布局

從下圍棋看企業經營，有許多重要原則可互爲印證。

第一，先鞏固邊陲，再伺機進入主戰場。圍棋的落棋點是由角落開始，繼而占邊，最後才擴展到中間。因爲剛開始時，棋子有限，所以要先站穩角落，再逐步向中央推進。就如同企業初創時期，最好從小範圍的利基市場做起，以較少的資源占有適當的地盤，才比較容易生存。若是好大喜功，抱持在大市場快速崛起的想法，很容易就會引起對手包抄，而陷入苦戰。

第二，需有長期布局。圍棋和象棋不同，圍棋耗時較長，手法複雜，所以下圍棋必須有長遠的眼光與全盤概念，從定石到布局，掌握重要關鍵下手。經營企業也必須做長期布局的重要工作，例如人才培養、企業文化、組織架構、建立制度等。隨手擺落棋子必然不成型；企業運作散漫也必無法健全，因此，即使企業規模還小，也必須有掌控全局的概念與作法，才能應付不時之需。

就如同高手與初學者，其布局能力自然有所差異，經營企業特別重視經驗，因爲有經驗才能有整體概念，並懂得如何布局；沒有足夠經驗的人只能糊里糊塗打爛仗，結果，不僅效益較差、生存空間有限，並對局勢變化渾然不覺，等到發現情況不對，卻大勢已去。

第三，圍棋講求「做活」，也就是做活眼的技術，而且至少要有兩個「眼」才能做活。企業

要生存，也最好有兩個以上的獲利產品。

圍棋之所以需要兩個眼，是爲了防範對手包圍其中一個眼時，還有另一個眼可以保存生機。同理，假使企業單靠一個產品維生，其他產品都在虧損，競爭者若要將這企業逐出市場，只要針對單一獲利產品進行封殺，這家企業最後也只有拱手讓出市場；但如果有兩個以上的獲利產品，所謂「狡兔三窟」，對手就找不到能夠一舉擊垮的下手點；若要各個擊破，則代價顯然太高。

而「眼」又分爲「真眼」與「假眼」，假眼若不能做成真眼，就會變成「死眼」。就如同企業的產品當中，有些看似獲利，實則虧損，那就是假眼。例如，企業應該提撥售後服務成本，卻沒有提撥，帳面一時看來似乎賺錢，其實成本是在未來發生，把假眼當真眼，將使決策依據失真，競爭就容易失利。

因此，下棋一旦有了一個真眼，就等於立於「退可守」之地，此時便要儘快擴大占地，再多做一個眼。宏碁之所以不斷擴大市場，發展多元化的產品，無非就是不斷創造活眼，以賺錢的事業去投資新事業，並且將它養成另一個獲利事業，活眼就愈來愈多。

當然，企業也不可能永遠都處於順境，就如同下棋也難免落於下風。如果高手下棋，就會把棋子落在既能解圍，又能進攻，同時還能配合整體布局的點上；但如果棋力不高的選手，就不免在陷入困局時，勉強把棋子下在一處「下了等於沒下」的地方，那只是在苟延殘喘，徒然讓對手搶得先機。

圖四　圍棋理論

①眞假眼之別

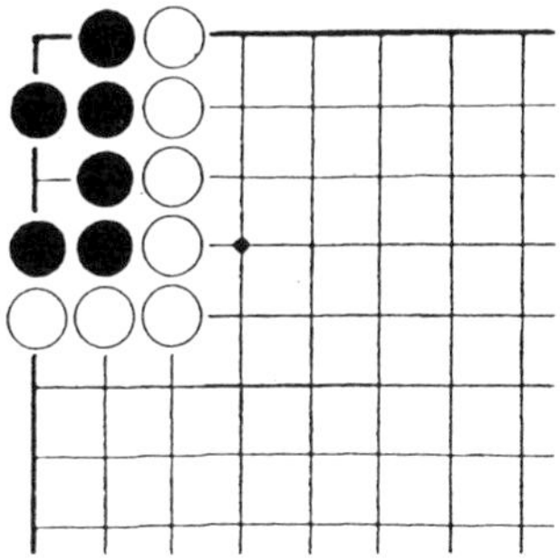

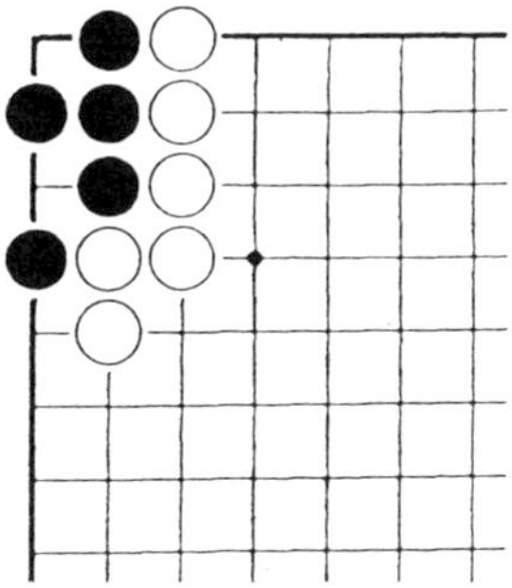

②鄉村包圍城市

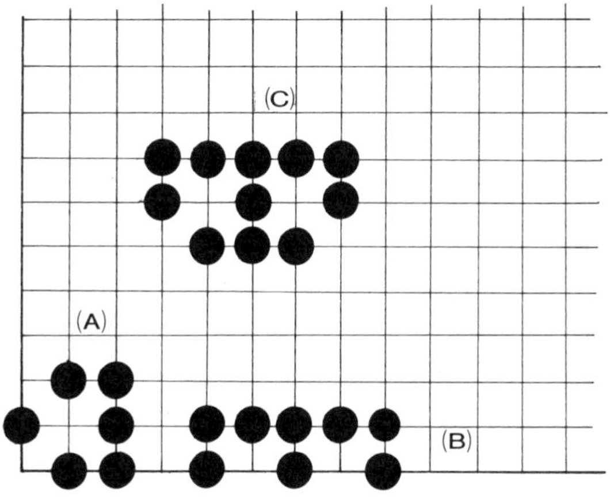

左圖：黑子有兩個真眼相連，為活棋。
右圖：黑子所圍著為兩個沒有連結好的眼，稱為假眼，故為死棋。
下圖：「鄉村包圍城市」，就是用最小的資源，獲得最大的戰果。
A部分：在鄉村（角落），用六子即可圍出二眼。B部分：在邊陲地帶（邊緣），用八子可圍出二眼。C部分：在城市（中央）用十一子才能圍出二眼。

許多企業在陷入困境時，都僅考慮圖存，但我認爲這是不夠的，因爲如果光是救急，往往當危機解除時，企業也已經元氣大傷。宏碁在最困難的時候，不單變賣資產救急，同時還繼續投資，發展新策略，也就是說，我們始終沒有放棄做「眼」的工作，這才能使宏碁不但渡過難關，還能養精蓄銳進入另一個高成長階段。

有捨才有得

第四，「氣」愈長，愈不容易失敗。下圍棋有所謂的「抓大龍」，就是雙方都使出渾身解數包圍對方，每個棋子都連在一起，當中沒有「眼」，因此一面包圍，一面也要想辦法突圍去聯合別的眼，或是找到空間比較大的地方。在這個時候必須步步爲營，要留心保持比對手多一口氣，就不會被封死。

在商場上，往往當兩家廠商旗鼓相當，便會特別針對對方發動競爭攻勢，希望將對手封殺出局，就像彼此在抓大龍一般。也許，最後的結果是誰也抓不到誰，但在過程中，只要能比對方多一口氣，就可立於不敗之地。更重要的是，只要自己氣很足，對手也不敢輕舉妄動包圍，寧可自己慢慢布局。

因此，「氣長」有兩個目的：第一，嚇阻對手來包圍；第二，當對手使出包圍攻勢時，保存自己的生機。

企業要氣長，首先費用要低。例如宏碁剛創業的時候，幾個創辦人的薪水都打折，賺錢之後也隨時不忘降低管銷費用，就是爲了保持較長的氣。而我們也發現，許多企業一賺錢就拿去買好車、蓋大廈，費用高漲，成本也就沒有競爭力，對手一採取削價競爭，就沒有餘力招架了。其次，要維持高昂的士氣，只要內部能夠長久凝聚士氣，即使公司一時遭遇困境，也能同舟共濟，渡過難關。

另一方面，要保持氣長，往往必須及時放棄勢不可爲的投資。

抓大龍的時候，對方必然要集中棋子圍堵，如此就會失去拓展其他空間的契機，因此，如果估計情勢還無關緊要的時候，可以先不回應對方，而另外開闢基地，等到有機會，再回頭拯救失陷的領地，反而可收一箭雙鵰之效。

因此，企業在進行新投資時，如果情勢不利於己，暫時先擱置一旁，不但損失較少，還可以保留元氣發展其他事業，等具備更強的能力之後捲土重來，成功的機率將會更大。如果勢不可爲還要硬撐，只會徒然浪費資源。

第五，以聯盟來增加致勝的把握。一般而言，下棋的布局最好能讓兩個眼距離接近，如果棋手在較遠的兩端各有一個眼，還是會分別被包圍，若能把兩個眼連在一起，棋局就做活了。在商場競爭也是如此，有時，當單一企業要攻占一個市場不能得手時，兩個企業聯手，就能擁有較大的資源優勢。

慎防「活眼」變「死眼」

但是，經營企業畢竟比下棋複雜。最明顯的例子是，下圍棋如果做活了兩個眼，那它們永遠是活眼；但是，眼前賺錢的事業，明天可能虧錢，因此，即使是獲利再高的事業，都必須不斷翻新以保持生機，不僅如此，爲了預防有朝一日搖錢樹變成賠錢貨，還要投資新事業，隨時確保企業都有幾個活眼。

於是，這又衍生了另外一個問題：企業什麼時候、在哪裡做「眼」？

宏碁多元化的模式，是互相關聯逐步漸進的方式（見圖五），由一而二，從二推展到三，再將三擴展到四，每一個領域都有重疊的部分，也就是彼此有能力或資源相關的關係。

如果單單發展一和四，彼此關連性並不大，當四發生困境的時候，一也支援不上，但靠中間其他事業將兩者聯繫在一起，就產生相互關連的效果。例如宏碁從微處理器發展到個人電腦與周邊設備，再投資半導體，未來要朝消費性電子邁進，從技術能力、行銷、資金逐漸累積，互有關連。

台灣積體電路要成立的時候，當時的經濟部長趙耀東也曾經邀請我參與，但是當時宏碁資金能力有限，而且半導體代工和個人電腦業務相關性不大。但是當宏碁資金能力提高，而且生產電腦需要大量的記憶體時，便投資成立德碁。

圖五　宏碁的多角化邏輯

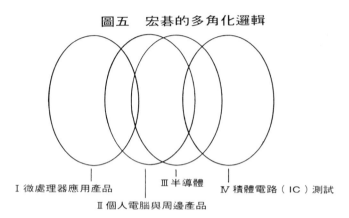

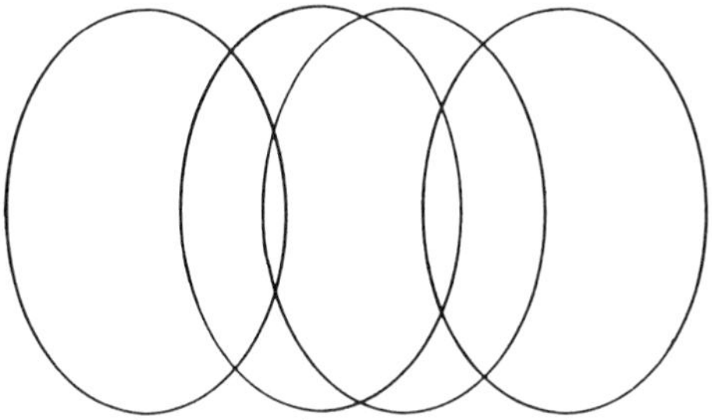

說明：宏碁多角化的模式，是互相關聯逐步漸近。由 I 領域到 II 領域，再發展到 III 、 IV 領域，每個領域都有互相重疊之處，資源亦可以相互支援。

在九〇年代，台灣開放設立新銀行的時候，曾有人邀我投資，但我當下就婉拒了這個邀請。每當記者和同仁詢問宏碁多角化策略時，我就會畫出這個圖，告訴他們我的原則。對宏碁而言，這個原則真是太重要了！因爲如果沒有這原則，任何多元化的行動都有合理化的說詞，例如企業要分散風險、新行業有利可圖，儘管有這麼多好處，但是企業執行與管理能力在哪裡？沒有具備這些能力，結果可能適得其反。有了清楚的原則，大家才可以目標一致，不會漫無章法地追求多元化。

也許有讀者會質疑，既然宏碁堅持與本業相關的多元化策略，爲什麼還投資安家計畫？事實上，安家計畫並不是宏碁的「眼」，也就是說，我們從沒打算藉此計畫獲利。如果我們不是堅持把它作爲自用，而是從此開始進入房地產業，大

規模投資，可能早已被拖垮了，而安家計畫也不會演變到今天，扮演提供宏碁未來擴充空間的角色。

因此，多元化對企業而言，是個成長的契機，卻也是一個陷阱。如果企業在做眼的時候，東做一個，西做一個，彼此又沒有連接，還錯估形勢，以為自己做了很多活眼，其實都是死眼，以致於身陷險境時，仍不知道應該解圍，不但不能分散風險，還會招致更大的風險。

運用棋理溝通

對宏碁而言，「圍棋理論」不只提供了策略思考的依據，更重要的功能，還在於建立共識。例如，每當我要求同仁降低費用時，同仁會辯解說：「同業也是花這麼多錢，我們並沒有花得比別人多。」所以，我必須說服他們，我們要比別人花得少，氣才會長。其實，大家都明白這些簡單的道理，但是要能有效執行，得多數同仁都有深刻的體認才行，否則一不小心，費用就很難合理控制。

宏碁國際化之初，是採取從第三世界開始、「從鄉村包圍城市」的作法，我曾畫個棋盤告訴同仁，從小市場開始做起，並不是放棄大市場，而是當棋子有限的時候，散落在中間的棋子很容易被包圍，所以先鞏固角落，等將來擴大到中間時，就有許多活眼，讓我們進可攻、退可守。

我相信，這個想法和許多人的投資理念並不相同。為什麼台灣常會有一窩蜂投資到同一個產

業的創業風潮？因爲他們認爲，小市場不值得開發，大市場才能有足夠的規模支持量產，所以大家都爭先恐後地分大餅。但是反過來想，市場是很大，但自己有這個能力嗎？就算是塊大餅，可能自己一口都咬不動，還不如先拿咬得動的食物填飽肚子。

其實，日本人最擅長下圍棋，日本企業也常會找圍棋高手來教導決策者，但他們的目的是在訓練決策者增進策略的智慧，或者是作爲決策者修身養性之道。而我把圍棋的道理用在溝通上，這也算是當初學習圍棋的意外收穫。

微笑曲線

正向思考：成本是企業首要競爭力，幣值高、人工貴是競爭力衰退的首惡。
反向思考：速度才是企業首要競爭力。
思考邏輯：速度本身就是成本，速度快可以降低成本，但是降低成本卻不能使速度加快。

一九九二年，宏碁開始全面推動速食店模式的改革，但是，台灣仍有部分同仁存有不同意見，對於新工作型態的改變，不願積極配合，雖有進度，卻不如預期中理想。

員工的情緒反應，我可以理解，也相當重視。就如同早年美國企業將加工過程移轉到亞洲

時，美國工人羣起罷工抗議一般，當宏碁面對同樣的問題時，同仁當然也會產生類似的反彈。

爲了要說服策略事業單位更集中精力在專精領域中，放棄系統組裝的業務，就必須向他們證明，組裝其實是附加價值最低的部分。

一九九三年初，我和同仁面對面溝通，先從分析傳統產業的附加價值開始，再導入電腦業在發生產業變革前後，上下游附加價值分布的改變狀況，得出新的電腦業附加價值曲線，已由原先向下彎曲的弧型曲線，一百八十度翻轉爲向上彎曲的曲線；而原先位於附加價值最高點的系統組裝，也變成附加價值最低的部分。

「既然組裝的附加價值如此有限，沒什麼道理非要堅持在台灣組裝，」爲了加深同仁的印象，我這麼形容：「消費者買的是零組件，我們只是順便幫他組裝，做售後服務而已。」

當大家對產業發生變革的原因莫名所以，面對未來無所適從的時候，我畫出這個曲線，並解釋給同仁聽之後，同仁終於恍然大悟。

後來，林憲銘走過來對我說：「同仁很喜歡這個曲線，決定把它命名爲『微笑曲線』。」

事實上，這議題在內部已經溝通多時，只是缺乏一個清晰的理論架構，因此，當微笑曲線發展出來的時候，大家的感覺格外深刻。我相信，這幾年宏碁之所以能夠大幅提升效益，與這個曲線說服同仁集中精神、心無旁騖地追求專業的附加價值，有相當密切的關係。

圖六　微笑曲線

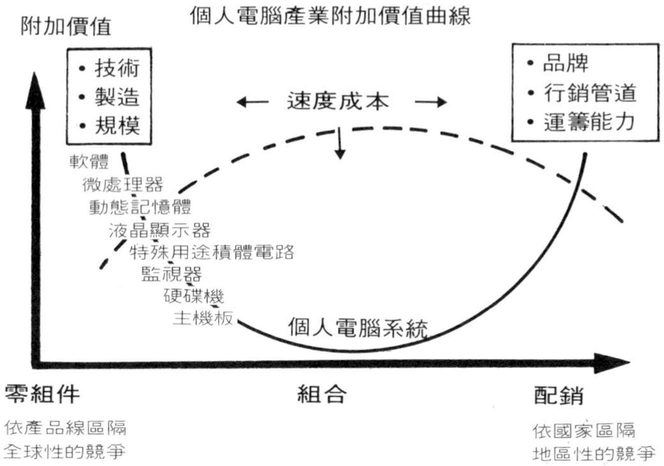

價值曲線上找定位

附加價值曲線的基本構成，從橫軸來看，由左而右分別是產業的上中下游，也就是零組件生產、產品組裝與配銷；縱軸則代表附加價值的高低。以市場競爭型態來說，曲線左側是全球性競爭，勝敗關鍵決定於技術、製造與規模；右側是地區性競爭，勝敗關鍵則是品牌、行銷管道與運籌能力。

每一個產業都有一條附加價值線，因著附加價值高低分布的不同，而產生不同的形狀。而決定附加價值高低的主要因素，是進入障礙與能力累積效果。也就是說，進入障礙愈高，累積效果愈大，附加價值愈高。

以電腦業爲例，生產微處理器或是建立自有品牌，都是進入障礙較高，必須經過多年累積實

力才能做到，而電腦組裝卻是容易的，所以電子商場裡到處充斥著組裝雜牌電腦的店家。

再如生產主機板，除了少部分廠商爲了快速翻新產品而發展技術之外，許多的業者都是由晶片組廠商提供電路板，再負責將零件插到板子上就可以生產，因此它在微笑曲線左側的低點。

但若是液晶顯示器、記憶體等關鍵性零組件，都需要大資本、高製程技術才能夠立足，它們也就位於曲線較左側的高點。

根據各行業型態的不同，我們可以試著畫出不同產業的附加價值線。以鞋業爲例，附加價值最高的是行銷，耐吉、愛迪達就屬於這個領域；原料生產次之，台灣生產ＰＵ、ＰＶＣ人造皮革的廠商是典型代表之一；附加價值最低的是鞋廠，因此，台灣製鞋業多半移往東南亞或大陸加工。

在消費性電子產業當中，生產與行銷的附加價值大約一般高，零件則相對便宜；半導體業的製造是典型資本密集，進入障礙最高，行銷難度次之，設計則相對容易（記憶體除外）。

石化業則是兩端極端向下彎曲的曲線，例如台塑集團，原料並不昂貴，產品直接賣給製造商，不需要特別的促銷或行銷管道等投資，但製程投資卻需要資金。而這條曲線和前面幾個產業的差異，在於石化業是垂直整合，而非分工整合模式。

附加價值曲線的運用，不僅可用於大型企業的決策，類似開店的小型投資，也可以思考自己所在的行業是分工整合或是統合模式，附加價值分布情形如何？自己的特點在哪裡？消費者是不

是喜歡？這就是附加價值所在。以電腦產業爲例，曲線上還是可以找到許多利基，例如開訓練教室，專門幫廠商做售後服務等等，都是可以從事的行業。

也許有些生意老手會認爲，自己從來也不用什麼曲線，生意還不是照做！但這個曲線還有個重要的溝通功能，使企業內部形成共識。特別是面臨變局時，不但決策比較有說服力，而且應變的腳步也會比較齊一。

樣樣通，就樣樣鬆

從這個曲線當中，我歸納出幾個想法。

第一，曲線是會變的，所以以前成功的模式不一定適用未來。就如同IBM開放產業標準，導致電腦組裝業從附加價值高峯跌落谷底一般，同樣的，過去由於保護政策，台灣的汽車業曾經是台灣最風光的產業，但是隨著市場開放，業者紛紛出現嚴重虧損，現在大家已經發現，以台灣市場的胃納只能支持三、四家汽車裝配廠，根本無法和國外大規模生產廠商抗衡。也就是說，汽車工業也逐漸呈現微笑曲線的趨勢。

在這樣的情形之下，我認爲，台灣汽車業有兩條出路，第一，將曲線右方的行銷部分經營好，因爲這部分是地區性競爭，本土廠商比外商具有優勢；第二，從售後服務所需的零件開始，帶動曲線左側的零組件生產，然後做到具有全球競爭力的規模與品質。

圖七　附加價值曲線

鞋業的附加價值曲線

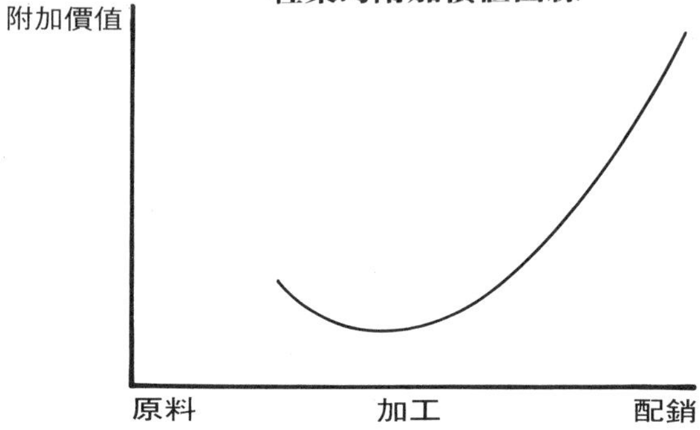

半導體的附加價值的曲線

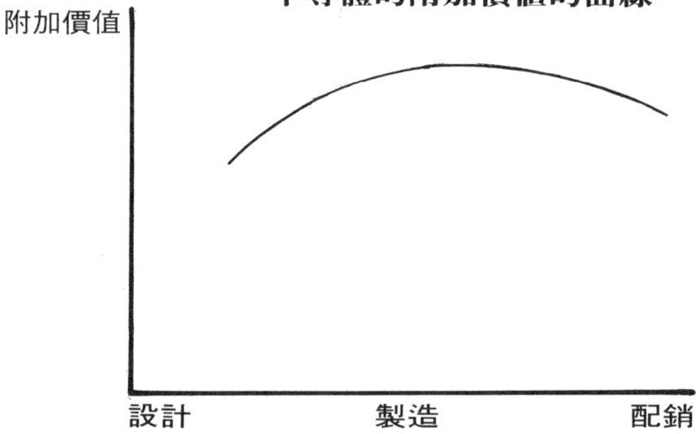

石化業的附加價值曲線

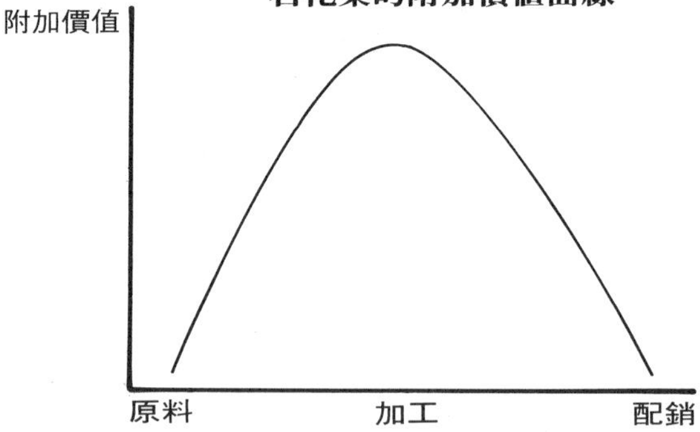

已經有不少人提出將台灣變成國際汽車零件供應中心的想法。其實，如果汽車業不是採取統合模式，像賓士、BMW等一流廠商是專攻引擎等關鍵性組件，或許可以具有像英代爾一樣的獲利能力。但是因爲汽車廠商都是從上到下一手包辦，因此經濟效益不夠，使汽車無法像電腦一樣，因爲技術進步而合理反映在價格上。

一家日本大企業的董事也曾向我提過，由於自動化對提高裝配效率有其極限，而汽車的運輸成本又相對龐大，將來日本的汽車工業將朝關鍵性零組件發展，將裝配工作移往其他市場。因此，汽車工業走上分工整合，可以說指日可待。

第二，在分工整合的環境下，沒有任何國家或公司可以什麼都做，而且都做得好的。由於國家與企業的能力與資源多寡各有不同，所以必須集中資源與力量，選擇耕耘幾個能力所及或專長的領域，等到實力雄厚後，再擴大到其他領域。正如同打仗必須先建立灘頭堡一般，若是一湧而上地散漫攻擊，必然落得陣腳大亂。

因此，在進入一個產業之前，要先清楚這產業究竟在玩什麼把戲，要慎選切入點，也就是思考「牛肉在哪裡」——哪裡有利可圖。否則，「樣樣通、樣樣鬆」的結果，必然導致企業失去競爭力。因此，我也常說：「如果你進入電腦業卻不懂微笑曲線，就會笑不出來。」

舉例而言，當英代爾開始跨足主機板與個人電腦的生產時，許多同業都非常緊張，但我卻並不認爲事態有如此嚴重。從微笑曲線來看，生產系統與主機板已經幾乎無利可圖，只因過去殘存

的印象，生產電腦與主機板的廠商形象層次似乎比較高，其實，主機板業受制於微處理器與晶片組的廠商。再從台灣的統計數字來看，主機板業的產值與利潤並不高（產值只有監視器的三分之一），但由於舊有印象的緣故，主機板卻儼然是台灣電腦產業當中的代表性產品。

既然系統與主機板附加利潤這麼低，我認爲，如果英代爾真想要這個市場，給他們也無所謂，其實，他們早已透過微處理器控制了主機板業。對台灣而言，由於介入系統與主機板的生產，而帶動監視器、半導體業的發展，也還划算。（當然，台灣既然已經享有這麼大的市場占有率，也不會就此輕言放棄。）

再從另一個角度來看，英代爾生產主機板與個人電腦的原始目的，是爲了帶動微處理器，如果說他們要擴大任務目標，受害程度最深的是曲線右方的行銷業者。因爲行銷就是要有差異化，英代爾若要大舉進軍主機板與系統，等於相當程度控制行銷，這將傷害到像ＩＢＭ與康栢這類的廠商。屆時會產生何種效應，還很難論斷。

速度成本決勝負

第三，在曲線左邊零組件生產部分，有三個重要關鍵——技術、製造和規模，其中又以生產規模爲最大關鍵；而曲線右邊攸關配銷成敗的品牌、行銷管道與籌運能力當中，又以籌運能力爲致勝關鍵。

以目前發展的趨勢來看，各廠商在其餘四個因素的能力上相差並不大；而且，新資訊時代是成本與速度的戰爭，規模愈大，成本就愈低；運籌能力愈強，不但成本低，而且速度快。

在速度與成本兩項因素當中，前者又比後者更重要，因爲速度本身就是成本，速度快可以降低成本，產品周轉快、庫存少，加速資金周轉的效率；但是降低成本卻不見得可以加快速度。

這是一個相當重要的觀念。這些年來，日本經常出現一種論調，認爲日本競爭力衰退的原因，是由於日幣升值、物價上升，導致企業成本過高。一九九四年我在日本接受媒體採訪，便直指這是個錯誤的觀念。日本競爭力衰退的根本癥結，是速度緩慢導致成本居高不下。這篇文章刊登之後，在當地引起非常大的迴響，現在，日本變成微笑曲線「外銷」知名度最高的地區。

第四，正因爲規模是零組件廠商致勝的關鍵，未來進入這個領域的人，必須具備一個相當重要的心理準備，那就是除非有機會做到各自領域的領導廠商，否則就該放棄，亦即是「要就大，不然就退」。

前幾年，宏碁放棄生產電源供應器與通訊產品，就是因爲我們自認沒有能力領先羣倫，所以決定放棄。而集中資源的結果，讓我們在其他領域取得領先，監視器是全球第三大，主機板是名列五大，光碟機也正往第五大邁進，在英代爾跨足生產「特殊應用積體電路」之前，揚智科技也是世界第三大廠商。

而經濟規模對軟體業的的關鍵程度，又勝過它在硬體產業所扮演的角色。

以微軟爲例，該公司花費在視窗軟體上的開發成本，絕不少於ＩＢＭ過去投資在大型主機的作業系統，但是，以往一套大型主機的作業系統大約需要十萬美金，而現在一套微軟的「WINDOWS NT（用於高階微電腦與工作站網路環境中的作業系統）」卻只要幾百塊美金，便宜了數百倍，而且產品功能還更強。軟體業規模經濟的威力，由此可見一斑。

假設我花費一億新台幣開發出一個光碟片產品，而同業只投資一千萬新台幣，但一億元足可開發出超乎想像的高品質軟體，價值絕對勝過只投資千萬的產品十倍以上，因此它所帶動的消費量，必然也數十倍於千萬投資的軟體，如果定價是一百元新台幣，只要銷售一百萬片（以美國市場而言，這數字並不難達成），就可以回本（因爲軟體複製幾乎不用成本），而消費者卻只要付出一百元就可以享受這些產品，真可以說「物超所值」。如此，小額投資的產品當然也就沒有生存空間。

但這並不表示小企業將被宣判出局，參與者如果沒有足夠的實力，可以縮小區隔市場，量力而爲，另闢蹊徑。

舉例而言，如果你的能力只夠開一家小型的軟體公司，就不要進入一個數以億計的市場去和大公司對抗，你可以規畫出一個上千萬規模的市場，一年只要做到三、五百萬元的業績，就可成爲這個市場的領先者。

第五，行銷是地區性戰爭，因此要在國際行銷中開創局面，必須有因地制宜的策略。微笑曲

線的右方，也就是行銷能力，向來是中國人最弱的部分，特別是中國大陸在多年計畫經濟之下，行銷能力特別弱，如何提升行銷能力，是相當重要的課題。而正因爲行銷是屬於地區性競爭，因此即使像ＩＢＭ這樣的大廠，也絕非贏得美國就可以吃遍天下。「結合地緣」的策略，正是在這個思考邏輯之下的產物，在市場當地結盟，聯手在地區性競爭戰場中，也可擊敗跨海而來的電腦巨人。

過去，在國際行銷競爭中，同仁總是心存「我們怎麼可能打得過ＩＢＭ？」的疑慮，有了這個理論基礎，便可掃除心理障礙，專心致力經營當地市場。

展望未來，如果我們留意觀察世界產業變化趨勢，「微笑曲線」的現象不僅發生在電腦業，甚至即將發生在軟體產業與消費性電子產業。

先從軟體產業說起。

今日的軟體產業（圖八），附加價值最高的是系統整合公司，典型的代表性企業是美國ＥＤＳ公司（台灣業者因受限於市場，獲利情形不如國外）。因爲它所需要的學問深、困難度大，所以附加價值也最高。而目前系統整合之所以困難，是因爲標準化的程度還不夠，就如同過去各家電腦公司各有專屬系統一般。就消費者使用的方便程度與資源有效運用而言，都是不利的。因此，總有一天，軟體也會如硬體一樣，逐漸朝向開放的方向發展，屆時，作業系統與中介軟體也會產生一個標準，可以很容易就組合在一起——一如微處理器與記憶體可以很快組合在一塊主機

圖八　新消費性電子產業的附加價值曲線

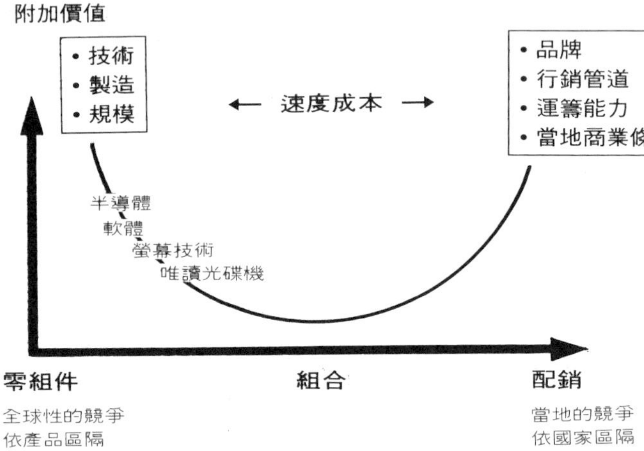

板上。

到那個時候（我預估約在十至十五年之間），軟體的組合不會再採用系統整合的方式，而是將大量標準化的軟體組合在一起，此時，附加價值曲線會呈現兩端高、中間低的狀況。

進軍消費性電子市場

消費性電子的變革，將比軟體業更早到來。過去，消費性電子產業在日本、韓國的主導之下，一直維持著一貫作業模式，但是，消費性電子逐漸朝向結合個人電腦與通信產品的趨勢之下，將會逐漸朝向分工整合。在個人電腦「入侵」的效應之下，如今附加價值最高的組裝部分，附加價值將逐漸降低，曲線中央慢慢形成下壓趨勢。這樣的變化，我預期將在一九九七年之後開始發生，而公元兩千年之後，消費性電子的

附加價值也將呈現「微笑曲線」的分布（如圖九）。曲線左側是半導體、軟體、螢幕技術、唯讀光碟機等組件。

因此，宏碁將跨入消費性電子市場定爲「第三次創業」的目標之一。從目前具備的條件來看，我們已經有半導體、光碟機，在與硬體整合的軟體部分，也就是基本輸出入系統，是全球少數領先的廠商，螢幕技術領域則有明碁年產四百萬部監視器作爲後盾（數量足以躋身全世界前十大電視機廠商），可以說已經具備相當競爭基礎。

在行銷方面，我們已經建立全球「結合地緣」的行銷網路，而渴望家用電腦的推出，也爲宏碁打進消費性電子的行銷管道奠定基礎。再就品牌形象來看，雖然宏碁還比不上新力，但已足與三洋、三星匹敵。而全球三十四座裝配基地，

圖九　二十一世紀軟體產業的附加價值曲線

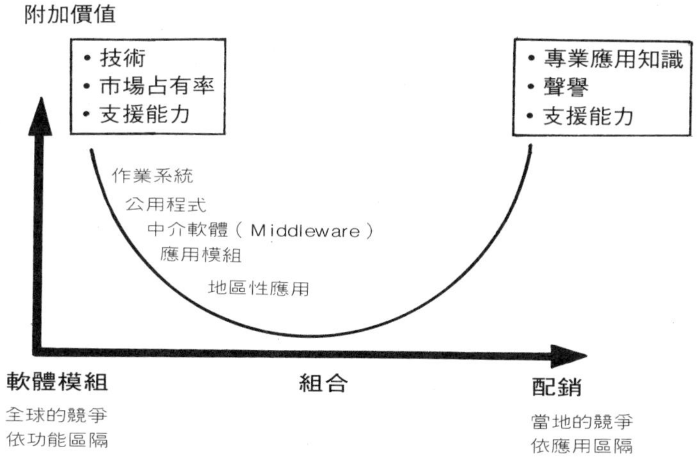

是宏碁的最大利器。現在唯一還不成熟的是各地市場的商業條件，例如有線電視、軟體產業標準與網路整合等，因爲各地區的進度不同，可能需要花些時間等待。

對於宏碁進軍消費性電子的計畫，部分業界人士抱持保留的態度，他們懷疑以宏碁今天的實力，如何能與新力這樣的超級巨人競爭？我們當然無法預先爲未來的競爭下斷語，然而，換個角度想，在ＩＢＭ橫掃全球的時候，康柏不也只是無名小卒？

在決心進軍消費性電子後，宏碁也將以「未來消費性電子業的康柏」自我期許。

第 十二 章

薪火相傳

培養人才是一項短期看
不到利益的投資，而宏
碁二十年來最寶貴的資
產——完整的接班梯
隊，就是堅持投資所得
到的豐碩回饋。

宏碁的歷史是由不斷的合夥串連而成。夥伴，始終是我們最寶貴的資產。

富裕人家辦事業，可以付高薪、送好車挖角，不免存有隨時可以雇用任何人才的闊綽心態，而宏碁由一羣「窮小子」創業，從極其有限的資源起步，讓我們深深珍惜夥伴得來不易。我們有共同的理想，也深知非結合更多夥伴無法達成理想，因此願意爲培養人才付出長期的努力。

雖然，現在宏碁的資源已經不像昔日那般匱乏，但我們仍然堅信培養人才是企業永續發展最重要的動力，也是企業對社會最重要的使命與貢獻。

這是一件短期看不到利益的投資，而我始終都衷心感謝，能有一羣和我理念相同的創業夥伴。我常想，說服自己去執行理念並不是最困難的，真正讓人爲難的是，如果周遭的人老在耳邊唱反調，那麼誰也難保理念不會變調。

我和我的夥伴

正向思考：交棒事關重大，要慎選適當時機再把棒子交出去。
反向思考：交棒事關重大，天天都要交棒。
思考邏輯：沒有隨時授權、培養人才，哪來接棒的人？

「共同患難易，分享富貴難」，從劉邦與朱元璋得天下而殺戮功臣之後，中國人對於合作創

業總抱持如此的看法，即使是一起出生入死的夥伴，當創業有成，要分享天下的時候，往往因爲利益分配不均而反目成仇。與我們一同創辦美國事業的張國華，他經商的岳父也經常如此地告誡他。

對於這個自小耳熟能詳的「警言」，我向來無法認同，因此，也就格外注意避免步上後塵。從「約法三章」到建立「利益共同體」，就是希望能成功地走出一條不一樣的路——共同創業，也能共享成果。

直到今天，許多國外媒體報導宏碁，還津津樂道夥伴們當年艱辛而克難的創業故事。想當年，邰中和以一部老爺摩托車，奔波於台北與龍潭中山科學院之間接洽業務；林家和長期以公司爲家；施太太爲了迎接超微的客人，親自一階一階擦洗公司的樓梯……。

那時候，剛從學校畢業的盧宏鎰、施崇棠，有過短暫工作經驗的李焜耀、林憲銘，成爲宏碁最早期的員工。伴隨著宏碁的成長，他們從基層工程師做起，在同僚當中漸漸嶄露頭角。

我們很自覺地將宏碁塑造成一個不需要靠背景，沒有省籍、學校差異的良好就業環境。在一九八二年左右，宏碁以在就業市場建立的口碑，吸引一批原本在家電廠商工作的年輕人加入宏碁。在這個階段，林顯郎（現任宏碁科技協理）、劉學欽（現任北京宏碁信息總經理）等人加入宏碁。在代代傳承之間，宏碁的管理接班梯隊也開始成型。

第一代退居幕後

在一九八八年到九一年之間，宏碁爲了加快國際化的腳步，引進大量空降部隊，卻遭逢成長緩慢的瓶頸，造成人才外流。在人才來來去去之間，仍留下來與宏碁患難與共的夥伴，逐漸歷練成第二代接班人。

這些夥伴在早期曾經有過戰功，幸運的是，由於在這段轉型期間，實際負責的多半是其他空降的決策者，因此他們反而不需要負擔經營失策責任，而又能在公司最艱苦的挑戰時期，旁觀學習，領略領導統御之方。等到他們接棒的時候，就很快把公司帶起來。

如今，宏碁擁有一羣台灣科技業最出色的領導人，包括第一代員工，如宏碁電腦資訊產品事業羣總經理林憲銘、明碁總經理李焜耀、宏碁國際總經理盧宏鎰，日後加盟宏碁的宏碁科技總經理王振堂、美國宏碁總經理莊人川、歐洲宏碁總經理呂理達、德碁總經理陳心正，在宏碁集團平均服務年資，超過十四年。

我可以非常自豪地說，他們的能力都勝過我，想當年我在他們現在這個年紀的時候，經營企業的規模都沒有他們現在來得大。

雖然宏碁重新步入成長的坦途，但傳承的故事仍未停止。一九九五年中，我在宏碁的「高峯會議」上特別提醒第二代接班人，要立刻開始培養第三代與第四代接班人，千萬不能因爲忙於發

展自己的空間而忽略人才傳承。

然而，在公司逐漸將權力交給第二代與第三代的過程中，第一代的創業夥伴卻有了一些變動。

在宏碁成立一年之後，最早的創業夥伴涂金泉與沈立均離開宏碁，他們原先擁有的股權，一〇%賣給負責宏碁美國公司的張國華，另外一〇%轉賣給我的內弟葉泰德，兩年後葉泰德離職，就將他的股份賣給五個經理人（宏碁員工入股制度也從此開始）。此後十幾年來，宏碁幾位創業合夥人的關係還算穩定。但是到了一九九四年，邰中和離開宏碁，轉任力捷電腦副董事長，後來在美國創立從事網際網路業務的公司。

近幾年，和我年紀相當的第一代經營者，如黃少華（宏碁資深副總兼總財務長）、林家和（國碁科技董事長）、王振容（第三波董事長）、陳正堂（宏碁科技董事長），都慢慢退到第二線，擔任從旁輔導的角色。在公司的發展趨勢之下，第一代經營者如果沒有辦法享受大權旁落的樂趣，難免會感到沒有發揮的空間。

在這二十年當中，宏碁流失一些人才，也留下一些願意和我們一起堅持理念的人，並證明這些理念的確可行。假若這些留下的人都只是口頭上天天歌頌理念，但始終做不出所以然，而有能力做出所以然來的人都離開了，那宏碁也不可能有今天。換句話說，宏碁是有一批不喜歡當應聲蟲的人，他們真心接受這些理念，並且願意身體力行，那我才會有戲唱；當大家開始有番成績之

後，這齣戲才有機會愈唱愈大。

勤學習，敢擔當

談人才培養，多數人都會以企業舉辦多少小時教育訓練課程，與花費多少經費，來判斷企業是否重視人才培育。宏碁也設有人才訓練中心進行各種正規訓練課程，同時也和瑞士國際管理學院、麻省理工學院及政大企管研究所合作，進行高階人才培訓，但這只是配角，最重要的方式是塑造授權的環境，讓同仁自我學習與成長，以及主管與同僚之間經驗與意見的交流。

要塑造員工學習的環境，最重要的是爲員工繳學費，而爲了讓公司付出學費之後，真正讓同仁達到學習的效果，宏碁採取兩種長期作法，第一，建立負責任的企業文化，因爲喜歡推卸責任的人，自省與學習能力必然不佳，學費就變成浪費。第二，要讓員工真心願意貢獻所學，必先讓其貢獻有所回收，「利益共同體」便在此時產生效益。

而要建立負責任的企業文化，主管所扮演的角色極爲重要。

多數上班族都有過類似經驗，當部屬犯錯的時候，常常招來主管狠狠責備：「當初我是怎麼告訴你的?你還做錯！」但這種溝通方式被接受度顯然不高，因爲當問題發生時，每個人都可以從中找出很多瑕疵，但是只有當事人才能了解整個過程的來龍去脈。如果事後檢討是採用責罵的方式，部屬的反應往往就是推卸責任，因爲在一個企業當中，沒有任何一個決策是單一個人必須

百分之百負責的。

因此，要讓員工自我檢討，最好的方式是主管先自我檢討。假設有一件事發生，部屬應該負七成責任，而主管應該負三成責任（在真實的情況裡，誰該負較大的責任通常很難論斷），如果真要推諉，誰都可以推得乾乾淨淨，但如果主管先擔起三成的責任，部屬也會擔負責任，如此才能在理性的基礎上檢討改進，而不會爭執到最後還搞不清楚責任誰屬。

我相信宏碁在這方面的表現，應該比多數企業都好。因爲當部屬承認犯錯時，大多數不會被刮鬍子，更不會被炒魷魚，當然這會因主管的個性有所差別，但我自己非常留意以身作則，帶頭示範。

企業領導人的任務，除了要負起公司營運的成敗，更要犧牲自己、照顧夥伴，並且讓衝突減到最低。同僚之間，即使私人感情再好，利益都是互相衝突的。我們經常可見當公司營運狀況不佳時，業務部門責備生產部門，生產部門怪罪研發部門；當營運好轉時，又爭先恐後地居功。領導人要避免利益衝突，就是「讓大家都有飯吃」。

要讓大家有飯吃，不是光在口頭宣示、畫餅充飢，必須要有實際行動。也就是說，當一個部門表現比較好，而其他部門表現不好，還是得讓大家都有飯吃。

如果在檢討或是獎勵過程中沒有做好溝通，人與人之間、部門與部門之間，就會產生一些損人不利己的小動作。在我們當學生的時候，也都不希望別人考試成績比自己好，這就是競爭之下

人性的原貌。

如果企業主認清這個問題，就要想辦法淡化，而不是加油添醋。我們常會看到有些組織領導人，爲了鞏固自己的領導地位，放任部屬內鬥，或者有所謂「當紅」或「失勢」的說法，其實對於組織都是相當不利的。

宏碁從規模小的時候，就儘量塑造不推諉、不居功的環境，自然而然變成組織的習慣，所以宏碁鉤心鬥角的情形比較少，但並不是完全沒有，因爲這畢竟是人的組織。爲了讓事情比較順利地推動，團隊精神可以比較容易凝聚，領導人必須特別去照顧，必須有較高的警覺性與敏銳度，除了溝通之外，還要有具體行動，例如調薪、陞遷、任務的安排，都要有一貫的邏輯。

和諧與績效並重

然而，企業不能只爲了追求和諧，而忽略了績效，所以，管理不能完全沒有差異化，也就是說，這兩者必須取得平衡。

爲了降低衝突，照顧大家的面子，宏碁有一段時期就產生了若干誤導的現象。在八〇年代末期，因爲公司仍處於高度成長階段，爲了獎勵同仁，就經常以拔擢升遷來鼓舞士氣，當時，外界常批評宏碁是「大家都升官」。大量而普遍升遷的結果，造成賞罰不明、權責不清的後遺症。

在「天蠶變」的時候，我們特別針對這個問題檢討，重拾昔日負責任的組織習慣。現在，我

們仍然保有「大家有飯吃」的精神，但也同時考量貢獻度的差異，並且反映在職務的安排，儘量保持適當的平衡。幾年下來，在和諧中兼顧績效的運作方式，也逐漸穩定與成熟，我相信，這樣才能做到「真平等」。

現在，宏碁的人事升遷已經相當制度化，就好像內閣改組，在每年的第三季與第四季之間告知，讓職務異動的人有一季的緩衝期，在下個年度正式交接的時候，已經擬定了各種行動方案與心理準備。

宏碁培養人才的方式，一方面是授權讓員工從工作中歷練、成長，所以無論是如今已經接班的第二代經營者，或是培養中的第三、四代經營者，都是隨著時間自然形成。但是這樣的作法畢竟不夠積極，因此，另一方面，必須讓主管主動願意栽培接班人。

培養「替死鬼」

宏碁拔擢主管最重要的考量，就是這個主管升遷之後有沒有接替其職位的人（宏碁的習慣用語是「替死鬼」），如果沒有，那就只好取消其候選人的資格。這麼一來，爲了自己的事業生涯，主管就必須積極培養部屬。

當然，有些人的個性就是喜歡掌權，那麼他會吃三種虧：第一，和組織格格不入；第二，到頭來一定會忙不過來，因交不了差而吃虧；第三，因爲沒有接班人而無法升遷。如果真的有人寧

願享受掌權的滋味，只要還能勝任，那就讓他繼續在原來的崗位上，對公司而言也沒太大損失。

當然，領導人還是要起示範作用。當我把大權旁落當成享受，主管們會覺得賣命工作可以讓我如此享受，如果希望有朝一日也和我一樣，那就得授權培養「替死鬼」。

除了領導人親身示範之外，還必須有明確的政策宣示。在一九九五年元月的「集團交流大會」上，我特別喊出「龍夢欲成真，羣龍先無首」口號，揭示宏碁分散式授權管理的真義，讓大家明瞭我享受大權旁落的決心。也就是說，經營者的角色會隨著時間演變不斷調整，因爲戲不是只有自己在唱，重要的不是自己粉墨登場去贏得掌聲，而是要讓戲不斷唱下去。

總而言之，不論是塑造授權與負責任的組織文化、落實培養「替死鬼」的升遷制度，或是營造享受大權旁落的環境，宏碁踏出每一個腳步，都是爲走長遠的路而設想；就算追求利益，我們也要想盡辦法將它變成長期的利益。

創造利益共同體

以員工入股的制度而言，現在已經成爲科技業普遍採行的制度。然而，眾所周知，在科學園區當中，有部分企業老闆帶頭炒作未上市股票，用股票差價的短期利益來抓住員工一時的向心力，結果有許多員工把股票換了鈔票之後，還是一走了之。這絕不是宏碁所要的「利益共同體」。

在宏碁電腦股票上市之前，我們規定離職者要將股票賣回給公司同仁（我們有一套公開而公

平的交易制度，詳見第十三章），不准股票在外面流通，現在，由於未上市股票炒作得太厲害，部份股票尚未上市的公司要增資配股，我們都還特別寫信叮嚀同仁不要將股票外流。雖然不免仍有外流情形，但是比起同業情況相對好很多。我相信，宏碁絕大多數同仁擁有股票不是爲了短期變現，而是要與公司共擁願景。同樣一個制度，用來追求短期利益或是長期利益，會產生完全不同的結果。

常常有人問我：「什麼時候交棒？」我的回答是：「宏碁時時刻刻都在交棒。」道理非常簡單，我們隨時都在授權，隨時都在培養人才。

現在，大家可以看到宏碁的各代經營者，每個人的個性、風格都不一樣，但是對於「宏碁一二三」以及四大企業文化的理念，大都認同。這就是宏碁在追求長期利益的道路上，豐碩的收成。

交棒，可以不是難題

正向思考：為公司、為自己、為下一代，創業者應該把公司交給下一代。
反向思考：不管為公司、下一代或自己，創業者應把公司交給專業經理人。
思考邏輯：為同仁貢獻多年，理應給與發展空間；為下一代好，不該讓他們承擔上一代管理的痛苦；為確保自己的利益，就該選擇最好的人才來經營公司。

曾經在雜誌上看到一位知名企業家的專訪，談起管理哲學，鞭辟入裡；談起產業政策，更是長篇闊論，但當被問及接班的話題，他話鋒一轉，只說：「難啊！難啊！」

企業的世代交替，真是如此艱難嗎？

台灣的企業主經常抱怨，當自己把左右手訓練到成熟的階段，「翅膀長硬了」就出去「單飛」，公司沒有可堪擔當大任的接班人，當老闆正打算大展鴻圖的時候，卻苦於人才青黃不接。關於這個問題，總是存在兩極說法：企業主抱怨員工忠誠度太低，員工指責老闆不願培養人才。

我認爲，這兩者都是問題所在。員工如果碰到第一代創業者不願放手，不跳槽又能怎麼辦？另一方面，得力幹部志不在此，老闆又能怎麼辦？

既然問題發生的原因是來自雙方面，如果企業主已經盡力而爲，而部屬仍執意離去，老闆也只好認了；如果說企業主未將員工照顧好，造成員工離去，那顯然是老闆應該克服這個問題。

幹部跳槽誰之過

剛創業的時候，有一回，我和李焜耀到台化彰化廠去推廣微處理器系統業務，在漫長的車程中，我對他說了這麼一段話：「作爲企業負責人，我要想盡辦法留住員工的心，如果員工仍然選擇離去，我也不能抱怨，而是要盡全力來改善公司的環境，讓離職的同仁後悔當初所作的決定。」

時至今日，我相信當年離開宏碁的同仁，與仍留在宏碁的同期同僚相比，不論事業的規模、格局，或是在業界展露頭角的機會，留在宏碁的人一般而言還是比較好的。

最重要的是，宏碁從不因為有人離開，就放棄培養人才的堅持。當然，在培養的過程中一定有很多挫折，因為企業愈大，遇人不淑的機會也就愈多。但是只要堅持，總會留下一些人願意一起唱這齣戲。

從另一個角度來看，員工因為感覺懷才不遇或大材小用而離去，有一個重要的原因是組織成長緩慢。因為組織是由人所組成的有機體，只要成員的能力不斷成長，就會讓組織有活力。然而，如果成員的成長快過組織，人才就留不住；相反地，當企業的成長快過人的成長，就必須仰賴空降部隊。所以，最好的狀況是企業和人一起成長，空降部隊成為後補的力量。只要企業不斷成長，人才都有機會擔當大任的。

因此，作為領導人最重要的任務之一，是保持企業不斷成長，如果企業成長陷入停滯，領導人就要退休讓位。

對有戰功的領導人而言，培養人才與適時退休都是應有的責任。如果企業主短期內以找不到接班人為理由，不肯退休，還能被接受；如果一直沒有接班人，那就是藉口了。因為培養人才也是領導人的責任，一直沒有接班人，就表示不能再適任領導工作。

交棒何以如此艱難？

我認爲，企業主因爲訓練多年的員工被挖角，便認爲培養人才是一件不划算的事，除了歸咎企業主信心和努力不夠之外，更重要的原因是，企業主只想到短期利益。這種只關注眼前獲利的心態，導致交棒問題總是企業家的心頭憾事。

直到今日，許多第一代企業家已經年過七十，仍然凡事過問，而他們的子弟甚至已經進公司三十年了，都未正式接棒；或者，有些第二代雖然已經接棒，卻還會發生「少主」與「老臣」權力分配的問題。我認爲，不管是把公司交給專業經理人或者自己的小孩，企業培養接班人的道理都是一樣，就是要及早決定方向並儘早準備。

如果企業主打算讓自己的小孩接棒，就要儘早給與訓練，儘量授權，千萬不要到兒子五十幾歲了，還沒辦法交棒；如果決定交給專業經理人，也是要及早下定決心，培養合適的人才。

交棒問題之所以爲難，正是因爲培養接班人至少需要十年的功夫。如果企業主老是不授權，不花時間培養，那麼任何一個時刻檢視這個問題，都還要花十年才能解決，那當然是交也難，不交也難。

交棒問題對我而言，一點也不難，因爲我十幾年前就決定不讓我的小孩進宏碁了。

對多數中國人而言，第一代辛苦創業，無非就是幫下一代創造更優渥的環境；更何況爲公司

勞碌大半輩子，把「自己的公司」交給「外人」，豈不是很不划算？

但我認爲，不管爲同仁、爲我小孩或爲我自己，都應該把公司交給專業經理人。同仁爲公司貢獻多年、本身又具備足夠的能力，如果不給他們發展空間，那是很不公平的。對我的小孩而言，要他進公司去面對那麼多資深、專業能力比他強的叔叔伯伯，還要管理他們，那是很痛苦的，對他也不公平。

對我而言，我要讓公司生生不息，確保自己投資利益，當然要選擇最好的人才來經營公司，我勞碌大半輩子，若不選擇對我最有利可圖的交棒方式，才真是不划算。

當然，每個領導人的想法都不一樣，而我所要強調的是「投資到未來」的觀念，也就是說，任何一個未來的成果，都是長期投資的累積，接班問題也是如此。

當公司賺錢的時候，也就是有能力繳學費、從錯誤中學習的時候，如果第一代企業主在這個時候不去培養長期實力，而只關心如何賺更多的錢，那麼肯定不會放手讓第二代做決策，因爲老手畢竟經驗豐富，可以賺較多的錢。但他們卻沒有想到，如果不讓接班人在公司可以承擔風險的時候去嘗試錯誤，累積經驗，那麼，在公司不賺錢的時候，更不可能放手讓第二代去冒險，如此，第二代如何培養能力？

養兵千日用在一時

也許有讀者會有這樣的疑問：企業交棒得要建立理念、尋找人才、塑造環境、調整組織氣候，還要授權、付學費，千頭萬緒，究竟要先做哪些？其實，類似這些建立公司體質的事情並非迫在眉睫，需要立刻兌現，所以今天做或明天做差別並不大，但是千萬不能不做。因爲養兵千日，就是要用在一時。

但也因爲這個事情並非急迫性的問題，又不知道什麼時候需要，所以大多數的人就乾脆不做，這就是長期投資無形資產的決策陷阱。

對我而言，這些工作都已經內化成爲習慣，隨時隨地都這麼做。在公司，不管是什麼場合，即使員工過來和我隨便聊兩句，我會很自然加一點「酵素」在裡面，而這個「酵素」可能在若干年後，或當他在作決策時發酵，從而發揮效用。

我不但一再公開闡釋這些理念，即便在私底下，我也非常自覺絕不拿這些理念開玩笑，因爲這麼做非常容易使這些基本理念產生混淆。在與同仁溝通時，常常覺得自己已經說得非常明白了，對方還是不清楚，如果對如此重要的事情，決策者沒有極爲一致的態度，就算是不經意地開玩笑，也會讓同仁感到疑惑。

在喊出「羣龍無首」的口號之後，外界對宏碁的交棒產生質疑，如果有一天宏碁第一代都退

休了，要如何在資歷與能力都在伯仲之間的第二代經營者中，選擇一個大家都認同與信服的領導人？這顯然是個問題。

但從我的角度來看，宏碁現在將集團變成一個鬆散式的組合，各事業能夠健全地獨立運作，將來，第二代經營者可以輪流當主席，協調集團大方向，並發起夥伴聯誼活動。如果，把一個大組織變成五個小組織，是對客戶、同仁、股東最有利的作法，又何必一定得把大家都綁在一起？如果從對社會負責的態度而言，應該是追求長期投資效益的極大化，而並不是領導人權力的極大化。

再換個角度想，要找到一個有能力勝任領導年營收千億元的企業人才，並不容易；但是要找到五個人才來管理兩百億規模的企業，卻相對容易得多。因此，分散式組織架構的好處也就不辯自明了。

在我個人的事業觀當中，「分享」是一個相當重要的理念。因爲我們所要追求的高遠理想，既有使命感又有利可圖，但卻要透過很多人和很多錢才能達到，因此必須要有方法與理念來累積足夠的資源。想通這一點，與同仁分享成果時就不會覺得犧牲與損失。慢慢地，這些理念又讓我們嘗到甜頭，得到回饋，更證明這種堅持是對的。現在，即使我們遭遇挑戰，也不會對理念的本質產生懷疑，因爲它們已經被證實是行得通的，所以只要在原來的基礎上去思考應變便好了。

我相信，絕大多數的員工都盼望有學習的機會，也盼望能夠共同擁有公司，宏碁和其他企業

的差別，只在於我們認同這樣的期待，而且積極去落實。

有一回，我在電視上看到我太太接受採訪，她提到這二十年來我們兩人的股權比例愈來愈低，但是股票的總數與總值卻愈來愈多，「以絕對值來看，將股權分享出去反而讓我們獲得更多。」她這麼表示。如此簡單的道理，可能很多人都想不通，但我相信宏碁的每一位高階主管都是如此深信著。

分享，使我們收穫更加豐盈。

第十三章

做個懂得認輸的贏家

站在第三次創業的起點，宏碁在全球開展結盟行動，不只為了追求「龍夢成真」的理想，更為了貢獻人類的使命。

這些年，看著諸多企業起起伏伏，自己也歷經幾番周折，不禁有個感想，時勢可以創造英雄，但時勢卻無法創造健全的企業。

一九七〇年代末，在政府大力查禁電動玩具的政策之下，許多廠商被迫轉而仿冒「蘋果二號」。爲數衆多專科出身的創業者，乘著這一波電腦創業風潮崛起，迅速成爲電腦業界閃亮的新星。然而，當一九九〇年電腦產業革命席捲全球，這羣創業者之中，卻有相當數量因爲無法順利轉型，而遭到淘汰。

當同業在檢視這段歷史時，常會有一種説法，認爲這些企業的失敗，是肇因於企業主的學歷；而宏碁之所以可以渡過危機，則是因爲我擁有電子工程碩士的學歷。但我認爲，企業領導人的學歷和企業的成敗並沒有關係。

在我個人的經驗裡，大學與研究所六年的時間當中，有一半的時間在交朋友及參加社團活動，而經營企業卻是二十多年來全心全意投入，兩者所花的時間與精神，實在無法相提並論。

我想，今天宏碁能夠挺過風浪，並發展得比過去更健全，是因爲我們二十年來致力於三件事情——營造良好的經營環境、從教訓中學習改善及追求貢獻社會的理想。在這過程中，我們付出許多代價，也累積了若干經驗，希望這些心得能爲讀者帶來一點附加價值，在人生與事業經營的舞台上，節省一些學費，也減少一些迂迴的路。

營造經營環境

正向思考：企業在沒錢的時候籌錢，出售股權應儘量追求最高價位。
反向思考：企業籌錢是常態，應在平常獲利狀況良好時分散股權，並訂定合理價位，讓投資人有獲利空間。
思考邏輯：財務拮据的企業，價位沒有獲利空間，如何能吸引大眾參與投資？

爲了讓公司與同仁能有更多成長空間，多年前我曾許諾，如果宏碁連續三年營收成長率未達一五%，我就將提前退休。一九九二年，終於面臨兌現承諾的時刻。這一年，我正式向董事會提案辭去董事長一職。

身爲企業創辦人，十六年來和公司共同成長，自創品牌，走向國際化，做這樣的決定自然不輕鬆；但是，爲了讓公司保持成長的活力，也爲了信守承諾，我願意辭職以示負責。

但是當我表達辭職之意後，董事們並未通過這項提案。他們認爲，宏碁在一九九一年發生歷來最大的虧損（六．〇七億新台幣），僅爲當年淨值的七．二%，在全球電腦業普遍不景氣之下，並不算嚴重，不能因爲單一年度的虧損，便抹煞宏碁多年來的努力。

讓我非常感動而且永難忘懷的是，在宏碁虧損年度的股東大會裡，並沒有一般股東會中常見

的嚴厲撻伐之聲，相反地，小股東們紛紛發言，肯定宏碁的表現，也支持我繼續爲宏碁貢獻。在這股力量的支持下，我繼續留在領導崗位上，和宏碁一起渡過艱困歲月，共享改造工程的豐收。

在這段時間裡，雖然外界與媒體對宏碁有些批評，但是宏碁的其他大股東與眾多小股東一樣，信任並支持公司的發展方針，絲毫沒有半句怨言與閒話，這使宏碁始終能保持單純的決策環境。

放眼台灣，一個好的經營環境，真是少得讓人慨嘆。各政黨與政府機關沒有，大企業也是少之又少。試想，在權利糾葛中，有多少政策遭到扭曲，資源因此流失？有多少企業主每年在「公司派」與「市場派」的股權爭奪戰中浪費心神？有多少專業總經理因爲無法和資本主同心齊力，終遭解職？有多少第二代經營者在第一代幕後操控的情形下，處處受到掣肘？

而良好的經營環境，不會憑空從天而降。從創業之初，我就在「捏塑」一個干擾度最低、讓多數同仁都能勇於擔當的經營環境。這需要長期用心，而且是不能有私心的用心。因爲只要有任何一個決策夾雜了些許私心，不但容易發生偏差，也等於在鼓勵同仁可以有私心。經過經年累月的努力，宏碁才逐漸產生一股內部凝聚力。

有了這樣的凝聚力，我們才能有足夠的信用對外爭取資源，不論是有形的資金與無形的信任，從內而外創造出比較穩定、有效率的經營環境。

籌資方式與眾不同

從集體創業以來，宏碁籌集資金的方式，往往是開風氣之先的創舉。

在推行員工入股之後，由於同仁無法一舉拿出足夠資金，我們便採行扣薪水分期入股的方式，透過這個制度，我們取得成長所需的長期資金，也奠立利益共同體的基礎；一九八八年，宏碁引進花旗銀行、日本住友、美國保德信集團、漢通創業投資、大通銀行等外商，加入投資行列，開企業籌募國際資金之風；後來以發行特別股投資德碁，也是當時別出心裁的作法。

特別值得一提的是明碁馬來西亞投資案，與宏碁國際在新加坡股票上市兩個案例。

一九八九年，明碁投資馬來西亞廠時，資金並不寬裕，一方面，我們不希望在海外事業還未穩定之前，投入太多資金；另一方面，由於政府對企業海外投資態度較爲保守，大額資金匯出不易，於是便需要銀行提供投資貸款。

當時，花旗銀行也希望能夠貸款給明碁，但是，馬來西亞政府基於保護該國銀行的立場，規定外商銀行不能貸款給當地企業。於是，花旗銀行想出一個變通辦法，發行爲期三年的五百萬美金「可贖回特別股」，當期限屆滿之日，明碁電腦以面值贖回特別股股票，期間計息收費。實質上這相當於貸款，但是因爲形式上是特別股，所以馬來西亞廠因而有較多的股本。也由於資本額較高，明碁就能取得更充裕的外銷低利貸款額度（由馬來西亞中央銀行提供）。

這項金融產品造就明碁與花旗銀行雙贏的結果，花旗銀行賺到利息與手續費，明碁馬來西亞廠則能有健全的財務結構，成爲集團中相當重要的電腦周邊生產據點。

一九九五年，宏碁國際在新加坡股票上市，釋出二五％股權，順利籌到五千七百萬美元的資金，而這筆資金超過宏碁原始投資的金額。

事實上，過去也有台灣廠商在海外股票上市，但是籌資額度並未如宏碁國際，而且上市之後股票的流通狀況並不理想，這會影響到企業後續發行新股籌募資金時，投資人的投資意願。若以籌資規模及股票流通的情形來看，宏碁國際都可說是在海外股票上市的台灣企業當中，最成功的案例。

這些籌資的創舉，後來在企業界引起不少迴響，常有企業界朋友問起，宏碁如何能適時籌到資金？

這就必須回歸到創造經營環境的問題了。

有錢大家賺

首先，還是回歸到前面章節一再提及的基本因素就是我從來不擔心失去控制公司的權力。二十年來，我和我太太的股權比例逐漸減少，但是參與投資宏碁的夥伴卻愈來愈多，資金來源也愈來愈廣闊。重要的是，當公司愈是賺錢，愈要把股權分享出去。許多經營者往往在公司獲利狀況

好時，把股權當作下金蛋的雞，死抱著不放，等到公司出現問題，才急急忙忙邀請別人加入投資，試想，如果你是被邀請的人，會做什麼決定？換個角度想，在公司獲利時分享股權，更能換到合理財源，讓公司繼續投資成長，也才能避免有朝一日股權賤價難售，危及公司生存。

其次，我們從來沒有以「印股票換鈔票」的心態籌措資金。

有時候，同仁會抱怨，許多體質明顯不如宏碁的企業，都用高價增資發行新股，爲什麼公司不如法泡製，讓公司和股東都可獲利更多？任何企業都希望能以低成本、高效益的方式籌資，但對宏碁而言，籌資是爲了公司長期財務健全，而不是爲了靠發行股票撈一票。爲了眾多股東的權益，價格過低自然不可行，但是絕不求高，而是求合理。從投資心理而言，如果不能讓投資者有獲利的空間，下一次他們還會願意投資嗎？那麼，公司又如何能長期籌措穩定的財源？

換個角度來看，籌資的價位並沒有絕對的好壞，除了企業本身的價值之外，還必須考量大環境的因素與企業資金需求的殷切度，例如，一九九二年，我們以淨值一．五倍左右的價格出售宏碁科技與明碁電腦的股票，以如今的眼光來看是偏低的，但是在當時資本市場低迷，宏碁電腦業績尚不理想，而集團需要長期資金健全財務的情形下，如此價位也算合理了。

簡單地說，我們籌資的原則就是，讓大家都有錢賺。

最重要的是，企業在籌資之前就必須創造一個健全的財務環境，也就是經營的誠信度。

對任何一個正常發展的公司而言，只要公司規模成長大過獲利的成長，就必須籌資以健全財

務，因此籌資是一個常態，而企業也就必須為長期籌措資金而預作準備。以業績灌水、美化財務報表來促成股票上市或取得貸款的作法，只能短期奏效，歸根究柢，企業必須從建立信用、財務公開以及對小股東負責的態度著手。

尊重小股東的權益

而企業建立這樣的習慣與心態，得從小規模時便培養。

在宏碁推行員工入股之前，台灣已有其他企業實施此制度，但在透明化與制度化的程度上，和宏碁相當不同。甚至在員工入股已蔚然成風的今天，許多企業並沒有提供詳盡的財務報表，員工對認股價格如何訂定也不知所以；認股後由公司集中保管股票，甚至連年度財務資料員工都並不知情，這等於剝奪了股東的權益。

宏碁電腦股票上市之前，已有幾千個員工成為公司股東，因此我們必須營造一個公開與公平的財務環境。舉例而言，我們當時規定參與認股的同仁離職時，必須將股票賣回給公司，為了兼顧買賣雙方的權益，必須要有個市場，有公開價格、有股票指數，於是，我們每季都由董事會公布公司最新的公司財務資料，以淨值作為交易價格，並補貼賣方淨值公布日到交易日之間的利息差額。

在股票上市的三年前，我們便開始在公司內部舉行模擬的股東大會，藉著會議的召開，同仁

學習如何行使股東的權益，我也學習到如何面對我的老闆（股東），清楚傳達公司發展現況與未來的策略。同時，董事會每年還邀請數位幹部，輪流到董事會列席，名曰「見習董事」，以便讓他們了解公司決策的過程。

這套制度行之多年，過程是漸進，非常自然。

股權如民意

事實上，再往前追溯，早在宏碁創業初期的約法三章當中，協定任何決策都需經多數股東同意，就已經建立起尊重小股東權益的風氣了。當股權逐漸從少數主管分散到一般員工時，我們五個創辦人還是掌握主導權，從法律來看，我們無須擔心會失去控制；但即使如此，我們的作法卻不是以絕對的主導力量去掌控一切，相反地，我們經常主動放棄權力的優勢。

有個基本理念是我從推動員工認股之初就深信不疑。若是有投資人與我站在對立的立場，原因不外三種：第一，我理虧，那當然要自己改善；第二，我有理，但法令上站不住腳，那只有自認倒楣；第三，如果我於法於理都站得住腳，爲了保護公司，我一定要和這些少數人周旋到底。

如果企業主在公司發展順利的時候，仗著自己的股權大，採用高壓強勢的作爲，小股東心生不悅，即使口頭不明說，心裡卻不服氣。表面上，是企業主全盤控制局面，實質上，組織烏煙瘴氣、士氣低落，公司形象已經受損，對企業主半點好處也沒有。有朝一日，當企業主不再擁有強

勢，別人如何不會藉機反彈？

股權像民意，差別只在股權結構並非一人一票；但是，對權力基礎的凝聚與潰散，兩者的道理是完全相同的。

如果宏碁不是長期養成尊重少數的習慣，如果我們幾個創辦人過去曾經憑藉優勢營私，在宏碁發生困難的時候，可能早已無法在公司立足。

相處之道，唯有互信

回顧宏碁塑造經營環境的歷程，另一位大股東——殷之浩先生所扮演的角色也相當重要。在殷先生投資宏碁之後，我的股權比例降低許多，但是因爲他一直相當支持我，兩個人股權加總，使公司穩定度始終如一。

在殷先生投資宏碁之前，我們便因爲校友會開會之故而相識多年，他經常熱心詢問我，是否有需要協助之處，但當時並沒有適合的合作機會。一九八三年，我和當時的經濟部長徐立德，一起去美國考察創業投資（venture capital）的環境與制度，回台灣之後，和殷先生偶然談起創業投資的概念，他表達極高的投資興趣，於是，我們合作成立了宏大創業投資公司，他投資新台幣兩億元，我則負責經營。

然而，對我而言，同時經營宏碁與宏大兩家公司，的確有發生利益衝突的可能，於是，我便

建議以交換股權方式，讓殷先生握有宏碁電腦一五％的股權，而宏碁電腦握有宏大三成的股權，將宏大納入宏碁集團中。日後，雙方股權更進一步交換，宏碁擁有宏大全部股權，而殷先生則擁有宏碁二五％股權。

無論國內外，科技人創辦企業時，常會尋求非科技業資本主的資金支援，如果雙方對企業決策出現認知差距，往往導致專業出身的總經理和出資的董事長決裂的情形。宏碁之所以沒有出現類似的難題，是因爲我的股權和殷先生一樣多，何況我還花費了許多精神，全心經營公司；但更重要的是，我們之間有相當的互信基礎。

殷先生從事營造工程，對於電子科技並不在行，但是他一直非常支持台灣發展高科技的行動，也認同我們自創品牌、投資半導體的方向與策略，由於他的支持，讓公司同仁增加許多信心。殷先生從來不曾想要介入公司經營，甚至還推拒擔任董事長職務；而我們則是一再力邀他參與，還主動請他派遣財務主管，爭取他對宏碁透明化經營的信心，這麼一來，殷先生也更加放心與放手讓我們經營。

資本主和專業經理人之所以無法合作，就是因爲缺乏互信基礎。非專業的資本主希望能夠控制公司發展，而經理人卻非常排斥資本主以外行領導內行。但反過來想，資本主正是因爲不懂專業才會緊張，才會急於介入；而經理人愈是排拒，資本主愈是心生疑懼。雙方愈是互相提防，心結就會愈結愈深，即使沒有產生決裂，也難免形成派系。

如此一來，當公司需要資金進一步擴充時，原有的大股東必然不願全力配合，若想對外籌資，不免也會因爲揹負「內部不和」的形象包袱，減低外界的投資意願。

因此，創造一個健全、單純的經營環境，其實是企業非常重要的策略，它關乎所有投資人的信心，更進而影響到公司能否籌措到長期成長所需的資金。

美國宏碁反虧為盈

當然，宏碁的諸多決策當中也並非從無歧見。在美國事業發生巨額虧損的時候，夥伴們對應否從美國市場撤退，就有許多不同的意見。有人贊成撤退，有人則反對；有人主張甲方案，有人支持乙方案，意見相當分歧。於是，我公開徵求願意去美國印證自己策略的人，結果卻沒有人願意去。雖然局面有些緊張，但討論完畢之後，大家也就不再各執己見，更沒有人有勇氣去負全責。

此時，身爲領導人的我就得扛起決策責任了。當我們決議由莊人川就任美國宏碁總經理時，在記者會上我公開宣布，此後美國市場的成敗由我負責。這麼做的原因，就是要給莊博士一個單純的經營環境，而我負責扛下台灣所有的壓力，請投資人能夠相信我，讓我相信莊博士，他才能放手經營不受干擾。

現在，宏碁在美國市場不但轉虧爲盈，並且躋身前十大品牌，而且，美國宏碁適時開發出渴

望家用電腦，更帶動了整個集團另一波成長趨勢。我想，美國宏碁的表現，並未讓投資人的寄望落空。

良好的經營環境，看來無形，說來抽象，但它對外可爲企業生財，對內更是凝聚士氣的關鍵，它並不需要巨額投資，但所產生的結果具體而影響深遠。而做與不做，其實僅繫於企業主的一念之間。

成長的代價

正向思考：一朝被蛇咬，十年怕草繩。
反向思考：研究如何被蛇咬，下回與蛇鬥。
思考邏輯：對於已經發生的挫敗，應該認栽，但不能對未來認命，因為知道還會再發生，所以要及早為將來準備。

宏碁陷入困境的時候，有同業或媒體批評，宏碁就是過度追求成長，才會導致挫敗。那麼，追求成長究竟是不是一個缺點？

我想，成長是企業非追求不可的目標，這是沒有選擇餘地，至於用什麼方式成長，以及成長的快與慢，則和自己的能力與外在環境有關，也就是說，成長並沒有錯，問題是判斷和執行的進

度，而這兩者其實是很難有絕對的定論。如果我們永遠不去親身嘗試，是不會知道自己的能力究竟有多高，也不會知道要用什麼速度與方式去追求成長。

宏碁在追求成長的過程中，希望做到方向正確，然後彈性地調整進度與方法。如果說有什麼不盡如人意的地方，那是能力的問題，而不是不該追求成長。

但從另外一個角度來看，宏碁如今還算能有一點成績，也是因爲我們比別人早、比別人敢繳學費，所以培養出較爲領先的能力，換句話說，這些錯誤發揮了重大的功能。

其實，不管企業發生任何情況的虧損，過程中都有許多回頭是岸的機會；嚴重的虧損，總是因爲一錯再錯或是糾結各種不同的錯誤，才會積重難返。因此，經營企業首重隨時自我檢討。現在，我偶而會提醒各事業總經理應該提高警覺的地方，都是從過去的錯誤中學得的教訓。

這些教訓讓宏碁練就今天的體魄與膽識。

首先，要從成立於一九八三年的宏大創業投資公司談起。

宏大的失敗，導因於我們一廂情願的想法，以及對創業投資與美國創業環境了解不夠深入的結果。

跨入創投，一廂情願

成立宏大的想法很簡單，我們認爲，宏碁擁有創業經驗可以分享，若再提供一筆種子基金，

可以幫助年輕人闖出一番事業。再者，還能配合公司成長的方向，從矽谷移轉一些技術到台灣。如果他們需要降低成本，我們也可以支援。因此，宏大投資了矽谷兩家高科技公司，生產半導體的國善電子（在新竹科學園區設立台灣國善），以及系統研發的日技（Sun Tech）公司。

當時我們認爲，在宏大的資金支援之下，幫他們打下基礎，度過草創時期，他們便能有更好的條件，去找別人繼續投資，籌措第二回合與第三回合的資金，換言之，宏大並不打算要主導這兩家公司的經營。

另一方面，我們也沒有爲宏大設定獲利目標，因爲當年創立宏碁的時候，我們也沒有這些目標，只是做我們覺得該做與值得做的事，自然而然就賺到錢，所以誤以爲宏大應該也是如此。

但是，事情的發展完全出乎我們的預料。

回想起來，真是「愛之，適足以害之」，由於宏大積極給與協助，反而造成經營團隊對我們依賴過深。因爲當他們遇到困難向我們求援時，我們就會想辦法幫忙解決，於是，對於籌資也不是很積極。當我們發現情勢不對，開始對他們設限時，卻是爲時已晚。

此外，當時美國創業者和台灣的互動關係還不成熟，利害關係仍相當模糊，因此，當他們愈是依賴我們，心裡也愈不踏實，於是，在籌資的時候，一方面擔心我們投資多了，會讓他們失去控制權，另一方面又擔心，有一天技術都移轉到台灣，會讓他們的投資失去保障。就在這種「又依賴，又怕依賴過深」的矛盾心情下，投資行動猶豫不決。按理說，如果怕依賴過深，應該趕快

自己去找資金，但他們行動又太慢，等到公司狀況開始惡化，投資人也沒有信心投資。

從技術移轉的目的來看，這兩樁投資案也並非全然繳了白卷，一九八四年，宏碁與日技合作開發工作站，就累積了日後領先推出三十二位元的技術。但是，從投資報酬的角度來看，宏碁跨入創投領域卻是一項失策的行動。

當企業開始進入成長階段時，往往會基於一個策略就作出投資的決策，當時我們的策略，是要產生資源互用的綜效（synergy），也就是就是用統合的觀念投資宏大。從現在的觀點來看，當初是錯在沒有用分工整合的觀念去思考這項投資，以致於把多重目標混在一起考慮，決策就會產生誤導。

現在我們的想法大不相同。我們認同統合產生綜效的好處，但是在初期，轉投資事業得先獨立運作，把單一領域經營起來，如果真的產生綜效，那是額外的分紅（bonus），特別是創投這種專業高科技的事業，更不能與電腦產業混淆思考。因爲當時宏碁本業經營得很不錯，沒有深入思考這些問題。

另一方面，雖然創業投資日後在台灣發展得有聲有色，但宏大的起步是早了一些，更大的問題是沒有找到有創投經驗的人來管理。

當時，我們找陳正堂當總經理，他可以說是早期交大校友中，成就最高的專業經理人，他原本在香港一家電子集團擔任總經理，對科技公司整體管理能力有相當完整的歷練，然而他畢竟還

是沒有經營過創投公司，加上公司策略錯誤在先，陳先生雖然很努力，終究還是於事無補（後來陳正堂轉任明碁與德碁總經理，就將他的專長發揮得相當不錯）。

在這個過程中，占宏大七成股權的殷之浩先生，始終非常授權，甚至還自掏腰包配合投資這兩家公司。但殷先生的投資也沒虧本，後來殷先生以宏大的股票交換宏碁的股權（從宏大變成宏碁百分之百轉投資事業，就沒有後續投資行動），在宏碁股票上獲利不少，可以說好心有好報。

但是宏碁投資宏大的結果，卻是好心沒好報。相較之下，就可看出台灣和美國創業者迥然不同的觀念。在台灣，我們拿了老闆（投資人）的錢，就會一輩子負責到底；但是美國人拿老闆的錢就沒有這樣的責任感，即使輸光了也不必負責。

宏大的投資，可以說錯在太策略性，不夠慎重。日後，宏碁的決策系統逐漸成熟，在「爲公司著想」的組織氣氛下，所有執行的同仁都可以了解策略全貌，並提出不同的看法，於是，最高決策者的策略並非唯一的奉行原則，這也就讓決策者必須更謹慎地提出更可行的策略。

投資五十萬，虧損兩千萬

宏碁歷年的購併投資中，成果好壞參半，外界比較熟知的失敗案例，是康點與高圖斯兩件購併案，事實上，購併洛杉磯Service Intelligent（簡稱SI），才堪稱宏碁歷史上最嚴重的錯誤，投資五十萬美金，結果虧損兩千萬美金。

在美國經營售後服務是非常不容易的，因爲美國是「消費者的天堂」。一九八八年，洛杉磯一位專業經營售後服務的人，發展出一套加盟體系的構想，計畫訓練一大批家庭主婦與主夫，讓他們做售後服務，在全美國建立服務網。由於他與美國宏碁有些業務往來，我們得知這個計畫，並認爲對宏碁可以產生相當的助益。於是，便於一九八九年，以五十萬美金購併這家公司。

購併之後，我們委託那位專業人士負責經營，他採取積極擴張行動，公司一下子成長到一百多人的規模，然而，內部制度卻並沒有上軌道。爲了建立全國服務網，就購入許多備料，卻沒有健全的庫存管理與收帳制度，往往物料都出去了，卻疏於催收貨款，帳務牽扯不清，財務狀況也自然不佳。由於完全授權，宏碁美國總部又在聖荷西，無法就近管理，因此，資金不斷投入，經營卻沒有起色。

這給我很大的教訓。當你百分之百擁有一家公司的股權，他就是你的兒子，兒子在外面胡作非爲，所有爛帳、承諾，都記在你的帳上，非要爲他負責到底不可。

當時真是屋漏偏逢連夜雨，台灣產品又出現問題。原因是明尼蘇達礦業製造公司（３Ｍ）所供應的插座接觸不良，使產品操作起來時好時壞。而這個小問題，卻整整花費半年的時間才找出癥結，並加以改善。

在這段時間，有問題的產品已經賣到世界各地，但其他國家的經銷商都有夠強的信用與管理體系，可以妥善處理問題，而ＳＩ本已體質不良，再加上產品出狀況，需要更多售後服務，於是

再度提高備料；但產品有瑕疵，業務受影響，因而財務狀況更加惡化，各種症狀立刻併發。

插座事件，讓我們深切體認危機管理能力的不足，於是，重新建立危機處理體系。當類似情況再度發生時，結果就完全不同。這一回是Chips & Tech 所供應的晶片出問題，我們馬上成立專案小組，每天在電腦裡面追蹤物料流通、市場反應，以及產品改善進度，隨時掌握各種狀況，找尋對策，不到一個月，不但控制災情，而且順利找出改善之道。

但SI最後仍不得不以結束營業收場，虧損金額超過原始投資的四十倍，主要是庫存成本與管銷費用，最後還有遣散費和搬家費用（搬回聖荷西）；直到解散爲止，加盟計畫都還未曾開始。雖然這個投資在整個集團並沒有變成大事件，但實質上，卻對業務與管銷費用產生相當大的負面影響。

但這筆虧損對我們售後服務能力的提升，卻是一點助益也沒有，等於花了寃枉錢。後來我們派一位非專業但在美國服務多年的資深經理，從頭開始建立售後服務體系，從原先被評等爲「E」進步到「B」，可以說花費相當心血與資金，才累積這樣的成果。這個教訓只是再次加強我們「投資必須慎於始」的認知。

後來宏碁在歐洲與大陸拓展業務時，都謹記要先把內部管理好再進行擴張。因爲擴張業務，就會產生許多優先任務，要衝業務，要進貨、鋪貨，客戶有抱怨要處理，光這些工作就已經使公司正常運作超載，如果體系與制度沒有先建立完備，就會愈搞愈亂，結果往往是業績愈好，虧損

愈大。

義大利出師不利

一九九〇年，宏碁進軍義大利市場時，莫名其妙地陷入一場官司纏身的夢魘。

宏碁在併購高圖斯之後，也一併接管了它的義大利公司，變成宏碁義大利分公司。由於宏碁在海外採取非獨家經銷制度，於是，我們就由當地的負責人，也就是原來高圖斯義大利的負責人，洽談終止當地經銷商的獨家代理權。

對於這個程序，我們在各國的處理方式向來很謹慎，但是這回處理起來卻非常不順利，因爲原來的經銷商不願放棄獨家代理，就直接興訟，而且還不是先提出告訴，而是直接就向法院申請對宏碁義大利公司執行假扣押。這麼一來，宏碁在義大利就不能有業務行爲，爲了推展業務，我們必須執行反假扣押，得拿出幾百萬美金做保證金。

不公平的是，法院並沒有經過任何司法程序，就進行假扣押，而且申請假扣押的人還無須支付任何保證金。

這個經銷商一看這個方法沒有難倒我們，竟然又到荷蘭，也對宏碁歐洲總部申請假扣押（因爲義大利與荷蘭同爲歐市成員），於是我們又得再付出一筆保證金。後來我們才知道，這個經銷商原來是義大利多起官商勾結醜聞案的主角。

就這樣經過三、四年，法院才判決宏碁勝訴，官司也終告落幕。但這期間里拉巨幅貶值，保證金已經大量縮水。

如果同樣的事情重來一次，我也不知道要如何處理才會更好。

在這期間，我們撤換義大利分公司的負責人，因爲公司沒有嚴謹的信用管理，呆帳的比例實在高得離譜，特別是對經銷商的放帳。

在檢討這個事件時，我並不埋怨義大利分公司負責人，而是反過來思考，如果我是一家外商在台灣分公司的負責人，我可不可能利用職權之便，讓我的親戚朋友來當代理商，放帳給他？或者向我的親戚朋友採購，再收取回扣？答案是，可能。實際上，這種情形在台灣是存在的，義大利人和中國人作風其實很相像。那麼，要怎麼防範這樣的情況？

如果，海外事業的負責人就是大股東，他必然會用心投入公司，也會嚴密管理。於是，「當地股權過半」的概念就出現了。

說起來，宏碁真是經歷不少挫敗的經驗。曾經，我們也希望能培養一支世界水準的桌球隊，還費了一番功夫，邀請曾獲漢城奧運金牌的大陸桌球國手陳靜加盟，但是受限於國內環境，要找到世界級的專業領導人才，畢竟不容易；在台灣，選手也沒有將運動生涯作爲事業的規畫。雖然投資了不少錢，但始終無法建立球員的使命感與向心力，最後只好解散球隊，安排選手到其他球隊。

從經營的角度來看，桌球畢竟不是宏碁的專業，如果說培養球隊是我們可以作出最大貢獻的領域，我一定不服輸，非想出辦法來讓台灣拿到世界金牌不可，即使一代做不成，第二代也要接著完成。反之，還不如把資源用在自己有把握的事業。

建立危機的預防機制

現在，宏碁規模愈來愈大，像渴望家用電腦、記憶體等大量生產的產品，一旦出現問題，嚴重性自然遠超過以往。

例如，英代爾在Pentium晶片推出之後，因爲浮點運算有問題，在全球引發相當大的問題。從技術的角度看，浮點運算發生問題的機率，其實只有幾百萬分之一，一般消費者是用不到這麼複雜的功能。就像軟體略有瑕疵，消費者是可以接受的。但是英代爾以工程見長，就從技術角度和大家講道理，但是消費者沒辦法確切了解技術層次的東西，而且在媒體與消費者都已經不站在他這邊的時候，還要繼續講道理。最後，英代爾還是不得不採取全部退換的作法，並且在帳面上提列三、四億美金的損失。

從對外溝通與危機處理方式來看，這個事件都算不上是成功的案例。在英代爾還沒有提出解決辦法的時候，我便曾和同仁提起我對這件事的處理方式：公開承認這個瑕疵，並且告訴消費者，大家放心使用，如果有任何問題，一年內都可以退換。這個處理方式的好處，是把處理的時

間分散在一年當中，而且許多消費者在使用之後發現沒有必要退換，就不會恐慌性地擠著換貨。

這個事件對獲利豐碩的英代爾而言，並沒有產生太大震盪，但是，身爲企業領導人，我不得不去思考，萬一宏碁發生類似狀況，是不是有能力能即時因應？特別是在新同仁不斷加入的情形下，如何才能降低危機的發生機率與影響層面。因爲對一個企業而言，任何一位員工出紕漏，不管職位多低，都是記在公司的帳上，決策者是責無旁貸的（同樣的道理，我認爲公務人員效率不彰，每位首長都難辭其咎）。

建立企業預防與因應危機的能力，有三個關鍵：第一，必須具有危機意識；第二，建立危機處理能力；第三，還要時時提高警覺，隨時改正小錯誤，避免釀成大危機。

防微杜漸，居安思危

宏碁避免偶發的致命危機的方法，可以說很簡單，但可以說也很困難，那就是「授權」。習慣正向思考的人會認爲，放權部屬辦事，無異增加出紕漏的機率，怎麼可能降低危機的發生？但是，人之所以會小心避免燙傷，就是曾經被燙過，不讓同仁出一點小紕漏，親身體會，就不會提高警覺，如此一來，出大紕漏的機會就增高了。

另外，我們有一個非正式的異常管理體系，就是「利益共同體」。因爲大家都是股東，如果公司出現一些異常狀況的蛛絲馬跡，就會有人即時反映，不會讓問題醞釀成不可收拾的局面。讓

我們回想一下「國票事件」發生的原因，就是因爲經辦人員平常各管各的，漠視小問題，才會造成嚴重的金融風暴。

這個非正式的內部控制，對宏碁體質的健全，扮演相當重要的角色。舉凡採購成本偏高、費用太高，甚至連福利社的問題都會向上反映。

早期媒體最常報導宏碁的管理特色之一，就是採購人員相當被授權，新進人員被賦與幾億元採購金額的重任。在很多年前，也曾有同仁反映採購人員可能有弊端，但是我們並沒有直接就做判斷（所以，寫黑函在宏碁是不管用的），而是從同事、主管和過去的資料當中調查，因爲只要有舞弊，一定有跡可循。但到目前爲止，還沒有任何採購人員真正發生舞弊情形，只有一位同仁因爲被提了好幾次，我們才與這位同仁直接溝通，請他注意不要作出讓同仁誤解的行爲。

當企業發生危機時，除了單一事件所引發之外，還有長期累積所造成的危機，例如宏碁在八九年到九一年之間，因爲長期處於順境造成競爭力衰退的狀況。這種危機對企業傷害更嚴重，它會使企業在安逸中失去危機意識，喪失反應能力，這也是爲何我總時時提醒宏碁同仁，必須具備危機意識的原因所在。

改善，永遠不會太遲

舉例而言，我們經常發現成功的企業，會不知不覺地累積一些惡劣的形象，例如對供應商與

客戶擺出高姿態，或者運用自己的資源行使特權。短期間這些企業的確得到利益，事實上大家只是暫時隱忍，但是企業絕對不可能每件事情都做對，只要企業一出差錯，外界會更加不留情面，朝負面去擴大問題，屆時，小問題也會變成大麻煩。所以，當企業發展順利的時候，不但企業主要避免自大，更要注意讓所有的員工都不能自大。

這不僅需要「反向思考」，還要「逆向操作」，也就是說當企業愈是成功，就要愈謙虛。宏碁始終把「人性本善」放在企業文化之首，就是希望同仁時時不忘，並發揮人性良善的一面。從即時改善，避免危機來看企業的發展，企業為了追求成長而遭遇挫敗，並不是一個缺點；但是，如果發生挫敗之後不能即時改正，那就是嚴重的缺陷了。

在台灣，我們常聽到「無力感」這個名詞，政府官員對施政效率無法提升有無力感，企業主對交棒或提升競爭力有無力感，似乎要改善現況已然太遲。但是，我從來沒有在面對缺點時，產生要改正卻為時已晚的感覺。我對於過去種下的因，導致今天結的果，也許無法認同，卻必須「認了」，但是，我不「認了」的是未來。如果不對過去認栽，卻對未來認命，就永遠有無力感。

從積極面來解釋「逝者已矣，來者可追」這句話，它的含意是，對於已經發生的失敗必須面對現實，因為知道未來還會再發生，所以現在要趕緊為將來準備。

「一朝被蛇咬，十年怕草繩」，這句話對我而言，並不適用。如果我被蛇咬一口，我不但會去研究清楚是如何被蛇咬的，下回再遇上了，我還要和蛇鬥。

如果我們一直耽溺於過去的失敗，當然就會覺得往前走很困難；但如果我們已經知道過去之所以失敗是基於何種原因，往前看就會有解答。例如，許多企業主認爲投資提升「ＭＩＴ」的形象是不可行的，因爲幾十年的經驗都顯示這不可行，但事實上不是辦不到（宏碁的經驗就可證明），只是不肯與沒有學會怎麼去辦而已。

企業成長要靠經驗的累積。當宏碁還是家小公司時，我就常常告訴發生錯誤的同仁：「交這些學費，公司絕對捨得；但捨不得的是，沒有記取教訓，不知所以然。」如果說，生了一場病可以產生免疫力，我都覺得不枉病這一場。

這是宏碁最基本的理念，但是促使理念落實卻是要靠大家的力量。作爲企業領導人，我必須先具備這樣的心態，竭盡所能去表達，得到支持之後，再慢慢「得寸進尺」，然後才能大致形成共同的理念。

對我而言，這樣的心態，不是從創業第一天開始，而是創業之前就已經具備。

創業路上停看聽

正向思考：企業主應該先賺錢，再求貢獻社會。

反向思考：企業主應該在經營企業的過程中，實現貢獻社會的理想。

思考邏輯：因為要先賺錢，對於錢財是否取之有道，就不會太在意，對社會反而造成傷害。

企管學界在探討台灣競爭優勢時，多半都會談到以中小企業架構而形成的產業網絡。鼎盛的創業精神的確是台灣競爭力相當重要的部分；然而從另一個角度來看，根據主計處的調查，台灣有六成以上的企業，在成立五年之內結束營業。創業的道路上，其實是充滿許多風險的。

正因爲創業維艱，創業者要如何降低風險，讓企業生生不息？這不僅關係投資者個人的利益，更關係到整體社會資源。我認爲，創業必須具備兩個最重要的條件：能力及正確的目標，而驅動這兩個條件的力量，一個是學習的心，一個是貢獻社會的心。

創業者累積能力的方法別無他途，就在「學習」二字。企業訓練人才必須捨得爲員工付學費，而領導人要自我培養實力亦復如此。但是，建立經營能力所要付出的代價，比之就學付學費要高出許多。所以，我認爲，創業者培養能力的第一種模式，就是低成本學習。這好比學習理髮先拿西瓜練習刀法一樣，若是初入門就以真的人頭冒險，往往弄得頭破血流還不得要領。

首先，最經濟實惠的學習，是不必自己付學費。也就是說，有志創業者應該利用就業時期，藉由別人的資金與經驗開始學習，從旁觀現成的案例中汲取經驗。因此，在準備創業之前，應該養成多聽、多看、多讀書的習慣，並且培養融會貫通的能力。如果沒有累積足夠的能力，最好不要創業，除非具備相當雄厚的資本。

我三十二歲創辦宏碁，在此之前，我已經歷練過從三個人到一千人的管理經驗。但是，看別人賺錢，不等於自己也可以用同樣的方法賺錢；在就業期間參與公司成功的決策，並不等於自己創業之後主導決策也能成功。所以，一旦自己創業，還是要有萬全的準備，也就是要做最壞的打算，因爲在創業過程往往會有意想不到的狀況，而且，許多經驗雖然可以借鏡他人，但也有不少必須要親自經歷才能真正學會。

因此，在宏碁創業的約法三章當中，我們特別約定萬一公司經營不下去時，部分夥伴必須另外找工作來維持公司生存，就是在防範未然。

認輸的贏家

其次，正因爲許多經營能力非得親身經歷才能學會，因此另一種低成本學習模式，是在企業規模還小，或是發生小過錯的時候，記取教訓並舉一反三。這個道理說來簡單，但往往是犯錯之後還以運氣不好或是錯在他人爲藉口。如果創業者無法觸類旁通，知錯能改，總有一天要爲自己的固執與藉口，付出更大的學費。

因此，是要從錯誤中學習，決策者必須先學會認輸。

當錯誤發生的時候，外人是很難得知的，但當事人卻相當清楚，如果不能從內心承認失敗，即時改善，逃避責任的結果，只會讓錯誤更加擴大。就如同一個人因爲染上不良的生活習慣，體

質變弱，別人一時之間並無從得知，但是自己卻心知肚明，如果不能儘快調整作息，戒除惡習，便很容易招致疾病。

事實上，勇於認輸的人，往往才是最後的贏家。不僅經營企業是如此，做任何事情也是如此，因爲真心認錯，才會有進步的機會。而且，在外人不知道錯誤發生的時候認錯，往往才是進步最快的時候。

舉例而言，當決策者還不是非常明白放帳所導致的嚴重後果時，因爲放帳而吃了一次虧，但在財務報表上看不出這筆呆帳，公司還是賺錢，但當事者心裡卻明白，因爲自己一時大意或心軟而鑄成錯誤。如果決策者能從中汲取教訓，對客戶信用嚴加把關，無形中經營能力已經提升；但若因結果賺到錢就輕忽過失的存在，放帳必然愈來愈多，等到企業財務問題已無法遮掩，企業主忙著分心挽救危機，光爲保命已然自顧不暇，更遑論改善與進步。

這就好比參加球賽，在過程當中，你打了幾個壞球，但是結果還是打敗對手，那麼，你會檢討那幾個壞球？或是存著「贏球就好」的自滿心態？一念之間，就決定了日後繼續進步的空間。

這是人生成長過程中，最簡單，卻也是最重要的道理——要隨時把握機會讓自己進步。

當然，由於人人天賦各有不同，提升能力的困難度也有所差異。就如同練球練到到一個階段，必須藉由外在力量（例如找教練幫忙）才能繼續進步，但事實上往往有許多能力是早已具備，若因爲疏忽而讓既有能力棄置、生鏽，豈不是非常可惜？

本錢要大，賭注要小

當企業從創業期步入成長期，更面臨更大的挑戰，此時經營者所需要具備的經營能力，也必須相對提升。創業者培養能力的第二種模式，是必須不斷爲自己繳學費，去營造一個企業持續成長的方法與環境。因此，當企業開始賺錢之後，不能把錢全部分紅花光，必須留下一部分繼續繳學費，繼續累積能力。

建構不斷成長環境的動力之一，是經營者必須具備開放的心胸，願意嘗試新事物，並且不怕失敗與挫折（換個角度想，如果所有的嘗試都成功，又如何能稱爲「學費」？）

動力之二，是經營者必須常常懷疑自己的能力是不足的。這並非自信心不足的表現，因爲將軍上場作戰必然已有勝利的把握，這句話的含意是，必須時時保持危機意識，並養成未雨綢繆的習慣。例如，資金要多準備一些，有一百元只做五十元的生意；一百元快花光了，就要趕快想如何籌措下一個一百元。

因爲，企業的資源與能力都是有限的，永遠沒有夠用的時候，所以必須永遠學習、充實。從實際的狀況來說，當我們預估一百元可以達成的目標，執行的結果常常都超出預估很多，例如德碁投資案就是如此。因爲人總是高估自己的能力及機會，經營者必須體認到人性所造成的決策陷阱，時時爲籌措更多資源而預作準備，否則資源一旦耗盡就前功盡棄。

舉例而言，相信許多經營者都有相同的經驗，在執行業務計畫的時候，業績達成往往低於目標，但是費用卻比預算高，因此規畫時，就要考慮這些因素，要保留較多彈性與備用資源。

宏碁向來有個重要的經營原則——不打輸不起的仗，我們所設定的目標必須是有機會及有把握達成的；若非如此，即使是再崇高的理想，都會暫時把它擱在一旁，等有把握的時候再說（例如「小教授一號」的想法，就「擺」了長達五年才進行）。因爲如果我把它放在跟前，一定忍不住要去追求，那就會遭遇失敗。所以我們只能按部就班，先培養足夠的能力，才去實現這些理想。在這個過程中，不但達成目標，更提升了實力。

在這個經營原則之下，即使有個可獲致數倍利潤的投資，但它的風險可能會危及公司生存，如果失敗機率只有千萬分之一，我們都不會去試，也就是俗話所說的「本錢要大、賭注要小」。

堅行所知，不以不知為知

除了低成本學習與營造不斷學習的環境之外，創業者要增進經營實力，還要培養「知之爲知之，不知爲不知」的能力（這並非僅止於觀念）。

對於這句出自「論語」的名言，或許有人會認爲是「誰都知道」的陳腔濫調，但是落實到企業決策，遠非想像中的容易。有多少企業主以不知爲知，跨入自己毫不熟悉的行業而拖垮本業？又有多少老闆明知作假帳既違法又危險，仍然以身試法？

我對這句話的詮釋，包含著力行的哲學。我個人對於不知道的事，並不會堅持己見，自以爲是；但是，如果一旦徹底明瞭就堅信不移，並且貫徹到企業運作當中，不會爲了短期利益或人情包袱而改變。我認爲，如果不能堅持與力行所知道的事情，就等於不知。

在知與不知之間，還有一個灰色地帶，也就是一知半解。我對於不太有把握的事，不會隨便就下定論，能夠不下決策，就儘量不做決策。

在灰色地帶當中，有部分是可藉由科學分析或經驗累積學習的，學習之後就變成「知」的部分。例如智慧財產權，剛開始我們也是似懂非懂，但是當後來發現無心侵犯到他人的專利會招致損失，而且印證其他企業的經驗也是如此之後，就非重視與執行不可。從一知半解到「知」，我們才能具備更強的研發能力，以及建立尊重智慧財產權的形象。

非常重要的觀念是，「知之爲知之，不知爲不知」的能力，要與勇於認錯的能力互相爲用，也就是說，當發現自己原本以爲的「知」其實是不知的時候，就沒有道理堅持。例如，當自己學識不足，發表文章陳述了錯誤的觀點時，若有人指正或是自己發現錯誤時，當然要即時修正。

我們經常發現企業決策之所以無法貫徹，正是因爲決策者不知以爲知，在錯誤的基礎上做決策，結果無法堅持，就乾脆放棄，而沒有以學習而得的「知」重新落實到決策上。

多一點堅持

進一步地說，當經營者做決策的時候，有些是已知的，有些是灰色地帶，決策者要判斷是否非得等到完全釐清灰色地帶才能付諸行動，或是可以先進行已知的部分。好比我對一個人表示好感，想請他吃飯，雖不清楚對方對我印象如何，但請客的動作卻無須等到確知對方的意念之後才進行。

也就是說，有些不確定的事情其實並不一定會影響行動。領導人如果能夠清楚其中的關連性與邏輯，建立一套完整的思考與決策體系，就可以讓自己儘速掌握要點，節省很多決策時間。

這些概念，我把它稱爲「非理論」的理論——一種必須身體力行，不容易做到，但的確是可以做到的理想與理念。就如同練習打球，即使沒有極佳的天賦，但當我們知道哪些技巧可以克敵制勝，苦練之後就真能靠這些招數擊敗對手。想必大家也都明白這些理念，就像打球的技巧，人人都能侃侃而談，但沒有經過苦練，真正實地上場還是不會運用。

而宏碁之所以有今天的一點成績，是建立在比別人多一點點的堅持之上。

例如，我認爲企業發生危機是常態，沒有危機才是異常，所以企業要不斷累積實力，沒有打仗也要養兵。這是不變的道理，所以非堅持不可。

事實上，我的經營邏輯都是一些相當基本的原則，例如爲長期投資、誠信、爲他人著想。這

些都是大家從小就明白的道理，但每個人對這些原則都有自己的定義，因此，一個人究竟是否誠信、爲他人著想，不能用自己的定義，而是別人是不是真心給你如此評價。

也就是說，評價不是透過法律認定或是辯論得到的結果，而是多數人都認定的形象。而所謂的多數人，不是七、八成，而是九成、九成五以上的人，反過來說，就是要做到少數人有心扭曲都無法扭曲的程度，這才能算數。

建構在這些基本理念之上的決策，才能夠具備一貫性與邏輯性，不會因爲外在環境的變遷就無法堅持下去。

以貢獻社會為目標

正因爲創業的路途是漫長而布滿陷阱，企業領導人一定要不斷提升自己的能力，才能避免誤踩陷阱，或是即使誤踩陷阱導致挫敗，也不至於一敗塗地。然而，要讓自己持續追求實力的成長，就必得有個目標作爲長期努力的方向。

目標人人都有。我曾不只一次被問起，宏碁的目標與其他企業有何不同？對我自己與對宏碁而言，目標都是貢獻社會，而我相信，許多創業者的目標是賺錢，差別只是如此而已。

正因爲我的人生目標是貢獻社會，所以一生追求不完，因爲貢獻是永無止境，追求能力的進步也是無止境的。因此，我知道如果自己不成長、不分享、不謙虛，就無法繼續我的追求。但若

是以獲利爲指標，等指標達成之後，也就沒有進步的動力，更進一步地說，以賺錢爲目標，對人生與事業經營的思考模式，就會產生瑕疵與偏差。

我們可以觀察到，許多企業在發展到某個階段的時候，會停滯不前或是變質，這往往由於企業主以賺錢爲目標，於是，當企業獲得初步的成功之後，企業主就覺得可以鬆懈下來坐享利潤，在沒有危機意識及缺乏成長動力的情形下，企業就會變質。這不僅讓企業不進則退，還會在危機發生時結束企業生命。

如果企業以貢獻社會爲目標，便會時時感覺責任未了，就必須不斷累積能力克服危機，一旦能力累積到一定的程度，就進入另一個層次更高的企業周期。

因爲我把貢獻社會視爲人生目標，因此，當多數企業家抱怨人工成本提高傷害了企業競爭力，便拼命抵制提高員工權益的法案時，我卻認爲員工所得提升，是企業家對社會應盡的責任。

在這個前提之下，如果企業一時之間能力還不夠，可以少做一點，例如，宏碁先於其他企業執行勸退行動，短期內的確有失面子，但是我們保住公司，讓宏碁得以繼續並擴大貢獻社會。若以能力不夠爲藉口，就不做社會貢獻，那就將企業存在價值的基本觀念本末倒置了。

當然，在流行社會責任包裝企業形象的今日，把社會貢獻掛在嘴邊的企業主大有人在，但是說歸說，是不是做到？大多數人是不是如此看待？或者，企業主自以爲貢獻社會的行動，是不是真的對社會有貢獻？

許多人認爲企業對社會有貢獻，是捐錢做社會公益活動，我個人對社會貢獻的看法不是這樣。我向來並不熱衷參與所謂的社會公益活動，因爲我始終認爲，把企業經營好就是對社會最大的貢獻。進一步地想，我最擅長的能力是什麼？是經營本業。因此，經營本業是我所能做的社會貢獻當中，效益最高的一種，當企業獲利，我繼續擴大投資，雇用更多人，培養更多人才，這對社會的貢獻決不下於舉辦公益活動。

因此，我認爲企業主必須在經營企業的過程中，實現貢獻社會的理想，也就是以社會貢獻爲企業經營目標。但在部分企業主的心目中，卻認爲先賺夠了錢，等有財力再來貢獻社會，這麼一來，賺錢是否取之有道，就不會太在意。於是，企業主便開始官商勾結、投機炒作資產、壓榨員工、罔顧消費者權益，因爲要賺錢，所以會有太多「不得不」的藉口——不得不偷工減料、不得不占人便宜，否則企業沒法賺錢營生。

這只是一個觀念的不同，卻導致完全不同的結果。因此，哪一種作法對社會的貢獻多一些，也就不辯自明了。

平心而論，有部分企業主所經營的事業對社會並沒有貢獻，甚至有負面影響，但卻勤於參與公益活動，那是在花錢買心安。我無須如此，因爲宏碁對社會的貢獻不比別人少，沒什麼不能心安的。

如果說我的能力不夠，不能經營一個對社會有貢獻的企業，那我大可不必勉強，因爲我可以

當個上班族，只是貢獻少一點，何必在做出傷害社會的事之後再想辦法彌補？

我的慾望可以很大，也可以很小，最大的慾望是——只要有能力，我盡力而爲；如果不能做到，要我做一個沒沒無聞的人，我一樣自在。學生時代的我，就是這樣的人。

所以，創業雖然辛苦，但是我從來沒有心力交瘁的感覺，因爲我盡力而爲，也量力而爲，只要公司不垮，或者即使垮了也不欠別人錢，就不至於有後顧之憂。雖然我們曾經錯估形勢，但是調整目標之後，也就不覺得爲難。

要命，不要面子

創業二十年來，我有個很深的感觸，經營企業如同帶兵作戰，要帶領軍隊一鼓作氣攻城掠地容易；但當陷入險境要能全身而退卻不簡單。特別是在美國市場失利的階段，這樣的體會更加深刻。

因此，企業領導人有個相當重要的社會責任，當勢不可爲時，要能顧全大局即時引退，而且必須不能破壞整個組織。

多數的企業主總會說，把企業視同兒女，但有多少人當自己不再勝任領導角色時，便一氣之下做出玉石俱焚的舉動，掏空企業，一走了之，讓企業因此而毀於一旦。如果事情發生在別人身上，這些人一定會非常理性地分析，這麼做是錯的；但當自己作出相同的舉動，又振振有辭地認

爲：「企業是我的，我有權這麼做。」

其實，不只是企業主，身爲職員的人在被迫離開工作崗位時，消極抵制或不確實交接職務的行爲，也比比皆是。多少人在不知不覺中，做出傷害自己所心愛的人或事物的行爲。

如果一個領導人真心爲公司，應該不是這樣。我之所以要培養這麼多接班人才，無非是希望在我退休之後，公司會更好。如果真心愛公司，就該竭盡所能讓公司繼續生存。如果我們真心愛一個人，難道會在自己活不下去時，讓心愛的人一同毀滅？

因此，當公司勢不可爲時，領導人要考慮的是如何保護企業，而不是孤注一擲，做出種種違法、欺騙的動作。

曾經有企業主在公司瀕臨倒閉，說出這麼一番話：「公司是我的，爲了公司，我一定要再站起來。」事實上，這句話是不通的，如果企業主真的爲公司好，早在公司出現危機時，就該急流勇退保住公司，而不是光顧著「公司是我的」的顏面，讓企業陷入無可挽救的地步。

我向來有個哲學——「要命，不要面子」，在公司發生問題的時候，如果經營者只想到自己的面子問題，就會斷送公司的生機。

沒有結束的競賽

其實，不單是企業，許多政治人物也在重要的關頭時迷失自己。原因何在？因爲社會中有太

多錯誤的示範，大多數自私的人都可以迅速獲得利益，透過各種媒介的宣傳，讓一般大眾誤以爲顧一己之私可以讓自己得利。

過去在傳統的社會中，規範這種行爲的力量，是來自道德的訴求，例如「不是不報，時候未到」。因爲在農業社會中，人們過著日出而作，日入而息的生活，違法犯紀的機會並不多，因此道德就足以約束人類的行爲。但時至今日，人們的生活複雜而緊湊，一天所面臨的事情比老祖宗幾年的經歷都多，所以道德已不敷所需，必須靠法令來維持社會秩序。

但遺憾的是，目前台灣以法制來讓「惡有惡報」的情形並不明顯，這才使得社會充斥著負面的示範。因此，除非自己有相當自制力，才不會在似是而非的模糊界面上迷失自己。

而宏碁之所以要堅持以社會貢獻爲目標，是真心希望能試著走出一條無私心、不求近利的路，請大家一起來見證，這條路其實更長遠、更穩健。

而當宏碁發展到今天的局面，讓我去追求更大的社會貢獻的動力，已進入另一個層次。現在促使我們追求更大貢獻的原因是，不要做歷史的罪人。

這說起來既現實又殘酷。我經常用這一段話與同仁共勉：「當我們已經具備能力，又站在現在的位置，如果我們不去實現『龍夢成真』的理想，沒有人比我們有更好的機會。如果我們不能替後世子孫建立基礎，那我們的一生是交不了差的，我們會成爲歷史的罪人。」這不是我們野心太大，而是責無旁貸的使命。

因爲責任未了，所以，宏碁追求理想與貢獻的行動，還在繼續當中。
二十年對宏碁而言，不過是第一回合的起點！

後記
對宏碁的另類觀察

林文玲

執筆寫這本書最初的心情，是緣起於對台灣經濟發展史不死的熱愛，以及對宏碁的好奇心；畢竟，它是台灣在國際市場最響亮的招牌，況且，能夠「打斷手骨顛倒勇」的大企業終究罕見。宏碁的故事應該會是一種典型。

但很快地，另一種期盼便超越了一窺究竟的單純情緒。

當台灣面臨國際間有史以來最激烈的競爭力淘汰賽，以及非一蹴可幾的民主進程，似乎命定只能在「專制而有效率」以及「民主而無效能」之間二選一，但宏碁卻能走出一條民主而效率的路，沒有踩著歐美日跨國企業管理模式的腳印，也沒有自悲自憐地甘做先進國家的「邊陲」加工站。

借用政論作家南方朔對開發中國家民主化所提出的出路，這段歷程，正是一種「深入反省而

非移植的創造過程」。

而這些思維，必須回溯到過程中一些難忘的場景。

㈠結盟

有一回，施先生談到，經營者必須是整套的，要有全盤的概念（參見第五章），此時，我插嘴問道：「萬一不是怎麼辦？你又如何知道自己是不是整套？」

「我也只有半套啊，」施先生不假思索地回答：「所以我找了很多夥伴，大家一起才能湊成一套。」

這時，腦海裡忽然響起有次施太太在記者聯誼會時，唱了一首她從前哄小孩入睡的童謠：「一隻螞蟻在洞口，找到一粒豆，費盡力氣搬不走，只好連搖頭。左思右想好一會兒，想出好計謀，回洞找來好幫手，合力抬著走。」

當時施先生站在一旁聽著，深以爲然地猛點頭，不禁令人莞爾。

在「英雄」輩出的時代裡，公眾人物霸氣與攻擊性語言，以及衝撞不合理結構的顛覆式動作，似乎已經成了慣性。在這種定義之下，施先生並不是英雄，而是由內而外地，先真心承認自己的極限，從而願意釋放資源去交換更大結盟的力量，建構一個心目中合理的環境。於是，當許多新集合不斷參與交集的情形下，「宏碁聯集」的邊界也不斷向外伸展。

「英雄多，百姓苦」，我想，徒然摧毀舊架構並不能創造更進步的社會，台灣更需要有藍圖、有步驟與整合力的建築師。

(二)尊重

在宏碁陷入困境的階段，外界都在揣測，施先生會不會信守當年承諾，提出辭呈。在台灣，畢竟未聞哪個企業的創辦人如此公開許諾，即使曾經表白，也可以有太多正當理由不去兌現。在施先生果真提出辭呈而被挽留之後，一位記者同業認為，施先生之所以「敢」付諸行動，是因為宏碁多數的股東都是員工，他當然有把握員工會站在他這一邊，所以，「還是靠員工入股的布樁，幫了他的大忙。」

姑且不談員工是否一定與領導人同一陣線，或者有多少企業主被員工取而代之的問題，下面這個例子，或許可以提供另一個參考背景。

在一次宏碁電腦股東大會上，有位老先生提議，為了回饋股東，宏碁應該以「半買半送」的價格，優惠股東一人一套電腦。

參加過上市公司股東大會的人大概可以想像，如果按照多數上市公司老闆的作法，大約是三言兩語打發過去。但施先生卻極有耐心地詳細解釋，這個作法違反與經銷商的合約。但是他立刻接著表示：「不過，如果這位股東有需要，我們應該在符合合約的前提下儘量服務。」於是，他

請同仁當場了解這位股東的需求，並提供協助。

敘述這個故事的是第三波文化事業董事長王振容，他以此印證施先生「尊重少數」的哲學：「他自己是公司最大的股東，但宏碁的表決卻不是比股權，而是一人一票。」

此時的台灣，金融弊案層出不窮，靠派系支持與收購股權入主金融機構者，強以社會公器圖利自身，讓社會陷入信心危機的夢魘，而「過半與不過半」成爲政治角力中非輸即贏的唯一指標。聽這樣的故事，很難不讓人心有所感。

㈢自主與示範

宏碁第二代經營者形容施先生的領導風格，「其實是很少說教的」。明碁電腦總經理李焜耀說：「他總是給目標、給啓示、給機會，讓我們在沒有經驗過的情境中自己學習。」

李焜耀回想當年還在研究部門當工程師時，第一次被派去交大議價，被殺價殺得滿頭包，生意雖然沒有談成，卻還是一再被賦與從未經歷過的任務，從採購到生產部門經理，一路歷練成公司最高決策者；「現在，施先生更少介入（明碁），甚至不干涉人事安排。」

但落實自主難免產生陣痛。宏碁創辦人之一的林家和記得，有一陣子，看到競爭對手在老闆集權式的管理之下，決策與應變速度都比宏碁快許多，心裡既驚且憂，但是沒多久，這些公司大多結束營業，而宏碁卻藉由進一步的分散授權，使速度成爲現階段最重要的核心競爭力。

一九九五年，當國際政治學者法蘭西斯．福山（Francis Fukuyama）爲民主發展提出「互信」理論時，宏碁早在這理論出現的十九年前，便引用中國傳統的「人性本善」，將相同的概念落實於管理之中；當第三世界國家在追尋自主的道路上，擺盪顛躓數十年，宏碁堅定貫徹授權的信念，終得享有自主所帶來的優勢。

在分權自主的體系裡，領導人不再主導一切，但重要性有增無減。

「任何人要成長，當然靠自己學習，但也得有個樣子可以讓你學。」宏碁電腦資訊產品事業羣總經理林憲銘回憶，有一回他和施先生去談判智慧財產權，遭逢一羣倨傲的老外對手，以歧視的眼光相待。「雖然我早已不是年輕氣盛的年紀了，還是忍不住想拍桌子破口大罵。這時，施先生不但面無慍色，還反過來安慰我：『稍微忍耐一下，馬上就過去了。』」

「他讓我看到，面對棘手難關時要如何自處。」林憲銘表示，「如果領導人顯得不堪負荷，其他人當然也跟著挑不動；如果領導人跟大家一樣茫然，那一切就都完了。」而施先生對他最大的影響，就是「示範一個樣子」，「現在，我也常常自我提醒，自己有責任做好榜樣讓部屬學習。」

這應該是控制所不可及的、更深遠的影響力。

㈣勇敢

施先生的管理風格，在自主性極強的夥伴口中，自然有褒有貶，但大家卻對他有個共同的正面評價——勇於面對挫折。

在宏碁仍處於虧損狀況時，有一次宏碁召開記者會，宣布新的廣告策略，但多數記者最感興趣的不是策略本身，而是「公司已經在賠錢了，還花這麼多錢刊登廣告，對投資人怎麼交代？」儘管施先生反覆解釋，這些錢是為將來所作的投資，但大家似乎還是持質疑態度。

面對諸多詰難，施先生不以為意地笑笑說：「我知道，我們表現不好，大家難免會有懷疑。」

那時，在一次採訪施先生的機會裡，聽到他自我批判患了大頭病，心裡對這位溫和的企業家不禁有另一番評價，因為即使標榜第一衝，第一勇的政治人物，在媒體面前檢討失敗，不免都還歸咎大環境與對手卑劣的手段，而極為重視形象的施先生，卻如此公開坦承犯錯，若非有超越失敗的決心，豈非徒然落人口實？

我想，如果不是心中有一把尺，並且願意時時丈量、檢視自己，也不可能發現偏離的存在，而施先生之所以不忌諱公開自己的誤差，是因為在他的尺上，「實質」與「改善」的刻度，更優先於形象之前。

有一回，施先生在一場演講當中，談起宏碁國際化所遭遇的難題，滿座的企業人士不時發出心有同感的苦笑；當話題導入宏碁爲解決困境所發展出來的管理模式時，後排一位頗具知名度的企業主，輕聲説道：「施先生的經驗談，價值何止千萬！」

從這個角度來看，正因爲曾經挫敗，宏碁的經驗才會更有説服力；而能以失敗經驗作爲「賣點」的，大概也只有重新獲致成功的人。

(五)追求

在「渴望」（Aspire）家用電腦問世的記者會上，有一位記者問施先生，接下來有什麼新產品計畫？施先生回答：「其實，我們有一個非常重要的任務。雖然渴望的定價並不比其他類似的產品貴，但是還有很多國家的人們買不起，因此，我們必須努力降低成本，讓更多人可以享受到科技的成果。」

這段被淹沒在新產品上市新聞的談話，讓我想起自由經濟大師米塞斯（Ludwig von Mises）在《反資本主義的心境》（*Anti Capatalistic Mentality*）一書中的話：「企業家與貴族不同。貴族的財富來自掠奪，或掠奪者的恩賜，這種財富，可能因賜予者收回權力而失去，可能因另一個掠奪者的強搶，或是自己的揮霍而消失；但企業家的財富則來自消費者的光顧，如果在市場中遭遇勁敵，他們就拿出更價廉物美的產品來競爭。」

曾問施先生，宏碁推行員工入股與股票上市，當同仁致富之後，豈不是會喪失創業精神？他說：「關於這點，我有帶頭示範的責任，而且也必須有更高遠的目標，大家才有不斷追求的動力。」

施先生的簡樸生活在《財星》雜誌報導宏碁的文章中，曾特別提及。當台灣許多老闆住在安裝鋼板的豪華宅邸，警衛森嚴的辦公室得刷卡才能進出，施先生卻安於小小的辦公室，家裡沒有佣人，日常以散步來運動，並不忘以使用過的紙張背面來書寫。他的助理兼司機梁吉男說，準備他的午餐一點也不費事，不管便當、麵條或漢堡，無須請示，買什麼就吃什麼，爲了省事，甚至還曾託同仁代買泡麵果腹。

在他低層次物質享受的另一面，卻是觀照國家與全人類的理想。直到今天，我仍常常想起施先生在宏碁新人訓練時說的一段話：「所謂龍夢成真，就是中國人要對世界做更大的貢獻。」

新一代企管大師彼德．聖吉（Peter Senge）曾說：「自我超越有兩個要件，第一要忠於願景，第二要忠於真相。」

我似乎愈來愈能夠理解，宏碁「憑什麼」可以破繭而出了。

對於猶有貢獻社會熱情的人來說，宏碁的故事也許提供了另一種形式的附加價值——追求理想的路上並不孤獨。

經歷過這段難得的思考衝擊之後，我必須感謝施先生在幾乎不認識我的狀況下，二話不說就讓我執寫他的第一本授權著作，既沒有比稿，也沒有面談。第一次見面時，也二話不說就同意了

我所擬定的大綱。當時我有點錯愕，以爲他就算不增減章節，起碼也會調整順序，不料他的反應是：「那我們是不是開始了？」

在這個過程中，他百無禁忌，有問必答，而且從來不催稿。在審稿的時候，除了與事實和數字有出入的地方之外，幾乎不曾更動文字。對修改內容的建議，施先生都是同一個答案：「好。」但這個簡單的字，卻讓我日夜神經緊繃地努力求好。

我終於見識了施先生的授權，完全不是徒託空言，也深刻體會到自主的驅動力。

附錄一 宏碁集團大事記

一九七六年

‧創立宏碁，資本額一百萬，從事產品設計與貿易。

‧與張國華先生合資成立美國分公司，為最早之「結合地緣」、「當地股權過半」模式。

一九七七年

‧營業額一千兩百萬新台幣。

一九七八年

‧成立「宏亞微處理器研習中心」，以及微處理器俱樂部。

‧發行《園丁的話》，為日後第三波文化事業之前身。

一九七九年

‧成立台中高雄分公司。

一九八〇年

‧與朱邦復合作推出天龍中文電腦，獲頒「行政院長獎」，後來並免費開放倉頡輸入法，成為電腦產業標準。

一九八一年

‧推出小教授一號電腦學習機，開啓自創品牌之路。

‧《0與1科技》雜誌創刊。

- 成立宏碁電腦，資本額新台幣一千萬，在新竹科學園區設廠，跨入製造業。

一九八二年

- 推出小教授二號家用電腦，為台灣第一項八位元電腦產品。
- 政府全面查禁電動玩具，宏碁零組件代理業務連帶受波及。

一九八三年

- 舉行第一屆全球經銷商會議，共有來自二十多個國家代表參加。
- 推出台灣第一部IBM相容XT個人電腦。
- 第三波文化事業成立。

一九八四年

- 與大陸工程合資成立宏大創業投資與明碁電腦。

一九八五年

- 成立第一批電腦連鎖店「宏碁資訊廣場」。
- 成立日本、德國分公司。

一九八六年

- 成立揚智科技，從事「特殊應用積體電路」（ASIC, application specific integrated circuit）設計。
- 領先IBM推出三十二位元個人電腦。
- 舉辦第一屆龍騰科技論文獎。
- 明碁開發台灣首部桌上型雷射印表機。

一九八七年

- 將品牌由MULTITECH更換為Acer。
- 購併美國康點電腦公司，跨足迷你電腦領域。
- 成立「宏碁科技管理教育中心」，與亞洲管理學院進行學術合作。
- 第五屆世界經銷商會議，共有五十餘國代表參加。
- 在高雄舉辦千台電腦教學大展，吸引數十萬人前往參觀。

- 集團總營業額突破一百億新台幣。

一九八八年

- 宏碁電腦股票上市。
- 宏碁電腦成為新竹科學園區生產額最大的廠商。

一九八九年

- 聘請劉英武擔任宏碁關係企業總經理，與宏碁北美洲總公司董事長。
- 與美商德州儀器合資成立德碁半導體，生產DRAM（動態隨機存取記憶體，dynamic random-access memory）。
- 《華爾街日報》（*Wall Street Journal*）評選為九〇年代企業新星。
- 個人電腦出貨量突破一百萬台。
- 購併以生產精密桌上型排版系統等周邊產品的美國普林斯頓出版實驗室（Princeton Publishing Labs）。
- 明碁電腦投資馬來西亞廠，生產鍵盤與監視器。
- 宏碁公司更名為宏碁科技，宏碁資訊廣場連鎖家數突破九十家。
- 成立龍顯國際公司，執行安家計畫。
- 舉行關係企業經營策略研討會「天蠶變」，共有近三百位主管參加。

一九九〇年

- 購併多人使用電腦之領導廠商——高圖斯公司。
- 建立進一步分散授權體系新架構，將各關係企業分為五個策略性事業羣（SBU）與四個地區性事業羣（RBU）。
- 將總部遷往桃園龍潭。
- 三二位元個人電腦技術與超大型積體電路相管產品技術，分別授權美國優利系統與利迅公司。
- 成立卜碁資訊，從事系統整合、加值型網路（VAN）與電腦輔助教學（CAI）業務。
- 榮獲國內大專應屆畢業生「十大偶像企業」榜首。
- 美國*Datamation*雜誌評選為世界第七十五大資訊廠商。

一九九一年

- 執行勸退計畫，台灣三百人、美國一百人退職。
- 加入先進電算聯盟（ACE, Advanced Computing Environment），成為創始會員。
- 與德國賓士集團旗下之Temic公司合資成立國碁公司，從事混成微電子系統的設計與製造。
- 發表「矽奧技術」，於翌年獲得國內專利，並授權英代爾，寫下台灣廠商發展智慧財產權的新里程碑。
- 在倫敦發行四千五百萬美元的歐洲公司債。
- 在美國推出第二品牌Acros個人電腦。

一九九二年

- 推出整合電腦、通訊、消費性電子的多功能個人電腦AcerPAC，於次年榮獲台灣第一屆國家產品形象金質獎。
- 集團總營業額突破三百億新台幣。

一九九三年

- 德碁半導體開始量產四M bit DRAM，並開始獲利。
- 企業總部搬回台北。
- 在《天下》雜誌與英代爾舉辦的「台灣個人電腦十年回顧」活動中，八位元、十六位元、三二位元、六四位元個人電腦均獲頒發「個人電腦里程碑獎」。
- 躍升為*Datamation*全球排名第四十八名資訊廠商。

一九九四年

- 與墨西哥經銷商Computec合資成立拉丁美洲宏碁公司雙方股權各半。
- 成為全球第七大個人電腦品牌，在拉丁美洲市場佔有率躍升為第一名。
- 「全球品牌，結合地緣」策略被《世界經理人文摘》（*World Executive's Digest*）喻為「國際化的第四種模式」，《財星》（*Fortune*）則稱其為宏碁邁向二十一世紀的獨特國際化策略。
- 根據《時代》（*Time*）雜誌調查，宏碁成為台灣最具國際知名度之企業標誌。根據美商泛美公司評鑑，宏碁商標價值約新台幣四十八億元，為台灣企業最高價值的商標。

一九九五年

- 推出渴望多媒體電腦，開創世界家用新造型。

- 宏碁電腦在蘇比克灣設廠；明碁在大陸蘇州設廠。
- 宣布第三次創業目標——新鮮科技提供世界每個人、每個角落，並積極投入消費性電子領域。
- 宏碁國際在新加坡股票上市。
- 集團營業額突破一千五百億新台幣。宏碁電腦十一月創下單月營業額八十六億新台幣，為國內民營企業之最高記錄。
- 《遠東經濟評論》（*Far Eastern Economic Review*）發表亞洲企業評估報告，宏碁首度超越台塑成為台灣領導企業。

一九九六年

- 繼與英代爾交換專利之後，再與IBM交換專利授權，為台灣資訊業第一家與IBM交換授權的廠商。
- 宏碁「渴望」電腦榮獲一九九六年第四屆「國家產品形象獎」金質獎。
- 宏碁「渴望」電腦榮登美國《個人電腦》（*PC*）雜誌封面，並獲「主編特選獎」（Editor's Choice）。
- 宏碁電腦獲《亞洲商業》月刊選為「一九九六年亞洲十大最受推崇之企業」，為台灣唯一名列其中的企業。

附錄二　宏碁集團全球組織圖

一九九五年營業額：US$5.8B
員工人數：15,352人
B=Billion（十億）
M=Million（百萬）

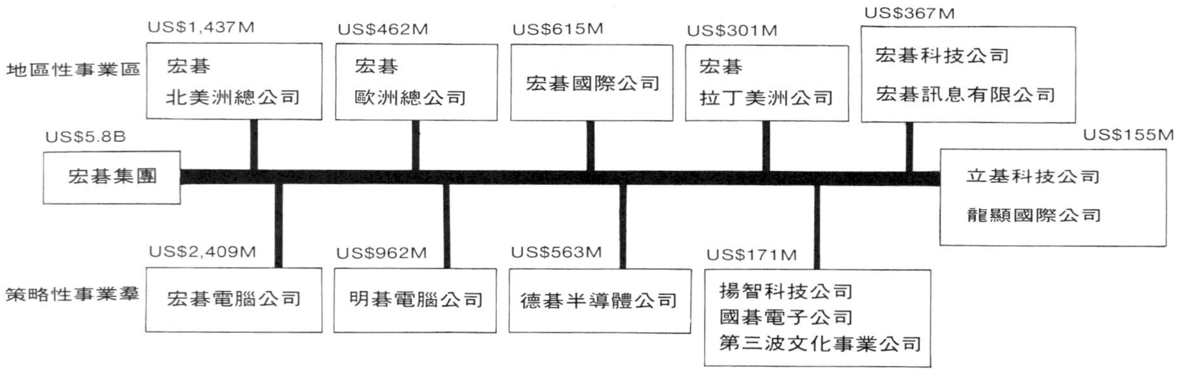

＊US$5.8B 爲扣除企業內部交易後之營業額

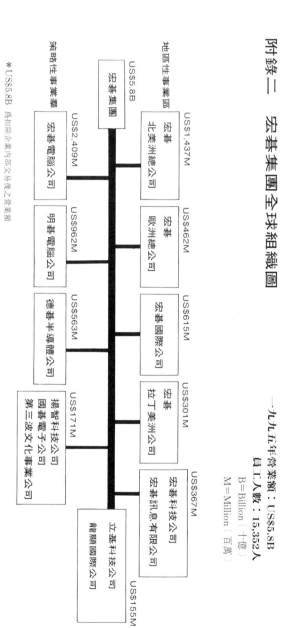

財經企管系列推薦

CB112
優勢行銷
拉瑟等／著　周旭華／譯
●定價二五〇元

本書探討在二〇〇〇年世紀交替之際，市場的發展與行銷趨勢。這是美國行銷協會（ＡＭＡ）贊助下的「行銷二〇〇〇年委員會」所做大型研究計畫的成果。敘述趨勢變化對管理工作可能造成的影響，以及隨之而來的機會與挑戰。

全書包括三大方向：

(1)探討主導未來行銷走向的重要課題，如科技、人口、消費者行爲等。

(2)分析頂尖未來學家、行銷學專家的論述與觀點。

(3)摘錄具前瞻觀念與領導才能的企業管理者的觀念精華。

透過本書，我們更能深入而廣泛的思索未來行銷走向，成爲促進變革的行動派；並以創新的觀念和作法，幫助企業針對新機會與挑戰，預作適當的資源開發與分配。

面對未來，行銷必須要加速疾駛，只有以後視鏡來掌握變速、調整方向；本書正是可以幫助企業全速前進的後視鏡。

CB119
時間萬歲
伯恩斯／著　莊勝雄／譯
●定價二八〇元

爲什麼我們注重健康，卻常以速食果腹？爲什麼我們嚮往真愛，卻不能天長地久？爲什麼我們關心幼教，卻沒時間陪子女？

使用電腦、微波爐、自動洗衣機，反倒讓我們忙更多事！在科技高度發展的21世紀，每一個人都想在有限的時間裏塞滿工作，並且企圖讓每一件工作都擁有高品質。於是，人人都不自覺地成了忙碌族。

作者以詼諧的筆調，縱橫古今，旁徵博引，帶領讀者仔細探究「時間」和我們之間的弔詭關係。首先解析「時間」在人類文明發展各個層面所造成的影響，包括：信仰、健康、愛情、教育、藝術、交通等，接著討論現存的「時間價值觀」，在高度發展的社會中所可能產生的負面效應。

深讀此書，可以幫助我們重新思考「時間」在個人生命價值中的定位，並且作出理性而有效的安排。

CB120
飛狐行動
——一個團隊致勝的故事
巴特曼／著　施惠薰／譯
●定價二八〇元

這是一本關於運用合作成功致勝的精采小說。

ＦＣＩ是一家曾經風光一時的高科技公司，目前已露出走下坡的跡象，新上任的總裁爲了再次展現產品威力，決定成立跨部門工作小組，全力發展定名爲「飛狐」的新產品。領導人結合了心思單純的工程師、積極冒進的行銷人、脾氣急躁的生產經理、見多識廣的元老重臣、謙虛自持的採購等，故事從組員間互相猜忌、排斥到摒棄本位、開放接納，接著釐清目標、建立共識，最後眾志成城，圓滿達成公司總目標。人物性格鮮活，情節曲折，沒有生硬的理論教條，讀者可以在愉快的閱讀中，獲取團隊合作的寶貴資訊。

財經企管系列新書推薦

CB121

團隊出擊

哈琳頓—麥金／著　齊若蘭／譯

●定價二六〇元

充分運用人力資源，達到組織目標，是企業成功的重要策略，近年來更被廣泛運用在各個產業領域：例如豐田汽車以生產團隊建立品質並提升效率；富豪汽車的生產團隊降低了二五％的成本；這些成功的實例讓全球企業積極地尋求團隊出擊的有效策略。

本書是一本報導團隊運作技巧的最佳參考，從團隊誕生、會議討論、行爲融合，到克服成員潛藏的恐懼焦慮、尖銳對立，逐漸釐清目標，凝聚共識，最後再談到團隊決策、績效評估及教育訓練等內容，一應俱全，無論是營利或非營利機構，無論是跨部門小組或獨立團隊，都能從書中得到具體幫助。

或許你的團隊剛起步，或許已略具雛型，都可以在書中隨時取得具體而可行的建議，逐步發揮「優秀團隊」的潛力，邁向成功。

CB122

綠色管理手冊

沙德葛洛夫／著　宋偉航／譯

●定價三六〇元

在污染不必付費的時代，企業界也許可以對環保問題不聞不問；但如今在環保人士、消費者和政府相關單位的要求下，企業界必須找出新作法回應。

本書所涉及的環保層面相當廣泛，包括土地、建築、民生用品、廢氣、污染等，並以部門組織不同特質提供環保革新策略，例如，該如何做稽查找出污染源；如何解決辦公室的環保問題；如何修改製程以減少廢棄物排放量，如何有效地利用公司內部的人力資源做環保等……。而本書所提供的例子，皆是產業界的「最佳範例」，除了可以讓業界了解其他公司在環保的進行程度和效果外，也可從中汲取經驗，做爲全面推動環保革新時的參考指標。

CB126

我看英代爾

——華裔副總裁的現身說法

虞有澄／著　程文燕／協助整理

●定價三六〇元

家裡有一台二八六、三八六、四八六或Pentium電腦的讀者，也許都注意到電腦外殼的圓形「Intel Inside」。這個圖案代表了電腦的心臟——負責整台電腦運作的「微處理器」——乃是由英代爾（Intel）公司所製造。

而負責開發及製造這顆大型積體電路晶片的，是英代爾一位出生於上海，在台灣、香港及美國受教育的華裔資深副總裁虞有澄博士。在參與高科技產業發展近三十年的期間，虞有澄正好經歷半導體技術的革命性蛻變，以及親身參與電腦業的快速發展。今天全球電腦之所以能夠如此普及，而且功能不斷地增強，虞有澄是其中的關鍵人物。

本書有三條主線：全球電子及資訊業的發展經過；英代爾如何創立並演變成目前年營業額超過百億美元的跨國企業；以及虞有澄不斷學習和成長的歷程。三線交織成一篇篇勇於逐夢，敢冒風險、永無止境的企業故事！

天下文化〈天下人知識系列〉

書號	書　　名	作者	譯者	定價	備註
BK001	跳出思路的陷阱	葛登能	薛美珍	150	
BK002	帝王學	山本七平	周君銓	150	
BK003	如何看財務報表（原名：盈虧之間）	波席爾	王修本	150	
BK004	輕輕鬆鬆學經濟	普爾、拉蘿	陳文苓	150	
BK005	共同基金	陳忠慶		150	
BK006	房地產—增殖的投資途徑	游振輝		150	
BK007	創意激盪	羅林森	黃炎媛	180	
BK008	啊哈！有趣的推理	葛登能	薛美珍	280	
BK009	進入廣告天地	紀文鳳		180	
BK010	成功簡報手冊(原名：團體溝通的藝術)	勒夫	曾瑞枝	180	

天下文化〈天下經典系列〉

書號	書　　名	作者	譯者	定價	備註
BA002	自由經濟的魅力	李甫基	馬凱　等	320	
BA003	台灣經驗四十年	高希均、李誠編		400	
BA004	新領導力	葛德納	譚家瑜	300	
BA005	新政府運動	歐斯本　等	劉毓玲	300	
BA006	台灣二〇〇〇年	蕭新煌　等		320	
BA007	不再寂靜的春天	彌爾布雷斯	鄭曉時	500	
BA008	綠色希望	席塔茲	林文政	320	
BA009	台灣經驗再定位	高希均、李誠編		500	

天下文化〈知識的世界〉

書號	書　　名	作者	譯者	定價	備註
BW007	經濟學的世界：上篇	高希均、林祖嘉		350	

天下文化〈科學人文系列〉

書號	書　　名	作者	譯者	定價	備註
CS001	混沌—不測風雲的背後	葛雷易克	林和	300	
CS002	居禮夫人—寂寞而驕傲的一生	紀荷	尹萍	280	
CS003	全方位的無限—生命爲什麼如此複雜	戴森	李篤中	280	
CS004	你管別人怎麼想—科學奇才費曼博士	費曼	尹萍　等	250	
CS005	理性之夢—這世界屬於會作夢的人	裴傑斯	牟中原　等	320	
CS006	氫彈之父—沙卡洛夫回憶錄(1921－1967)	沙卡洛夫	牟中原　等	300	
CS007	人權鬥士—沙卡洛夫回憶錄(1968－1989)	沙卡洛夫	牟中原　等	300	
CS008	大滅絕—尋找一個消失的年代	許靖華	任克	280	
CS009	柏拉圖的天空—普林斯頓高研院大師羣像	瑞吉斯	邱顯正	300	
CS010	古海荒漠—地中海默默守著的大祕密	許靖華	朱文煥	220	
CS011	宇宙波瀾—科技與人類前途的自省	戴森	邱顯正	300	
CS012	別鬧了，費曼先生—科學頑童的故事	費曼	吳程遠	300	
CS013	喜悅時光—從宇宙演化看人性真諦	席夫	葉李華	250	
CS014	恐龍再現—誰讓恐龍「復活」了？	雷森	陳燕珍	280	
CS015	雁鵝與勞倫茲—動物行爲啓示錄	勞倫茲	楊玉齡	280	
CS016	蓋婭，大地之母—地球是活的！	洛夫洛克	金恆鑣	240	
CS017	基因聖戰—擺脫遺傳的宿命	畢修普　等	楊玉齡	400	
CS018	複雜—走在秩序與混沌邊緣	沃德羅普	齊若蘭	400	
CS019	玉米田裡的先知—異類遺傳學家麥克林托克	凱勒	唐嘉慧	300	
CS020	演化之舞—細菌主演的地球生命史	馬古利斯、薩根	王文祥	320	
CS021	自私的基因—我們都是基因的俘虜？	道金斯	趙淑妙	360	
CS022	達爾文大震撼—聽聽古爾德怎麼說	古爾德	程樹德	360	
CS023	台灣蛇毒傳奇—台灣科學史上輝煌的一頁	楊玉齡、羅時成		360	
CS024	物理之美—費曼與你談物理	費曼	陳芊蓉	250	
CS025	生而爲人—從演化舞台中走來	瑪麗與約翰·葛瑞賓	陳瑞清	380	
CS026	達爾文與小獵犬號—「物種原始」的發現之旅	穆爾黑德	楊玉齡	300	
CS027	吃角子老虎與破試管—一個科學家的理性與感性	盧瑞亞	房樹生	300	
CS028	所羅門王的指環—與蟲魚鳥獸親密對話	勞倫茲	游復熙　等	200	
CS029	宇宙的詩篇—解讀天地間的幾何法則	奧瑟曼	葉李華	220	
CS030	驚異的假說—克里克的「心」、「視」界	克里克	劉明勳	380	
CS031	大自然的獵人—博物學家威爾森	威爾森	楊玉齡	380	
	科學大師系列				
CS101	大霹靂——科學大師系列(1)	巴洛	葉李華	220	
CS102	最後三分鐘—科學大師系列(2)	戴維思	陳芊蓉	220	
CS103	人類傳奇—科學大師系列(3)	理查·李基	楊玉齡	220	
CS104	伊甸園外的生命長河—科學大師系列(4)	道金斯	楊玉齡	220	
CS105	化學元素王國之旅—科學大師系列(5)	艾金斯	歐姿漣	220	
CS106	大自然的數學遊戲—科學大師系列(6)	史都華	葉李華	220	

書號	書　　名	作者	譯者	定價	備註
GB076	捍衛網路	克里夫·斯多	白方平	420	
GB077	探險天地間—劉其偉傳奇	楊孟瑜		360	
GB078	期待一個城市	黃碧端		280	
GB079	狗兒的祕密生活	湯瑪士	符芝瑛	280	
GB080	千山獨行—蔣緯國的人生之旅	汪士淳		360	
GB081	前進非洲	派克	陳秀娟	360	
GB082	響自心靈的高音—卡列拉斯自傳	卡列拉斯	張劉芬	320	
GB083	小女遊學英倫—教育體制外的一扇窗	陳淑玲		220	
GB084	鬧中取靜	王力行		240	
GB085	誰在乎媒體（原名：第四勢力）	張作錦		250	
GB086	中國飛彈之父—錢學森之謎	張純如	張定綺　等	360	
GB087	全是贏家的學校—借鏡美國教改藍圖	威爾遜、戴維斯	蕭昭君	320	
GB088	一百億國票風暴	刁明芳		320	
GB089	孤獨與追尋—地質學大師許靖華的成長故事	許靖華	唐清蓉	380	
GB090	薪火—佛光山承先啓後的故事	符芝瑛		300	
GB091	寧靜中的風雨—蔣孝勇的真實聲音	王力行、汪士淳		360	
GB092	試爲媒體説短長	張作錦		250	
GB093	日本情結—從蔣介石到李登輝	徐宗懋		260	
GB094	田長霖的柏克萊之路—華裔校長的輝煌歲月	劉曉莉		300	
GB095	堤河邑冒險學校—紐西蘭的山野教育	尹萍、韓敦瑋		240	
GB096	刻畫人間—藝術大師朱銘傳	楊孟瑜		360	

天下文化〈社會人文系列〉

書號	書　　名	作者	譯者	定價	備註
GB001	我們正在寫歷史—方勵之自選集	方勵之		200	
GB009	蕭乾與文潔若（上、下册）	文潔若		400	
GB013	尋找台灣生命力	小野		200	
GB014	風雨江山—許倬雲的天下事	許倬雲		220	
GB027	大格局	高希均		220	
GB028	智慧新憲章—著作權與現代生活	理律法律事務所		250	
GB030	美麗共生—使用地球者付費	凱恩格斯	徐炳勳	220	
GB033	尋找心中那把尺	熊秉元		220	
GB037	時代七十年	姜敬寬		250	
GB040	無愧—郝柏村的政治之旅	王力行		360	
GB043	活用消費者保護法	理律法律事務所		280	
GB044	無冕王的神話世界	羅文輝		220	
GB046	最後的貓熊	夏勒	張定綺	320	
GB048	歡喜人間（上）	星雲大師		250	
GB049	歡喜人間（下）	星雲大師		250	
GB050	報人王惕吾－聯合報的故事	王麗美		360	
GB051	燈塔的故事	熊秉元		220	
GB053	電腦叛客	海芙納、馬可夫	尚青松	280	
GB054	觀念播種—高希均文集Ⅰ	高希均		250	
GB055	優勢台灣—高希均文集Ⅱ	高希均		250	
GB056	失控—解讀新世紀亂象	布里辛斯基	陳秀娟	250	
GB059	教育改革的省思	郭爲藩		280	
GB060	石油一生—李達海回憶錄	鄧潔華整理		360	
GB061	1895日軍侵台圖紀—台灣民主國抗敵實錄	徐宗懋策畫		360	
GB062	務實的台灣人	徐宗懋		300	
GB063	點滴在心頭—42位身邊人物談二位蔣總統	朱秀娟訪談		320	
GB064	大家都站著	熊秉元		250	
GB065	惜緣	王端正		220	
GB066	傳燈—星雲大師傳	符芝瑛		360	
GB067	出走紐西蘭—一個母親的教育實驗	尹萍		240	
GB068	誠信—林洋港回憶錄	官麗嘉		360	
GB069	讓好人出頭—王建煊的從政理念	王建煊		320	
GB070	頂尖人物成功之路	李慧菊　等		240	
GB071	大是大非—梁肅戎回憶錄	梁肅戎		360	
GB072	永遠的春天—陳香梅自傳	陳香梅		360	
GB073	郝總長日記中的經國先生晚年	郝柏村		360	
GB074	我心永平—連戰從政之路	林黛嫚		300	
GB075	大愛—證嚴法師與慈濟世界	丘秀芷		360	

書號	書　　名	作者	譯者	定價	備註
BP046	造就自己	莫里斯	周旭華	300	
BP047	阻力最小之路	弗利慈	徐炳勳	320	
BP048	辦公室男女對話	坦南	黃嘉琳	320	
BP049	錯把太太當帽子的人	薩克斯	孫秀惠	320	
BP050	火星上的人類學家	薩克斯	趙永芬	340	
BP051	開啓希望之門	派恩	蕭富元	200	
BP052	生死之歌	雷凡	汪芸、于而彥	320	
BP053	誰是老闆—如何做個高效能的主管	波奇艾勒第	黎拔佳	240	
BP054	回歸真愛	蘿拉·史萊辛爾	林蔭庭	260	
BP055	聽眼淚說話	傑佛瑞·寇特勒	莊安琪	240	
BP056	抓住心靈時刻	赫特夏芬	鄭清榮	300	
BP057	365天領導心法	唐納 · 盧斯	汪芸、柯清心	320	
BP058	生命的領航	鮑曼、廸爾	孫秀惠	200	
BP059	X世代的價值觀	塔爾根	李根芳	250	
BP060	挑戰極限	麥克 · 強生	楊淑智	240	
BP061	新中年主張	蓋爾 · 希伊	蕭德蘭	420	
BP062	敢說真話	瑞安 等	陳秀娟	280	
BP063	另類家庭	埃亨、貝利	鄭清榮、諶悠文	320	
BP064	快樂自己求	芭芭拉 · 歐爾	李月華	260	

天下文化〈心理勵志系列〉

書號	書　名	作者	譯者	定價	備註
BP001Y	樂在工作	魏特利　等	尹　萍	250	
BP004X	樂在溝通—做個會說話的上班族	白克	顧淑馨	250	
BP006X	人生，另一種解答	葆森　等	趙瑜瑞	250	
BP007X	與成功有約	柯維	顧淑馨	250	
BP008	長大的感覺，真好	帕翠生　等	尹　萍	150	
BP009	可以勇敢，也可以溫柔	史克蘿	何亞威	220	
BP010X	生涯挑戰101—做工作的主人	迪梅爾　等	李淑嫻	250	
BP011X	腦力激進—十二週成長計畫	莎凡　等	李芸玫	250	
BP013	一躍而過	麥考梅克　等	顧淑馨	220	
BP014	愛與被愛	霍克	劉毓玲	200	
BP016	資訊創意家	川勝久	呂美女	200	
BP017	自助保健	希爾絲	邱秀莉	200	
BP020X	生涯定位	卡維、德金　等	黃孝如	250	
BP021X	21世紀工作觀	麥考比	李瑞豐	250	
BP022X	全心以赴	柯維	徐炳勳	300	
BP023	樂在談判	貝瑟曼　等	賓靜蓀	220	
BP024	看，錢在說話	亞伯朗斯基	盧惠芬	280	
BP025	魅力，其實很簡單	瑞吉歐	蕭德蘭	220	
BP026X	快樂，從心開始	契克森米哈賴	張定綺	300	
BP027	志在奪標	魏特利	邱秀莉	220	
BP028	開拓創意心	辛妮塔	莊勝雄	250	
BP029X	有聲有色做溝通	華頓	譚家瑜	300	
BP030	破解工作苦	史崔瑟·西奈	蕭德蘭	220	
BP031	激發決策腦	道森	盧惠芬	250	
BP032	其實你真的聰明	艾波思坦　等	蕭德蘭	250	
BP033X	扣準時機的節奏	魏特利	朱偉雄	280	
BP034X	夢想，改造一生	布朗	陳秀娟	280	
BP035	全面成功	金克拉	陳秀娟	300	
BP036	駕馭變局十二法則	歐力森	李宛蓉	280	
BP037	心靈地圖(修訂版)	派克	張定綺	250	
BP038	與心靈對話	派克	張定綺	280	
BP039	熱情過活	歇爾	黃治蘋	300	
BP040	寂寞的，不只是你	古屋和雄	唐素燕	240	
BP041	親愛的，爲什麼我不懂你	葛瑞	蕭德蘭	300	
BP042	相愛到白頭	葛瑞	黃孝如	320	
BP043	頑石也點頭	傑立森	趙永芬	250	
BP044	人生四季之美	日野原重明	高淑玲	200	
BP045	活在當下	安吉麗思	黎雅麗	300	

書號	書　　名	作者	譯者	定價	備註
CB126	我看英代爾—華裔副總裁的現身說法	虞有澄　等		360	
CB127	個人公關	蘿安	李淑嫻	240	
CB128	公關高手—經營人際關係的藝術	蘿安	李淑嫻	240	
CB129	不流淚的品管	克勞斯比	陳怡芬	280	
CB130	電腦王國R.O.C.—Republic of Computers的傳奇	黃欽勇		280	
CB131	數位革命—011011100101110111…的奧妙	尼葛洛龐帝	齊若蘭	320	
CB132	創意成真—十四種成功商品的故事	拿雅克　等	譚家瑜	360	
CB133	亞洲大趨勢	約翰·奈思比	林蔭庭	340	
CB134	企業推手	戴維斯　等	周旭華	250	
CB135	策略遊戲	希克曼	楊美齡	340	
CB136	行銷之神—佳能怪傑瀧川精一的故事	瀧川精一、卡拉爾	趙永芬	200	
CB137	行銷172誡	克藍希、舒爾曼	周怜利	380	
CB138	超越管理迷思—重新探索管理真諦	艾克斯　等	方美智	340	
CB139	再造宏碁	施振榮、林文玲		360	
CB140	漫步華爾街	墨基爾	楊美齡	460	
CB141	異端者的時代	大前研一	劉天祥	220	
CB142	時間陷阱	麥肯思	譚家瑜	320	
CB143	目標	高德拉特、科克斯	齊若蘭	460	
CB144	標竿學習—向企業典範借鏡	史平多利尼	呂錦珍	320	
CB145	國家競爭優勢(上)	波特	李明軒　等	500	
CB146	國家競爭優勢(下)	波特	李明軒　等	500	
CB147	競爭力手册	高希均、石滋宜		160	
CB148	動力東元—馬達轉出無限生機	東元科技文教基金會		280	
CB149	轉虧爲盈—國家半導體成功轉型經驗	歐勉國、賽蒙	呂錦珍	380	
CB150	談笑用兵—洞悉商場策略	麥凱	鄭懷超、曾陽晴	320	
CB151	攻心爲上—活用的商場智慧	麥凱	曾陽晴	250	
CB152	麥當勞—探索金拱門的奇蹟	洛夫	韓定國	320	
CB153	跨世紀資訊商戰	黃欽勇　等		260	
CB154	組織遊戲	希克曼	楊美齡	340	
CB155	戴明的管理方法	瑪麗·華頓	周旭華	350	
CB156	戴明的新經濟觀	戴明	戴久永	250	
CB157	轉危爲安—戴明管理十四要點的理念與實踐	戴明	鍾漢清	500	
CB158	哈佛學不到的經營策略	麥考梅克	任中原	280	
CB159	變動的年代—從不確定中創造新願景	韓第	周旭華	250	
CB160	雙贏策略—苗豐強策略聯盟的故事	苗豐強、齊若蘭		300	
CB161	股市陷阱 88—掌握投資心理因素	巴瑞克	陳延元	280	
CB163	抓住員工的心—建立留得住人才的公司	墨林	周怜利	220	
CB164	小公司的經營妙招—301個好點子	布洛考　編	周怜利	320	

天下文化〈財經企管系列〉

書號	書　　名	作者	譯者	定價	備註
CB053	歷練—張國安自傳	張國安		200	
CB058	廣告大師奧格威—未公諸於世的選集	奧格威	莊淑芬	200	
CB061	服務業的經營策略	海斯凱特	王克捷　等	200	
CB065	說來自在—上台演講不緊張	薩娜芙	金玉梅	160	
CB077	2000年大趨勢	奈思比　等	尹　萍	250	
CB083	改造遊戲規則—21世紀銷售新法	魏爾生	孫紹成	220	
CB085	平凡的勇者	趙耀東		200	
CB086	哈佛仍然學不到的經營策略	麥考梅克	劉毓玲	220	
CB087	未來贏家—掌握2000年十大經營趨勢	塔克爾	賓靜蓀	220	
CB089	世紀之爭—競逐全球新覇主	梭羅	顧淑馨	250	
CB091	台灣突破—兩岸經貿追蹤	高希均　等		320	
CB092	超國界奇兵	蓋伊　等	李淑嫻	200	
CB093	無限影響力—公關的藝術	狄倫施耐德	賈士蘅	250	
CB095	吳舜文傳	溫曼英		320	
CB096	經營顧客心	懷特利	董更生	240	
CB097	溫柔女強人	羅絲曼	余佩珊	220	
CB098	追求卓越（修訂版）	畢德士　等	天下編譯	220	
CB099	跳躍的靈魂—「美體小舖」安妮塔傳奇	安妮塔	黃孝如	280	
CB100	創世紀	保羅·甘迺迪	顧淑馨	320	
CB101	企業大轉型—資訊科技時代的競爭優勢	凱恩	徐炳勳	250	
CB102	大潮流—目擊全球現場	萊特　等	李宛蓉	280	
CB103	反敗爲勝—汽車巨人艾科卡自傳	艾科卡	賈堅一　等	250	
CB104	經典管理—世界名著中的管理啓示	克萊蒙　等	張定綺	240	
CB105	小故事，妙管理	阿姆斯壯	黃炎媛	220	
CB106	專業風采	畢克絲樂	黃治蘋	240	
CB109	統合管理革命	格蕾安	陳秋美	260	
CB111	第五項修練—學習型組織的藝術與實務	彼得·聖吉	郭進隆	500	
CB112	優勢行銷	拉瑟　等	周旭華	250	
CB113	實現創業的夢想	霍肯	吳程遠　等	220	
CB114	溝通時代話領導	狄倫施耐德	余佩珊	280	
CB115	全球弔詭—小而強的時代	奈思比	顧淑馨	320	
CB116	共創企業淨土	徐木蘭		250	
CB117	台商經驗—投資大陸的現場報導	高希均　等		320	
CB119	時間萬歲—解讀忙碌症候羣	伯恩斯	莊勝雄	280	
CB120	飛狐行動——個團隊致勝的故事	巴特曼	施惠薰	280	
CB121	團隊出擊	哈琳頓-麥金	齊若蘭	260	
CB122	綠色管理手冊	沙德葛洛夫	宋偉航	360	
CB123	覺醒的年代—解讀弔詭新未來	韓第	周旭華	300	
CB124	第五項修練Ⅱ實踐篇(上)—思考、演練與超越	彼得·聖吉	齊若蘭	460	
CB125	第五項修練Ⅱ實踐篇(下)—共創學習新經驗	彼得·聖吉	齊若蘭	460	

國家圖書館出版品預行編目資料

再造宏碁=Reengineering acer / 施振榮著；林文玲採訪整理.--第一版．--臺北市：天下文化出版；[臺北縣三重市]：黎銘總經銷,1996[民85]

面；　公分.--(財經企管；139)

ISBN　957-621-319-3（平裝）

1.公司-台灣

499.232　　85004151

再造宏碁

作　者／施振榮　著
　　　　林文玲　採訪整理
系列主編／吳程遠
責任編輯／張齡尹（特約）、鄧嘉玲
封面設計／陳俊良
美術編輯／李錦鳳
社　長／高希均
發行人／王力行
法律顧問／理律法律事務所陳長文律師、太穎國際法律事務所謝穎青律師
出版者／天下文化出版股份有限公司
社　址／台北市104松江路93巷1號2樓
電　話／（02）506－4618
直接郵撥帳號／1326703－6號　天下文化出版股份有限公司
電腦排版／極翔企業有限公司
製版廠／利全美術製版股份有限公司
印刷廠／盈昌印刷股份有限公司
裝訂廠／台興裝訂廠
用　紙／永豐餘象牙道林紙
登記證／局版台業字第2517號
總經銷／黎銘圖書有限公司　電話／（02）981-8089　網址／www.liming.com.tw
著作完成日期／1996年3月
出版日期／1996年5月30日第一版
　　　　1997年11月15日第一版第16次印行（45,001～47,000本）
定價／360元
英文書名／**Reengineering Acer**
by Stan Shih with Wennie Lin

Published by Commonwealth Publishing Co., Ltd.

Printed in Taiwan.
ISBN：957-621-319-3
書號：CB139